Paco Ignacio Taibo I

ESPEJO
DE
MÉXICO

La doña

Planeta

COLECCION: ESPEJO DE MEXICO

Dirección editorial: Homero Gayosso A. y Jaime Aljure B.

Diseño de cubierta: Armando G. Jurado
Fotografía de portada: fotograma de la película "Los héroes
están fatigados", coloreada por Jorge Alvarez

DERECHOS RESERVADOS

© 1985, Paco Ignacio Taibo I
© 1991, Editorial Planeta Mexicana, S.A. de C.V.
      Grupo Editorial Planeta de México
      Avenida Insurgentes Sur núm. 1162
      Col. Del Valle
      Deleg. Benito Juárez, 03100
      México, D.F.

ISBN: 968-406-283-4

Cuarta reimpresión: febrero de 1993

Impreso y hecho en México, Printed and made in
Mexico, Impreso en los talleres de: Fuentes Impresores,
Centeno núm. 109, Col. Granjas Esmeralda, México,
D.F., esta reimpresión consta de 2,000 ejemplares,
Febrero de 1993

Para Josele y Teodoro,
Mocita y Eduardo,
Ester y Fernando,
Todos Césarman.

AGRADECIMIENTOS

Son muchos, ya que el autor hizo más de cien entrevistas y consultó diarios y documentos de la época. En lo posible se señalan las fuentes de información, pero, sin duda, ha quedado fuera el nombre de personas e instituciones.

El libro parte de una idea de José Luis Ruiz, director del Festival de Cine Iberoamericano que se celebra en Huelva, España. Se trataba de hacer un documento que se editaría con motivo de un homenaje a la señora María Félix. Una serie de contratiempos y desventuras impidió que se terminara el trabajo según los planes. Tres años después, el autor reanudó la investigación, apoyándose en el material ya elaborado y en la colaboración paciente de Helena Almoina, jefe de la Biblioteca de la Filmoteca de la UNAM.

Al joven escritor español Marcos Suárez se deben algunos trabajos importantes, y la selección previa de fotografías fue una tarea que llevó a cabo con apasionamiento y eficacia Ramón Romano.

Buena parte de la filmografía que se incluye viene en la *Historia documental del cine mexicano*, y aportaron materiales los *Cuadernos de la Cineteca Nacional* y los *Anuarios* de la Universidad Nacional Autónoma de México.

AL COMIENZO DEL CAMINO

María Félix ha nacido en muchas fechas, pero siempre en el mismo lugar. Sus ocasionales biógrafos la hacen saltar de un año al otro y de mes a mes. El pintoresco francés Henry Burdin (*La mexicaine*. París, 1982) para quitarle años hace que se case cuando cumple catorce y tenga su único hijo a los quince.

La propia María ha estimulado esta nube de vaguedades y contradicciones, siguiendo un viejo ritual de estrellas femeninas y una vanidad que no sólo a las mujeres pertenece.

Pero si he de recorrer en este libro sus cuarenta y siete pasos por el cine hay que iniciar la historia cuando la estrella nace. Un documento que tengo ante mis ojos no deja lugar a dudas. Lo copiaré:

Nacimiento de María de los Ángeles Félix. En la ciudad de Álamos, a las once de la mañana del día cuatro de mayo de 1914, ante mí, Rogaciano Hernández, juez del estado civil de esta municipalidad, compareció el Sr. Bernardo Félix, originario del pueblo del Quiriego y vecino de esta vecindad, de treinta y ocho años de edad, casado, agente, empleado particular, y me presentó para su registro una niña viva que nació el día ocho de abril último a las diez de la mañana y lleva por nombre María de los Ángeles Félix, hija legítima del exponente y de la señora su esposa Josefa Güereña originaria y vecina de esta misma ciudad, de treinta y cinco años de edad, casada. La niña presentada tiene por abuelos por línea paterna al Sr. Fernando Félix, mayor de edad y de la señora su esposa María de la Paz Flores, mayor de edad, ambos casados y originarios y vecinos del Quiriego; por línea materna al Sr. Amado Güereña y la señora su esposa Marcela Rosas, ambos mayores de edad y actualmente con residencia en esta población. Fueron testigos de este acto, los ciudadanos Alejandro Q. Garcés y Refugio Avilés, ambos mayores de edad, empleados y de esta vecindad. Y leída que les fue la presente acta, la ratificaron y firmaron Rogaciano Hernández, Bernardo Félix, Alejandro Q. Garcés, R. Avilés.

La copia del documento que tengo está firmada por la licenciada Emilia Ibarra de Flores, directora del registro civil del Gobierno del Estado Libre y Soberano de Sonora, con la facultad que le otorga el artículo 143 del Código Civil en el estado. Fechado el día 6 de abril de 1984.

Cumplido este trámite ya no parece necesario señalar que el señor Henry Burdin acude más a su imaginación que a la historia de la familia Félix, cuando afirma que los abuelos de María fueron caciques yaquis unos y otros grandes de España.

Lo que importa, verdaderamente, es lo que María es hoy, y no lo que sus abuelos fueron o no fueron ayer.

Cuando a María se le pregunta en dónde nació, no suele mencionar el diminuto Quiriego, sino Álamos.

Que yo sepa, existe en el mundo un río llamado Álamos, un cerro que también así se denomina y una estación de ferrocarril con tal nombre.

Hay tres pueblos llamados "Los Álamos".

Pero un solo pueblo Álamos, a secas.

El Quiriego es una ranchería cercana a esta población que tiene como vecina a otra llamada El Descanso, lugar de apacible nombre al que María no se suele referir. En el año del nacimiento de María el estado de Sonora tenía muy escasa población y aún en 1970 contaba solamente con seis habitantes por kilómetro cuadrado. Del total de los habitantes de Sonora, el treinta y nueve por ciento se dedican a la agricultura, el diez por ciento al comercio y que yo sepa una sola persona está consagrada al cine internacional. El Quiriego no aparece en los mapas escolares y es difícil que apareciera en libro alguno de no haber nacido allí la "Doña".

La región no es la más adecuada para que en ella surja una estrella; aún ahora en Álamos existe un solo cine, el Lux, que se levanta en la calle Rosales, con 800 butacas. Sonora tiene hoy ciento ocho cines para sesenta y dos mil cuatrocientos diecisiete espectadores.

El Quiriego sigue sin poder asomarse a la cinematografía. Cuando María hace su primer película, en 1942, los sonorenses gastaron poco más de un millón de pesos en ver películas. En ese mismo año los habitantes de la capital de México invirtieron en la ilusión del cine, veintisiete veces más.

En un folleto titulado "María Félix; breviario de una diosa intemporal", se narran los primeros días de la actriz en El Quiriego:

"María nació en época calurosa, cuando el desierto sonorense se llena de vientos quemantes, como plomo derretido y el cielo se viste de azul como la flama de un soplete. Fue bautizada a los pocos días de nacida, tal y como se acostumbra en los pueblos, tan pronto como la madre se repone del parto. El bautizo fue el más rumboso que se haya visto jamás en El Quiriego. Y es que había dos circunstancias muy especiales: el nacimiento de María y que su hermana mayor, Cheñita, iba a ser la madrina del bautizo. Los muros calizos de la gran y vetusta iglesia, en donde se venera a la Virgen de Nuestra Señora de Guadalupe, fueron tapizados de flores y otros adornos. Desde la casa de los Félix, hasta la iglesia, más o menos cinco cuadras, había triple hilera de colgantes de rosas y nardos, traídos de los jardines de Álamos y otras poblaciones cercanas. Nunca antes los habitantes de aquella hacienda habían visto alboroto semejante. Y en aquel ambiente María de los Ángeles recibió las aguas bautismales."

Así lo cuenta Javier Castelazo, en el opúsculo mencionado. La Familia Félix, después de esta gran fiesta, decidió abandonar El Quiriego y se trasladó a

12

Guadalajara. El padre, don Bernardo y la madre, doña Josefina, parecían buscar un mundo más amplio para sus hijos.

María crece en Guadalajara y llega a ser Reina del Carnaval. Poco después se casa con Enrique Álvarez, que por entonces era un vendedor de productos de maquillaje, hijo de familia acomodada. La pareja hace el viaje de novios a Chapala y se hospedan en el hotel Nido.

El día 6 de abril de 1934 nace el primer y único hijo: Enrique Álvarez Félix.

Cuando el niño era aún muy pequeño, María abandona al marido, al niño y a Guadalajara y se va a buscar fortuna. Enrique queda a cargo de la familia del padre.

Como se verá más tarde, un día encuentra en la calle al ingeniero Fernando Palacios y éste descubre en ella a la futura estrella de cine.

En el año 1942 firma su primer contrato para interpretar una película. En los créditos aparece como María de los Ángeles Félix.

El Quiriego, Álamos, también Sonora, van a quedar muy atrás, pero se convertirán a lo largo de los años, en todo un mito de orgullo y ensoñación.

—Yo nací en Álamos, bajo un sol de fuego. Nada me puede quemar.

Curiosamente la calle principal de El Quiriego se llama "La Carrera"; comienza en unas bancas que las gentes del lugar llaman "el sofá" y termina en el cementerio. En El Quiriego había, hasta hace poco, una sola casa de dos pisos.

Álamos es un lugar bello, señorial, tranquilo; viejos matrimonios norteamericanos se acogen a su calma y ahí se retiran para vivir de sus pensiones. María piensa que ella es como es, gracias al hecho de que nació en Sonora.

—La gente de Sonora somos distintos. ¿No se nota?

Y mira desde la altura de su estupenda soberbia. En el año 1942, el cine es una promesa atractiva. Prácticamente en el Distrito Federal se estrena una película mexicana cada siete días. Por trescientos cincuenta mil pesos se hace un film y este auge excita a los productores a buscar figuras nuevas. . .

Toda película se vende y parece que todo film da dinero. Comienza una desdichada carrera por crear nuevos productos y rebajar costos.

Las películas se hacen en tres semanas de rodaje y algunas en sólo catorce días. Los productores parecen confiar más en sus estrellas que en sus historias y apenas si surge un tema que interese a la gran audiencia, se repite bajo diferentes títulos.

La capital, sin embargo, es aún habitable y paseable; los grandes éxitos duran cinco semanas en taquilla: en 1943 sólo tres películas consiguen esto.

En ese mismo año se estrenan once comedias musicales, nueve melodramas, seis comedias rancheras, cinco comedias, cuatro comedias históricas y tres dramas, junto con otros films de más difícil clasificación.

Setenta nuevos films dan una idea del apresuramiento y entusiasmo de una industria que parece estar instalada en el camino de conseguir el mercado de habla española.

El tiempo iría destruyendo todas estas ilusiones mercantiles.

El año 1942 es esencial para México; comienzan a llegar las inversiones extranjeras; los Estados Unidos se ven obligados a transformar de alguna forma sus relaciones con su vecino del sur, dando a éste una mayor fuerza representativa, y se prepara ya el advenimiento de un régimen, el de Miguel Alemán, que si comenzó siendo democrático terminó castigando a las fuerzas obreras.

Lo que sería el alemanismo parece ya presentirse en este momento y las personas con buen olfato advierten la cercanía de los mejores negocios.

Cuando María llega al cine mexicano parece como si el panorama fuera el más adecuado para que una mujer de su tipo hiciera una aparición sensacional. Las figuras más populares estaban encasilladas muy lejos de la presencia y el significado que María llegaría a tener.

Existían los charros petulantes como Jorge Negrete.

Los galanes almibarados como René Cardona, o Julián Soler.

Los elegantes exquisitos como Arturo de Córdova.

El macho como Pedro Armendáriz.

Los cantantes estilizados como Emilio Tuero.

Y el panorama femenino del cine nacional aún era más exiguo y más fácilmente clasificable:

Isabela Corona era la gran actriz.

Gloria Marín la belleza mexicana.

María Elena Marqués la juventud ingenua e inexperta.

Dolores del Río la mexicana que había aceptado, por patriotismo, abandonar Hollywood.

Andrea Palma, ese cierto misterio que los directores no acababan de descifrar. Faltaba la mujer que negara la servidumbre tradicional y folklórica de la hembra de México, faltaba la belleza agresiva, la acción desprejuiciada. El hueco era tan manifiesto que parecía estar llamando a una nueva presencia que no se vislumbraba. María se fue haciendo, rápidamente, a la idea de que esa ausencia sólo podía se cubierta por una sola persona: ella misma.

Por lo pronto venía armada con una voluntad y un sentido profundo del desafío; para poder llegar a convertirse en la Reina del Carnaval, en Guadalajara, había roto con unos amores que toda la familia recomendaba y aún antes, a juzgar por su biógrafa María Elena Saucedo (*María Félix en pantuflas*, México, 1948) demostró su fuerte personalidad al rebelarse, de niña, ante un cura, apellidado Mireles, que la había estado preparando para la primera comunión. Parece ser que el tal padre Mireles gritaba a la diminuta María de los Ángeles:

—¡Eres un hereje!

Si esto es cierto, el padre Mireles tenía dotes adivinatorias.

A los 26 años, María recorre, después de haber abandonado su hogar en Guadalajara, varias ciudades de provincia, buscando una salida a su vida. Quienes la recuerdan a su llegada a México parecen coincidir en que los fracasos no la habían humillado. Se sabía bella y confiaba en su belleza.

Han pasado los años y la vida parece haber concedido a María todo cuanto ella misma se prometió. El cine no sólo la hizo famosa, sino que la hizo tal y como ahora es. Del cine tomó no sólo la fama y el dinero, sino también personalidad, estilo, vigor, altivez. Pasa María por el cine aprendiendo de sus personajes y fingiéndose ella misma un personaje más, hasta el punto de que realidad y ficción se mezclan y se amasan; sobre todo porque productores y guionistas pronto entran en el juego y hacen un cine "para María Félix". Es decir, para la María Félix que se suponía era y que ella iba creando con una disciplina y una voluntad que asombra a quien se asome a su vida.

Curioso caso en el que la realidad se va ajustando al proyecto y la mentira se hace primero leyenda y luego realidad. Los films de María la mienten o la exageran, la falsean y la hacen ridícula en ocasiones, pero cada paso de la estrella es un paso hacia adelante, superando a la mala película, dejando a un lado al cine para modelar su propia mitología.

Sus películas pueden ser malas, sus personajes falsos, pero María se asoma por encima de tanto fracaso y se hace presencia extraordinaria. Escritores, directores, modistas, trabajan en su contra y ella los vence a todos.

Con toda seguridad el mejor film de María es el que no hemos podido ver, pero que acaso algún día se haga posible; la película de los mejores momentos de sus películas. Porque en el fondo no nos importan los argumentos, las historias ni tan siquiera sus oponentes; lo que importa es ver a María Félix. Este film, homenaje a la estrella traicionada, incluso por ella misma, sería acaso una revelación fantástica porque en ocasiones también María es una actriz de verdad, en contra de cuanto hemos venido sospechando muchos. Hundida entre errores, en pocas ocasiones pudo llegar a decirnos que era capaz de dar un mensaje sincero y honesto.

Yo acudiría feliz a ver esa película hecha con retazos de sus cuarenta y siete pasos por el cine. Y a estas secuencias añadiría fragmentos de reportajes, de documentales, fotografías también. Porque actuó tanto dentro del cine como fuera del cine; presencia fenomenal señala una época y parece irrepetible. Yo recuerdo también, sus actuaciones para un público de una o dos personas; moviéndose por su casa, para halago de los demás y de sí misma.

Vestida de negro, con una cintura apretada por un largo collar de monedas de oro, con el pelo suelto y brillante, las manos rápidas y dictadoras, la mirada que salta de un objeto a otro, que se clava en un detalle que la mano corrige, que reduce al asombro al visitante.

Vestida de blanco; levantándose para apoyarse en una pared en donde enormes libros aguardan; o bien caminando rápida y silenciosa, para mostrar un cuadro de Leonora Carrington o de Leonor Finí; o volviendo a sentarse, muy erguida, muy escrutadora, como quien mira por encima de una muralla.

Y más delgada que nunca y tan única como siempre.

María va arrastrando envidias y desconsuelos; va invadiendo la zona de las nuevas estrellas para decirles que así no se hace, que así nunca se hizo, que ella es la última. Que después; nada.

Y uno, que no tiene especial aprecio a sus films, que está a punto de negarlos, conviene en que el cine no la ha sabido ver, ni siquiera la adivinó.

Asombrosa estatua que se sabe reina, esta María Félix desplaza sus propias películas con su presencia. Demasiado importante para un cine que se movía con temores o que no se movía.

MARÍA DESCUBRE EL CINE

1. *El Peñón de las ánimas*. 1942

> Nací para el cine, al mismo tiempo que mi abuelo me
> mataba de un tiro.
> MARÍA FÉLIX.

"Yo nunca conté esto a nadie; pero la verdad es que cuando me llamaron para hacer mi primer película, yo estaba empleada con un cirujano plástico. Me pagaba muy bien; muy bien. El decía a sus clientas: miren la nariz de esta señorita, yo se la arreglé. Y enseñaba mi nariz. También decía que había operado mis orejas y mis cachetes y todo.

"Yo me mostraba a las clientas y ellas quedaban encantadas. Cobraba bastante por aquel empleo y yo podía vestirme muy bien. Así que estaba muy contenta. Pero no tenía ni idea de qué cosa era el cine y nunca imaginé que yo haría cine. Yo era bastante indisciplinada en aquel tiempo; después me hice una mujer muy disciplinada. Si quieres algo tienes que disciplinarte, tienes que entregarte. Las cosas cuestan, no te las regalan. Fue Gabriel Figueroa el que me hizo las primeras pruebas. Me recuerdo con esa redondez de la juventud; con esa cosa redonda que tiene la juventud. La verdad es que las pruebas salieron bien y me dijeron que yo haría una película titulada 'El peñón de las ánimas'. Dije que sí, que estaba muy bien.

"Dije que era fantástico, que ni había pensado en el cine. Zacarías (Miguel Zacarías, el director) me puso a estudiar. Pero pensaba que había que quitarme mi arrogancia, mi insolencia. Tres días antes me dijo que una actriz tenía que estar de rodillas ante su director. Yo le dije que nunca me pondría de rodillas ante nadie. Tres días antes parecía que todo se había terminado; me fui a mi casa y me dije: adiós al cine, ni lo probaste. Pero no lo sentí mucho, pensé que yo no iba a arrodillarme ante nadie y eso era lo importante. Pero me volvieron a llamar e hice la película. Fueron unas semanas muy malas, Jorge Negrete me odiaba, yo diría me aborrecía, me veía como una recién llegada llena de vanidad, yo me revolvía muy fuertemente, me decía; éstos no me van a aplastar. Fueron unas semanas terribles, terribles. . ."

Miguel Zacarías, el director, recuerda los mismos hechos de esta forma:

"Formar o descubrir estrellas se hace mediante 'el olfato', digamos, de quien posee los medios para lanzar a alguien, pero además enseñarle para llegar al estrellato. Son cosas de inspiración, por ejemplo María Félix, que actuó en 'El peñón de las ánimas', una película mía. Tuve que pasarme tres meses sentado en la alfombra de su departamento discutiendo, peleando con ella, haciéndola pronunciar la a, la e; enseñándola a hablar, dicción, mímica, andar, sentarse, todo eso.

"Era María muy bronca pero muy inteligente y adquirió toda clase de modales, una mujer muy hermosa a sus veinticuatro años, la flor de la edad, ya tenía un hijo, poseía un esplendor increíble.

"Siempre he considerado que el motivo más grande de infelicidad del ser humano es no tener atractivo para el sexo opuesto.

"Cuando preparabamos 'El peñón de las ánimas', todo fue gritos, porque la exacerbé, la hice arrodillarse y no quería; le dije:

—¡Cómo que no! Te hincas aquí, delante de mí, tengo que domesticarte ¿Qué clase de fiera te crees por ser bonita? ¡Al diablo con tu belleza! Yo quiero filmar una película, hacerte estrella, no me enamoraré de ti.

"Hubo muchos problemas entre ella y Jorge Negrete, pues él deseaba a Gloria Marín para la película y ya iba contrariado como el demonio, realmente le hizo muchas groserías a ella. De hecho María se topó con una vedette, como ya era Jorge, y conmigo, un señor que iba a lo suyo; claro no podía conquistar al actor ni al director y por primera vez sintió ante sí un muro; ella, acostumbrada a tener a los hombres a sus pies; se encontró con uno que le criticaba sus manos, sus dientes, todo.

"Un día, incluso, me corrió a gritos de su casa. Y se convirtió, al igual que Jorge Negrete y que Cantinflas, en estrella, que es muy diferente a ser actor. María Félix era medio tartamuda, pero yo moldeaba a los actores."

Moldear a María no es cosa fácil, si no se consigue que ella acepte ser moldeada. Los primeros intentos de convertirla en actriz, no encontraron únicamente el problema de su tartamudez, sino una muy clara oposición que a su alrededor fue montando quien había de ser su compañero en la película: Jorge Negrete.

Negrete había entrado en el cine partiendo de una fama ya conseguida como cantante; en el año 1932, a los 32 años, Jorge hace su primer film, "La madrina del diablo", dirigido por Ramón Peón. Sus películas siguientes se convierten en grandes éxitos de taquilla y el cantante llega a ser, no sólo una figura de actualidad en todo el mundo de habla hispana, sino también un líder al frente de la comunidad de actores.

Con una arrogancia que parecía ocultar una serie de profundos problemas de personalidad, Jorge creaba muchas veces a su alrededor un clima de irritación y fastidio. En sus películas repetía el personaje machista y altanero con el que había sido identificado por el público.

Cuando en el año 1946 hizo con Luis Buñuel "El gran casino", dejó en el ánimo del director la idea de que se trataba de un hombre vanidoso y superficial.

Negrete no quería a la joven debutante a su lado; el productor había sugerido que la figura adecuada era Gloria Marín, que formaba por entonces con Jorge una pareja de enamorados.

El fastidio que una persona sin historia en el cine le producía y la idea de que se estaba aprovechando su personalidad para lanzar a una nueva figura, además de que pensaba que Gloria Marín había sido defraudada, creó en Negrete toda una serie de resentimientos que fue exhibiendo a lo largo de su trabajo en la película.

Cuando años después Jorge se casa con María, hay quienes llegaron a opinar que ella está vengándose de todas las humillaciones que hubo de soportar durante la filmación de "El peñón de las ánimas". Los testigos recuerdan numerosas ocasiones en las que el galán increpaba a su compañera o, incluso, la sacudía con violencia porque ella no recordaba una frase o no la decía bien.

María respondió a todo esto con una furia que ya comenzaba a ser su mejor defensa.

Parece ser que en uno de los encuentros entre los dos, Jorge llegó a preguntar a María:

—Tengo una curiosidad. ¿Con quién se acostó usted para que le dieran el papel principal?

Hay varias versiones de la respuesta de María. Parece que ella misma avala la siguiente:

—Usted tiene más tiempo en este negocio; así que debe saber bien con quién hay que acostarse para ser estrella.

Gloria Marín recordaba que "El peñón de las ánimas" había sido "un trabajo de enemigos".

"Es verdad que Jorge y yo estábamos, por entonces, muy enamorados. Queríamos hacer juntos esa película y a Jorge le parecía muy injusto que apareciera una desconocida para llevarse el papel estelar. El año anterior habíamos hecho Jorge y yo, 'Ay, Jalisco, no te rajes' y pensábamos que era el momento de repetir la pareja. Por todo esto, Jorge estaba furioso; era un ser temperamental y chocó con María. El primer día de rodaje, me contaron, fue una catástrofe. María y Jorge se miraban sin poder contener su antipatía. Creo que Zacarías reunió a todo el elenco y pronunció un discurso para apaciguar los ánimos. Pero sólo consiguió que afloraran los resentimientos. Supongo que los nervios de María Félix, que debutaba, aún harían la situación más ingobernable. Por otra parte, mientras Jorge era ya una figura famosísima, María Félix no estaba ni siquiera segura de continuar en el cine.

"Así que ella podía devolverle a Jorge todas las descortesías. Años después, sin embargo, se casaron. La película tenía muchos momentos que no le venían bien al temperamento de Jorge; tenía que dejarse golpear en el rostro con un látigo y tener gesto de desdén y serenidad. Él no sabía hacer eso; era un hombre orgulloso y parecía sonreírse cuando lo golpeaban; daba la sensación de que no sentía el dolor. Sabíamos que no era así; pero él era todo un temperamento, más que un actor. Hablábamos mucho los dos del oficio de actuar; yo había nacido, prácticamente en el teatro, pero él venía de la canción ranchera. Yo no creo que haya habido un hombre más guapo que Jorge Negrete. No creo que el cine mexicano lo haya sabido aprovechar en todo lo que valía. Cuando se encontró con María Félix es como si hubieran chocado dos toros. Jorge no sabía cómo consolarme porque no me habían dado el papel en 'El peñón de las ánimas'."

Armando Sáenz llegó a aparecer en sesenta y cinco películas, pero por entonces era, según su propia expresión, un "niño bien de la sociedad mexicana". Recuerda cómo llegó María Félix al cine y como fue doblada en la secuencia del baile.

"Miss Carroll era una vieja norteamericana que tenía una academia de baile en el número seis de la calle Támesis, en la ciudad de México. Por entonces todas las niñas que cumplían quince años y eran de familia importante, celebraban espléndidos bailes. Yo solía ser chambelán en muchos de estos bailes y era conocido porque bailaba muy bien el vals y la polka. Las niñas de sociedad aprendían con Miss Carroll lo que entonces se llamaba 'postura y comportamiento'. Cómo tomar una taza y cómo levantarse de una silla sin torcer el cuerpo. Todas las niñas bellas de la sociedad mexicana pasaban por la Academia. Algunas terminaron convirtiéndose en estrellas de cine. Miguel Zacarías, el director, había pasado mucho tiempo en Europa y quería hacer una película muy elegante, llena de gente bella. Quería, también filmar una escena de un baile que tuviera el esplendor del baile de 'Lo que el viento se llevó'.

('Lo que el viento se llevó', de Víctor Fleming, fue estrenada en la ciudad de México, el día 22 de enero de 1941.)

"Miguel Zacarías fue a ver a Miss Carroll y le pidió que sus alumnas intervinieran en el film, bailando una polka en una secuencia que sería la más impresionante, en su género, en el cine mexicano.

"Miss Carroll dijo que ella convencería a los padres de sus alumnas, pero que en su Academia no tenía muchachos. Sin embargo se comprometió, también, a buscar a 25 jovencitos que supieran bailar la polka. Así que me llamó a mí y a otros amigos."

"En los estudios ya estaban creando una enorme sala, con el suelo de madera fingiendo parquet. Manuel Esperón había compuesto la polka y comenzamos a ensayar. Un día se nos anunció que vendría a conocernos, al estudio, el grupo principal de la película. Recuerdo que primero entró Jorge Negrete en la sala; era un hombre presuntuoso, entraba como un gallo. Después fue a entrar un señor todo tembloroso, que luego supe era el ingeniero Palacios. Éste comenzó a decir: 'Pasa, María', y entró María en el salón. Todos nos quedamos con la boca abierta. Nunca habíamos visto a alguien tan bella. Era una mujer divina. No he vuelto a ver una mujer así en mi vida. Entró con sus pasitos cortos. Tenía una cintura así; muy pequeña. Las manos, eso sí, ya eran huesudas. Pero cuando comenzó el ensayo vimos que era como una piedra. De bailar; nada. Y Negrete era un palo. No sabía bailar, era un negado. Además no podía dejar de estar tieso, como si hubiera tragado un palo. Entonces, al segundo o tercer día, Miss Carroll, viendo que no les podía enseñar, dijo que lo mejor era buscarles un par de dobles y eligieron a Linda Welter y a mí. Linda Welter, tiempo después, entró también en el cine y se convirtió en Linda Christian. Por entonces era modelo de Henry de Chatillon, un modista famoso en México. Para filmar el baile tardaron, yo creo, como cinco días.

"María y Jorge eran filmados en los grandes acercamientos y cuando hablaban entre sí. Cuando la toma era de lejos, ocupábamos su lugar Linda y yo."

Esta es la María del año 1942. Cuando un ingeniero la acaba de descubrir. "Una cierta alegría montaraz".

—¿Cómo era entonces María Félix?

—Una muchacha sencilla. Después de los ensayos salíamos, algunas veces, caminando hasta el paseo de la Reforma. Estaba un poco asombrada con la ciudad, pero era una mujer tranquila.

—¿Y Jorge Negrete?

—Se portó como un tipo ordinario. Recuerdo que la jaloneaba cuando se equivocaba en los parlamentos. Parecía que estaba a punto de golpearla.

—¿Qué recuerda del baile?

—Creo que fue uno de los mejores que se filmaron en el cine mexicano. La ropa la habían hecho Beatriz Sánchez Tello y Armando Valdez Peza. Armando llegó a convertirse en el gran amigo de María Félix y yo creo que influyó en ella de forma esencial. Muchas de las cosas por las que ahora se la conoce fueron ideadas por Valdez Peza, quien era nieto de Valdez Peza, el poeta. Cuando yo bailaba dentro del grupo, me ponían una peluca muy estirada, para que no me pareciera a Jorge. Cuando hacía de Jorge me peinaba como él. Fue el baile lo primero que se filmó de la película. Zacarías intentaba empezar lo más difícil y el baile era el momento más espectacular; además tenía mucho miedo a la incapacidad de María y de Jorge para bailar. Verdaderamente yo nunca había visto a una pareja con tan pocas condiciones para el baile. Miss Carroll se desesperaba.

—¿Tenía problemas María con los parlamentos?

—Sí, muchos. Porque tartamudeaba algo. Parecía que no podía hablar de corrido. Se trababa. Después, como es muy inteligente, supo manejar su defecto y convertirlo en una forma de ser. Aprendió a hablar en forma pausada, con su fuerte voz, apoyando mucho algunas sílabas. Por entonces estudiaba mucho sus parlamentos con Zacarías.

Como se desprende de estos recuerdos de Armando Sáenz, alrededor de María comenzó a crearse un grupo de gentes que la protegían y le daban ánimos para seguir enfrentándose al cantante famoso.

Mientras tanto la publicidad había comenzado a anunciar el descubrimiento de una nueva y bellísima figura en el cine mexicano. Cuando María aparece en la pantalla por vez primera, el día 25 de febrero de 1943, ya existía un clima de curiosidad por conocerla.

Que yo sepa Miguel Zacarías jamás llegó a contar cómo tuvo la idea de filmar un melodrama ranchero, cuyo final parecía ser lo esencial de una historia que partía ya de "Romeo y Julieta". La presencia del Peñón de las Ánimas en el film, no sólo justificaba el título, sino que ponía una nota final dramática y operística.

Lo que afirmaba Zacarías era que había filmado cuatro finales para la película, y que había llegado a exhibir los cuatro en diferentes ocasiones. Decía, también, que había dos formas de entender un film; una de ellas consistía en encontrar variantes y filmarlos todos y la otra, "si la película entrañaba un mensaje", era seguir una línea argumental determinada y no variarla pasara lo que pasara. Decía Zacarías que una película es "lo más parecido a un pino verde que crece en determinada dirección".

El único final que conozco de "El peñón de las ánimas" es aquel en el que María Félix, ya muerta, es lanzada desde un peñón al vacío, en brazos de un joven romántico y suicida.

Esta forma de terminar la película coincide curiosamente con un film de Dolores del Río, dirigido por King Vidor.

El propio Vidor cuenta, en su libro de memorias, que cierto día le llamó Selznick, el productor y le dijo:

"Tengo a Dolores del Río y a Joe McCrea; los quiero en una película que ocurra en los mares del sur. Usted debe de conseguir dos o tres bellas escenas de amor y al final quiero que Dolores del Río se lance a un volcán en erupción. La película se titulará 'Ave del Paraíso'."

King Vidor se quedó un poco perplejo, pero aceptó el curioso encargo. Trabajaron en Honolulú y fueron escribiendo el guión día a día, según se filmaba la historia. La razón de esta urgencia, era que Selznick perdía los derechos sobre Dolores del Río si no hacía un film de inmediato.

Dolores del Río recordaba esta película como una de las historias más disparatadas que le había proporcionado su vida cinematográfica:

"Lo único que yo sabía del argumento, es que me iban a matar dejándome caer en la boca de un volcán. Fue terrible porque además todo salió mal; incluso un temporal derribó las palmeras de la isla y se tuvieron que armar otras con ramas clavadas a troncos. Cuando la película terminó, mucha gente me dijo que lo que más valía era el final. Es curioso, pero muchos años después la gente recordaba 'Ave de Paraíso' por mi caída en el volcán. Así que, de alguna manera, yo pienso ahora que el productor tenía razón."

"Ave de Paraíso" se estrenó en el mes de agosto de 1932 en los Estados Unidos y el día 9 de noviembre del mismo año en el cine Palacio de la ciudad de México. Ese mismo año Zacarías producía su primer film: "Sobre las olas". Todo hace sospechar que a pesar de "los cuatro finales", "El peñón de las ánimas" estaba concebida, desde el inicio, como un film en el que la protagonista moriría lanzada desde un peñón al vacío. María, de alguna forma, seguía el camino de Dolores.

La escenografía de "El peñón de las ánimas" ensaya un tono romántico y esteticista que magnifica hasta los más míseros lugares. Una tormenta cae sobre un viejo monasterio y la lluvia azota los primeros planos, mientras al fondo se ve un cielo apacible. Los encargados de los efectos especiales tienen un momento asombrosamente espectacular: un rayo cae sobre un árbol perfectamente encuadrado y se enciende en llamas, mientras a pocos metros María Félix se derrumba desmayada, lo que permite a Jorge Negrete recogerla en sus brazos y llevarla hasta el amparo del convento en ruinas.

Miguel Zacarías compone melodramáticamente, y con gran respeto por las reglas tradicionales, cuida cada uno de sus encuadres y atiende con especial cuidado a su estrella, Jorge Negrete, que aparece siempre representando al mexicano magnífico.

Cuando María, que ha perdido el caballo después de una galopada por el camino abierto, es atrapada por la tormenta y ha de refugiarse en el convento, Jorge aparece encuadrado bajo un arco, como la sublimación del macho mexicano.

Menos seguro de sí mismo se encuentra Zacarías en las escenas de violencia, Jorge parece pelear sin gran entusiasmo o la cámara se muestra incapaz de darnos la fuerza dramática que una pelea a vida o muerte pudiera significar. Antes del pleito René Cardona había dicho: "Si no quieres emplear las pistolas; te mataré con mis propias manos." Sin embargo sólo consigue dejarlo sin sentido y René tiene que aceptar que el amor de María, que presencia la pelea en una difícil situación de incertidumbre, es verdaderamente sincero y profundo.

Jorge Negrete está a caballo vestido de charro y ella aparece con un sombrero cordobés; se encuentra en el campo. El amor es un flechazo inoportuno, ya que las dos familias tienen que lavar con sangre su honor. La recién llegada, una española de pelo negro y mirada absorta, no parece comprender muy bien este duelo de Capuletos y Montescos. El público tampoco, claro está, lo comprende. Incluso parece que el propio director y argumentista tampoco entiende bien en lo que se ha metido: los momentos dramáticos pasan a ser cursis y el ritmo de la acción se interrumpe con intercortes inoportunos.

La muerte de María Félix es un ejemplo de mal actuar que sólo es superado por Jorge Negrete en su respectiva oportunidad de morir. A pesar de las enseñanzas del director, María se come sílabas en sus parlamentos en los que, retomando viejos encuadres de Hollywood, aparece vestida con trajes excepcionales, guardando silencio y quedando inmóvil. Estampa estupenda, parece salida de "Lo que el viento se llevó". Después, desgraciadamente, el film continúa y la película se arruina.

La anécdota del film se desarrolla en un clima de romanticismo extremado y gesticulante; cuando Fernando Iturriaga y María Ángela Valdivia se enamoran, saben que el padre del joven ha matado al padre de la muchacha y que otros muchos miembros de ambas familias se fueron asesinando hasta crear toda una tradición de la venganza jamás satisfecha. El abuelo de María Ángela tiene las ideas muy claras y pretende que su nieta sea continuadora de la estirpe de asesinos. Para asegurarse de ello la lleva al cementerio del rancho y le muestra las tumbas. Allí le pide que jure que jamás se casará con un Iturriaga enemigo.

—Prefiero ver a mi nieta muerta antes que casada con el hijo del hombre que asesinó a su padre.

Después añade: "Hay más de doscientos años de Valdivias en este panteón. Y tú serías la primera en arrojar sobre nosotros la deshonra."

Para que la atribulada joven no tenga ningún escape, le hace una confidencia: "En este panteón está también la madre de María Ángela, muerta once días después del asesinato de su esposo. Muerta de pena." El casarse con un Iturriaga sería, no sólo traicionar el apellido, sino también insultar el cadáver de la madre.

Cuando el terrible abuelo consigue atrapar al joven Fernando, María va a suplicar que lo deje libre. A cambio de esto, ella acepta casarse con Manuel, el candidato del abuelo.

El abuelo acepta: "Juro dar libertad a Iturriaga, el día en que tú te cases con Manuel."

Ocurre que Manuel, sin embargo, no parece muy ilusionado en casarse con María Ángela; ya tiene otros proyectos personales. Así que María Ángela y Manuel deciden burlar al abuelo y ganar cada quien su vida.

Cuando se produce ese convenio María Ángela dice: "Eres el hombre más noble que conozco."

Manuel responde: "Adiós, María Ángela: que seas feliz."

Pero la vida dispone otra cosa; unas modistas se empeñan en que en momento tan inoportuno la joven se pruebe el vestido blanco, largo, muy poco apropiado para montar a caballo. Pero como los hechos se aceleran, María Ángela tiene que escapar de casa del abuelo vestida de novia. Manuel, Fernando y María Ángela se han citado en el llamado Puente de las Ánimas, al que corona un enorme peñón. El abuelo, a pesar de su barba blanca y su aspecto señorial, decide que la nieta no se le escapa con el enemigo y cuando ella va junto a su novio, cada quien en su caballo, toma un rifle, apunta y dispara. María Ángela cae del caballo muerta.

Fernando Iturriaga va junto a ella, se arrodilla a su lado y la acaricia.

Manuel se vuelve furioso: "No la toque, le digo. En la vida le prefirió a usted. Muerta es mía".

Como Fernando no parece hacerle caso, Manuel lo mata de un tiro. Fernando cae prácticamente sobre su novia y expira. Manuel toma a María Ángela, y con el cadáver en brazos comienza una ascención y el abuelo ve cómo desde lo alto del Peñón de las Ánimas, Manuel se lanza al vacío con María Ángela en los brazos.

Fin.

Carlos Monsiváis escribió una aguda crónica sobre esta película, que quiero reproducir:

"Felipe Iturriaga y María Ángela Valdivia, la trágica pareja que encarnaron, para beneficio exclusivo y eterno del celuloide azteca, Jorge Negrete y María Félix, mueren sin remedio frente a las rocas de Tepoztlán, "divinas" e inauguran (con la formalidad permitida por la intensa, reiterada y *very shocking* música de Rachmaninoff) el pecado-pasión, el amor-delirio y el amor-que-nos-conduce-hasta-la-muerte en los dominios del cine mexicano. Un romanticismo brutal amenaza con invadir los ambientes rurales y tiene que conjuntarse el éxito de 'Allá en el rancho grande' con el triunfo absoluto del Negrete folklórico para salvar una invasión de parejas trágicas que aparecen en el último rollo. A la postre, no se imita la lección de 'El peñón de las ánimas' (título perfecto para una historia del cine mexicano) porque las canciones de Esperón y Cortázar, sustento definitivo de Jorge Negrete, encuentran su más noble culminación en 'los finales felices'. Sin embargo el film justifica momentáneamente a su director Miguel Zacarías, y anuncia la sacralización de dos 'monstruos' definitivos de nuestra industria. 'El peñón de las ánimas' es, en cierta forma, el melodra-

25

ma que llegó para quedarse. Conscientes ya desde entonces los productores de que siete canciones por película es la mínima condición exigible a un galán, le pidieron a Negrete (quien apoyado en el antecedente de 'Jalisco nunca pierde', de Chano Urueta, había continuado así en 'Así se quiere en Jalisco', de Fernando de Fuentes, la tarea geopolítica de convertir a tal estado en el centro vital, visceral y valeroso de la República, en símbolo patrio y patrimonio espiritual del machismo) que continuase haciéndonos conscientes de la necesidad de no 'rajarnos' en el pleno cumplimiento de nuestra idiosincrasia, es decir, que continuase divulgando las canciones de Manuel Esperón y Ernesto Cortázar. Negrete cantó 'Cocula', 'El mexicano', 'Así se quiere en Jalisco', y le dio a 'El peñón de las ánimas' su doble testimonio: resumen de la cursilería y síntesis de la canción popular a principio de los cuarentas. La película es una muy obvia adaptación de 'Romeo y Julieta' a las exigencias campiranas. El conflicto entre dos familias rivales se disuelve en un breve y pobre desfile de personajes esquemáticos, desdibujados, sin la posibilidad del matiz. Quizá sea ésa la razón de su eficacia sentimental en Latinoamérica. 'El peñón de las ánimas' no está muy lejos de 'María' de Jorge Isaacs; de 'Amalia', de José Mármol, o de 'Clemencia' de Ignacio Manuel Altamirano. Hasta finales de los cuarentas el amor-pasión del siglo XIX, en nuestros países subdesarrollados tenía una vigencia total y en la provincia latinoamericana las familias estrictas, con abuelos a lo Miguel Ángel Ferriz, y hermanos rencorosos a lo Carlos López Moctezuma, constituían el panorama cotidiano. Zacarías, después de este pésimo y cautivador melodrama, cayó en el mismo barranco al que condenó a los Valdivia. 'Juana Gallo' fue el epitafio definitivo de una carrera de ignominia cinematográfica.''

A lo dicho por Monsiváis posiblemente sólo convendría añadir que el director de la película no parecía tener miedo al ridículo, en el que caía sin escrúpulos. Quería hacer un "Lo que el viento se llevó" a la mexicana, en cuanto a la estética y al vestuario y un melodrama apasionado en cuanto a la anécdota. El abuelo que mata de un tiro a la nieta que escapa vestida con su traje de novia, hubiera podido llevar al film a un singular y enloquecido final barroco, pero todo se queda en lo ridículo y sin fuerza. Incluso la caída de la pareja desde el Peñón tiene la insignificancia de un truco de muñecos.

Algunos críticos, menos sañudos que Monsiváis, vieron en la película solamente la aparición de una personalidad que no tenía relación alguna con las presencias típicas en el cine mexicano. María era no sólo una belleza singular, sino también una figura altiva que presagiaba su singular futuro. Totalmente alejada de la sumisa mexicana del film tradicional o de la supuesta elegancia tercermundista de otras actrices, María resultaba insólita en el medio. Ni tan siquiera un argumento ramplón y un trabajo de deficiente artesanía del director, habían podido impedir que el primer paso de María Félix por el cine mexicano se convirtiera en una vigorosa llamada de atención.

No importaban sus titubeos, su falta de pasión, su dicción llena de huecos y obscuridades; era como si un cine superior hubiera prestado a México una de sus mejores figuras.

Directores y productores nacionales advirtieron que podían encontrar en ella a una estrella de un fulgor capaz de ser enfrentado a las figuras sobresalientes de la época.

Filmando esta película, María conocerá a Raúl Prado, integrante del trío "Los calaveras". Después de un noviazgo rápido se casan y poco después se divorcian. Éste es uno de los capítulos de la vida de la estrella más cuidadosamente protegidos.

Los amigos íntimos de María siguen afirmando que aquello "fue una locura".

Primer encuentro. Primer combate. Jorge llega a odiar a María.

LA CENSURA SE SALTA
LA BARDA

2. *María Eugenia*. 1942

Ejercer la censura sobre los
demás es una forma de ejercer
el acto creador; al revés.

P.I.T.

Apenas terminado su primer film, y cuando aún no se había estrenado, María firma el contrato para hacer "María Eugenia". En los medios cinematográficos mexicanos la noticia de que había nacido una auténtica estrella produjo una suerte de nerviosismo y apresuramiento. Con apenas unos días de descanso María va a caer en las manos de un director procedente de las tareas censoras, que pretende hacer un melodrama con moraleja clara y terminante.

La mujer que comienza mal, termina peor.

El dios de la venganza moral va a dejar caer sobre la protagonista toda una serie de infortunios y desazones. Si en su primera película era lanzada después de muerta desde una montaña, en su segunda tampoco le irá bien; es atropellada dos veces por dos automóviles, vejada por sus jefes, violada y humillada.

Para rematar todos estos sufrimientos físicos y morales, al final descubrirá que es hija bastarda.

La película, para asombro del espectador de hoy, se inicia con una pregunta hecha directamente a la audiencia: "¿Qué nombre de mujer no encierra una historia de amor?"

Al director del argumento, productor y director, señor Felipe Gregorio Castillo, se le podría responder que lo importante no es que detrás de una mujer se oculte una historia de amor o desamor, sino la calidad de esa historia. Pero el film dará muchas más pruebas de su inconsistencia que esta pregunta para respuesta de cajón.

En la primera secuencia vemos a María en traje de baño en la playa; sería una escena a la que no acudiría la estrella en el futuro. Llegaría a desnudarse totalmente en otros films, como veremos; pero no volvería al traje de baño. El censor parece haber caído en su propia trampa; quería iniciar la historia con una María despampanante y atrevida; pero no demasiado atrevida. Lo cierto es que en vez de poder usar el traje de baño en beneficio de su historia, el director-censor hubo de permitir que María lo convirtiera en un estallido de publicidad personal.

Este traje de baño se convirtió, durante mucho tiempo, en un motivo de escándalo y razón para exhibir fotografías y escribir notas sobre la recién llegada.

En el libro *La mexicaine*, de Henry Burdin, se cuenta una historia que yo he oído a través de diferentes versiones.

Según algunas, María llegó a rodar la escena inicial en la playa con un traje de baño tan ajustado que asustó a todos. Según otras ésta fue una calculada maniobra para promocionar el film.

En el libro mencionado se afirma que el director dio a María instrucciones muy claras sobre cómo debía comportarse. Ella estaba cubierta por una larga capa. Se encontraba ya en la playa.

"Dibujas en la arena la palabra 'amor' con la punta de tu dedo gordo, derecho, con aire soñador, mirando al mar, a lo lejos. Las letras tienen que medir la altura de una pierna. En la letra 'A' y la letra 'M' miras hacia la cámara de tal forma que se vea el mar detrás de ti. Después das la vuelta frente a las letras que ya estarán escritas y sigues con la misma pierna para que te tome la segunda cámara que ya estará lista."

María afirmaba con la cabeza ante todas estas instrucciones y continuaba envuelta en la capa. Según el autor del libro María estaba burlándose del director por dentro, ya que "no era posible conservar el equilibrio pasando de una pierna a la otra, tal como se le pedía".

Cuando comenzó la filmación, el encargado del sonido gritó que cortaran la escena, ya que algo no funcionaba bien. Pero María continuó actuando sin hacer caso del grito. Dejó caer la capa y produjo un movimiento de asombro. Estaban presentes muchos fotógrafos y periodistas que vieron a María dentro de un traje de baño apretadísimo y muy recortado. El director perdió el color, se fue a María, ya rodeada de fotógrafos, y le dijo en voz baja: "recuerda que soy censor".

María se rió y continuó posando para los fotógrafos.

Después le dijo al director que le estaba provocando una publicidad gratis invaluable.

Los fotógrafos estaban felices.

"Sus largas piernas afiladas resaltaban, gracias al traje de baño que moldeaba estrechamente su pelvis. Se movía ágilmente al ritmo de un lento ballet sensual hecho de gestos gráciles y lánguidos. Una descarga de adrenalina recorrió todas las columnas vertebrales alrededor de María. Todos los machos la miraban; ansiosos. Periodistas, miembros del equipo técnico, fotógrafos. El mismo Castillo, aunque rojo de furia, fue incapaz de quedar insensible".

Es posible que todo esto haya ocurrido tal y como aquí se narra; aun cuando María parece no recordarlo bien. Pero sería típico de ella, darle una lección a un censor convertido en director de cine que había querido ser valiente, pero sin extralimitarse. Más adelante veremos cómo otro día, ella misma sugirió al director Luis Alcoriza, que era necesario hacer una escena en la que apareciera desnuda.

Por otra parte los trajes de baño blancos parecen ligados a las bellezas mexicanas del cine. Dolores del Río conmovió a "todo Hollywood" al iniciar la moda del traje de baño blanco de dos piezas.

María Eugenia, 1942. La segunda película de María. Rafael Baledón, Virginia Manzano y la gloria del cine mudo: Mimí Derba.

María era una aprendiz; tartamudeaba al hablar.

Dolores me lo contaba así:

"Nadie, en aquellos años del cine mudo, usaba un traje de baño blanco. La razón era muy clara; a la piel de mujeres rubias no les va bien el blanco, sino colores fuertes. Pero a mi piel, tostada, el blanco era lo que mejor le iba. Yo diseñé el traje de dos piezas, de forma que se veía mi estómago. Fue tan sensacional el invento que algunas rubias pasaron a usarlo, imitándome. Para ellas era un desastre".

Es muy posible que María no supiera esta historia, ya vieja para ella; pero lo que está claro es que fue ella la que eligió el tal traje de baño y también la que ideó el truco de ir cubierta con una capa a la playa y mostrarse de pronto en tan ajustado atuendo.

Los enemigos de la censura cinematográfica, tantas veces derrotados, hubieron de aplaudir el gesto de María y su victoria sobre un censor cinematográfico pasado a convertirse en director de cine; sobre todo porque los censores en México tienen un poder personal que se basa en la falta de un sistema o en la forma cínica con la que la censura se oculta. Un estudioso comentarista de los problemas del cine en México, don Federico Hauer, funcionario y conservador, acepta que nuestra censura se encuentra siempre a merced de actitudes personales: "El defecto básico de la llamada censura mexicana radica en la falta de una reglamentación, lo que permite dejar al criterio personal del administrador lo que pueda o no pueda considerarse como violatorio de la moral pública."

Don Felipe Gregorio Castillo tenía fama de censor púdico y sin duda pasó por problemas psicológicos de todo tipo, al llevar adelante la historia de una mala mujer censurándose lo menos posible, sin dejar de censurarse. Curioso caso que pudiera llevar a todos los censores del mundo a una prudente inhibición creadora.

La película, después de la escena en la playa, ofrecía un acontecimiento desdichado; María era atropellada por un automóvil manejado por un joven (Rafael Baledón). El encontronazo lleva al enamoramiento, pero el joven está comprometido para casarse con una muchacha insufrible (Virginia Manzano). El hecho de que esta chica se encuentre seriamente enferma convierte la boda en un caso de honor. El joven se va de caza y es herido. La joven fastidiosa le cura y descubre una foto de María. La foto, guardada de forma tan poco cuidadosa, cae también en manos de la madre de la joven fastidiosa y ésta llega al convencimiento de que María es su propia hija, raptada de niña.

Otro incidente de circulación viene a maltratar a María, que tiene que lanzarse de un coche en marcha para impedir ser violada. El muchacho declara su amor por María y la joven fastidosa se quiere matar, pero su mamá (Mimí Derba) lo impide.

Cuando, al fin, Rafael y María van a ser felices, Mimí Derba anuncia que María no es su verdadera hija.

En el último rollo María pierde el estigma de haber sido hija ilegítima, adquiere una mamá, sana de las heridas, y se casa con el hombre al que, previamente, había entregado su virginidad.

El estreno de este complicado film se lleva a cabo en el mes de abril de 1943,

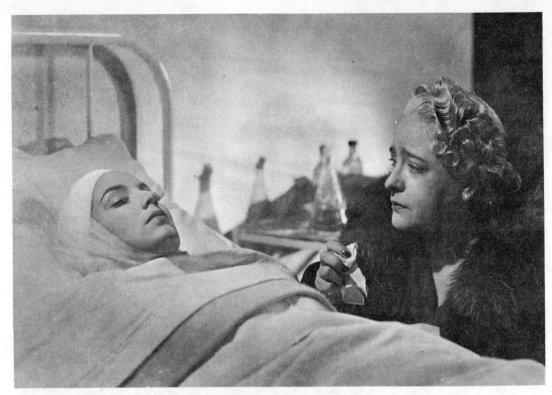

El drama entra en el cine de María. Mimí Derba contempla a la bella herida.

El traje de baño que instala a María en el escándalo. Con ella Manolita Saval y Jorge "Che" Reyes.

cuando ha pasado algo más de un mes del lanzamiento de "El peñón de las ánimas".

Caso único, la recién llegada al cine se ha convertido ya en estrella: en los anuncios de la película aparece un nombre por encima del título del film y se ilustran con una foto suya. Los otros intérpretes tienen créditos mucho más pequeños.

El estreno de "María Eugenia" coincide con el de "Así se quiere en Jalisco", con Jorge Negrete y María Elena Marqués, y "Morenita Clara", con Evita Muñoz.

Un truco, llevado a cabo, por lo visto, por fotógrafos ajenos al conocimiento de María, vino a añadir un toque erótico y escandaloso al film. Tomaron una de las fotos en las que ella aparecía con el traje de baño blanco, y la retocaron de tal forma que María quedaba desnuda. El trabajo fue hecho con habilidad y el resultado tan convincente que los originales se vendieron por docenas y a precios muy altos.

Por entonces el hecho de que una actriz se desnudara frente a los reporteros gráficos, era motivo de asombro general y de curiosidad morbosa. Las fotografías pasaron de mano en mano y se convirtieron en un documento que añadió nuevo atractivo a la ya muy atractiva figura de estrella.

MARÍA DESCUBRE
A LA DOÑA

3. *Doña Bárbara*. 1943

—Yo bajé a los infiernos y hablé
con el diablo. (María Félix.)
—Yo también. (Doña Bárbara.)

A comienzos de 1943, Fernando de Fuentes inicia el rodaje de "Doña Bárbara", que marcará para siempre el camino, la actitud, de María.

El film, visto ahora, parece desdibujado y, sobre todo, ajeno al entusiasmo que despertó en su tiempo, cuando fue considerado el mejor del año.

Pero María es toda una estampa imposible de olvidar; no importa qué tanta verdad haya en su personaje ni en sus parlamentos, no importa que esté comportándose de acuerdo con un estereotipo; lo que nos impresiona y nos cala es su asombroso porte, su gesto, su presencia constante. "Doña Bárbara", es tan María que María es para siempre la Doña.

El personaje de Rómulo Gallegos va a sernos mostrado como una devoradora de hombres que parte de la literatura y en ella se queda. Tampoco esto importa; casi nada importa si no es la estrella.

Un grupo de rufianes, que parecen negar la bondad de los piratas chinos de su siguiente film, se juegan a los dados el derecho a violar a María, que viaja en una lancha con su enamorado. María y su amor son suavemente despeinados por el viento y los vemos en una toma ligeramente picada; los marinos miran a María con ojos y gestos de cine mudo. Ella está ajena a su propio destino. Al fin, quien ha gando el derecho de violarla, avanza hacia la cámara con una pistola en la mano; el enamorado se lleva las manos al corazón y cae al agua.

Del acto de violar a María no vemos nada; pero la descubrimos instantes después tirada en la popa de la embarcación, cuando se despierta de lo que parece haber sido un sueño propiciado por un golpe. María se arregla el vestido, coloca su escote en debida forma y mira hacia su violador. En ese instante hace responsable de su deshonor a todos los hombres del mundo. Nos hemos ganado una enemiga mortal.

El "sombrío aborrecimiento" por el género masculino hará de María-Doña un ser absolutamente dedicado a medrar. Comprendemos hasta qué punto su venganza no tendrá límites, cuando un hombre al que ella enamoró y luego vejó, se acerca a pedirle que ayude a su hija, la hija de ambos. María viene a caballo con un látigo en la mano, bellísima, triunfante. Es ya la María que todos conocemos; las chinas, las que se dejan tirar (aun cuando sean muertas) desde un peñón, las que son atropelladas por los automóviles de sus enamorados; todos esos personajes quedan arrollados por el caballo de María. Uno siente que ahí se inicia el mito, en esa secuencia que es torpe pero que mantiene su significado y establece todo el destino.

MARÍA: "¿Qué significa esto? ¿No habías quedado en que nunca te pondrías en mi camino?"

El viejo, convertido en piltrafa de viejo, mira a la Félix desde abajo. Ella mantiene inmóvil a su caballo y lo contempla conservando las cejas en tensión.

SOLER: "Pero es que no se trata de mí. Se trata de nuestra hija."

MARÍA:"Pero es que no puede haber nada en el mundo que pueda llamarse tuyo y mío."

SOLER:"Tuyo fue, cuando fue mío."

Y le comunica que hay un hombre malo que persigue a la hija de ambos, María se ríe: "Qué me cuentas ¿puede haber un hombre malo?"

Y María resume lo que opina del viejo que fue padre de su hija y de todos los machos:

"¡Asco de hombres!"

Y después envía un mensaje a la jovencita perseguida:

"Dile que se apodere de la voluntad de ese hombre."

Y atropella al vejete con su caballo.

Lorenzo Barquero significa no sólo la capitulación del macho frente a la hembra bravía, sino también un trofeo más en el camino de la Doña. La escena de la violación, que el espectador no ha podido ver, es canjeada por toda una serie de venganzas inmisericordes. A pesar de los estrenos que nos muestran en la pantalla, algo parece saltar por encima del quebradizo borde de lo risible; el personaje de María se instala para siempre en el ánimo de la gente. El film acaso desaparecerá algún día, pero no desaparecerá la leyenda de María convertida en la Doña. Un curioso ejemplo de cómo una película puede llegar a situarse sobre su propio mérito, y establecer a su alrededor todo un sortilegio de mitologías.

Y no sabemos si esto es mucho más que cine, o se trata simplemente del meollo emocional del cine, de su misterio más profundo. Con el estreno de la película, Rómulo Gallegos alcanza una curiosa popularidad: su vigorosa literatura va a producir otro fenómeno. Un estudiante de letras de la Universidad Nacional Autónoma de México, tiempo después, resume todo esto ante la televisión en una sola frase: "Cuando leí 'Doña Bárbara', ya había visto la película. Y fue como volverla a ver. Aún ahora no puedo leer la novela de Rómulo Gallegos sin ver a la Doña, con el rostro de María Félix."

Hay películas que se hunden y secuencias que quedan, hay films completos que olvidamos y gestos de un actor o de una actriz que para siempre nos acompañarán. Ya no importa si estamos en el borde de la risa. Sólo importa que estamos invadidos por esa presencia.

Cada vez que la cámara se acerca al rostro de María, éste nos domina con una altanería que acaso no tenga nada que ver con la propia Doña Bárbara, pero que va a estar para siempre unido a la actriz.

35

Fue una película cuidada, retratada con cariño por Alex Philips. El actor Agustín Isunza, que hacía el papel de Juan Primito, recuerda que Alex tardó seis horas en iluminar una secuencia en la que aparecía en lo alto de una choza. Sin embargo todo lo que hacía Juan Primito era ofrecer una cazuelita hacia el cielo y decir angustiosamente:

—¡Rebullones del infierno, tomen ya el vinagre para que dejen en paz al cristiano!

María se convierte en la protagonista de "Doña Bárbara" porque la actriz propuesta, fue rechazada. El escritor Luis Moreno, ofrece esta curiosa versión del incidente:

"Gran acercamiento a una foto mural de Rómulo Gallegos, a la que se sobreimpone la imagen de Isabela Corona. La foto de Gallegos se esfuma completamente y la pantalla se llena con el gesto tenso, airado y muy dramático de la Corona. Sostiene en sus manos un libreto en el que se puede leer claramente un título: 'Doña Bárbara'. La llamada trágica del cine mexicano mira directamente a la cámara, levanta a una altura conveniente el libreto y con decidido gesto lo rompe en cuatro partes. Un agitado remolino de trozos de papel mecanografiado borra la imagen de Isabela. Múltiples comentarios de prensa informan acerca del disgusto surgido entre la actriz y el novelista venezolano. Resultado: Isabela renuncia al contrato firmado para hacer 'Doña Bárbara' y María se convierte, a partir de ese momento, en la temible devoradora de hombres. En una telenovela se diría que el destino ha arrojado sus dados sobre el lienzo de plata y que el juego de azar favorece a la Félix."

Los hechos resultaron, en realidad, mucho más complicados; toda una serie de incidentes, discusiones y cabildeos fueron necesarios para llevar a María hasta el papel de la "Doña".

El productor, Salvador Elizondo, narró los problemas que hubo de afrontar: "La historia de María Félix en relación con 'Doña Bárbara', es muy buena, se la voy a contar. En un momento los estudios Clasa, por medio de combinaciones financieras, los absorbieron Grovas y Compañía y cambió de nombre, convirtiéndose en Clasa Films. Me hice cargo de ella. Grovas había programado realizar esa cinta. Ya había adquirido los derechos de la novela y había prometido a Isabela Corona que sería la estrella. Entonces pensé dos cosas: primero, que sería bueno traer a México a Rómulo Gallegos, que pasaba dificultades políticas muy serias en Venezuela. Era una oportunidad para que viniera y se desentendiera un poco de aquellos problemas. Segundo, pensé que era absurdo que Isabela Corona hiciera el papel de Doña Bárbara. Pensé que para ese tipo de papel es más importante la presencia que la calidad artística. Ella es muy buena artista, pero no tiene la disposición para devorar hombres. Consideraba mejor a María Félix. Consumé el cambio y fue una verdadera tragedia; porque el Banco Cinematográfico financiaba parcialmente la película e Isabela Corona tenía mucha vara alta con el director del Banco, mi amigo Carlos Carriedo. Además el realizador del film sería Fernando de Fuentes, quien no quería oír hablar de María. Me presionaron por todos lados, para que no incluyera a María. Cuando llegó Don Rómulo, le ofrecieron una comida en un restaurante que estaba junto al cine Chapultepec. Le presentaron a quienes iban a interpretar la película: María Félix, María Elena Marqués, Julián Soler, Andrés Soler. También a Fernando de Fuentes y a todo el personal. Hubo discursos, como es costumbre. Al final del banquete me llamó el invitado de honor y me dijo:

"—Oiga, si esa señora, María Félix, es quien va a hacer de Doña Bárbara, yo me retiro, no quiero saber nada de eso.

"Yo le dije:

"—Déjeme pensarlo, Don Rómulo.

"Después le dije que yo insistía en que fuera María. Si usted quiere regresar, le dije, hágalo. Yo le liquido los honorarios y le doy su boleto de vuelta, como está convenido.

"Para entonces ya no querían a María, ni Fernando de Fuentes, ni Carlos Carriedo, ni Don Rómulo Gallegos. Pero al día siguiente Don Rómulo me buscó y me dijo que ya no le importaba cómo saliera la película. Que me ayudaría a hacer la adaptación y que se quedaba. Cuando murió Don Rómulo Gallegos, María Félix declaró en una comida que el escritor había dicho: 'Ésa es mi Doña Bárbara'. Yo le puse una carta a esa señora señalando que tenía muy mala memoria. Le escribí:

'Qué mala memoria tiene, no está en discusión si lo dijo Don Rómulo o no. Un mes antes de que él llegara a México (eso está en las actas del Consejo de Clasa Films), usted estaba nominada para actuar en la película y Don Rómulo no la conoció hasta después, así que no puede ser cierto lo que usted dice'.

"María Félix nunca me contestó. María nunca fue artista, por eso necesitaba papeles muy especiales. De devoradora de hombres y asuntos de ese tipo, que cansaban a la gente".

A Don Salvador Elizondo, productor de cine con gran experiencia, se le podría decir que muchos de los actores famosos, llegaron a esa fama haciendo un solo personaje que en algunas ocasiones eran ellos mismos y otras veces la persona que ellos creían ser.

Es vieja la leyenda del actor que penetra en un personaje, lo hace suyo, se compenetra con sus sufrimientos y gozos y un día se convierte, definitivamente, en el personaje mismo; sin opción de evadirse del ser que lo inundó.

Pero éste no es el caso de María Félix, quien no parece haberse sumergido en Doña Bárbara, dejándose llevar por su temperamento de actriz, sino que se "hizo" Doña Bárbara porque en el modelo literario encontró un proyecto para su propia vida en trance de creación. La actriz no era tan actriz como para dejar de serlo y convertirse en personaje; fue la mujer la que descubrió a otra mujer, imitable, capaz de servirle de caparazón.

Doña Bárbara venía de una novela y servía para cubrir las muy vacilantes necesidades de una pueblerina a la busca de personalidad y fama. Algo, sin duda, de Doña Bárbara, palpitaba ya en la sonorense recién llegada a la capital, pero esto no estaba ni definido, ni había encontrado su camino para desarrollarse.

Y pienso que la influencia no vino tanto de la película que María interpretaba, como de la novela a la cual la llevó la película. La lectura sugería a la actriz asombrosas maneras de ser en el futuro.

Una foto de estudio. María es aún esa "mujer silvestre", pero ya se adivina su calidád de estrella.

Nace una leyenda. María se convierte en "La Doña". El cine comienza la curiosa transformación de una mujer.

Creo que María no hubiera sido esa "Doña" que ahora es, de no haberse cruzado en su camino las páginas de Rómulo Gallegos. Con el tiempo, María irá enriqueciendo su versión de la Doña y el público advertirá el parentesco y en Doña se quedará María para siempre.

Las similitudes entre el texto de Rómulo Gallegos y lo que María dice, piensa o proyecta de sí misma, son más que reveladoras.

Algunas veces se produce tal intercambio de imágenes que un espectador no avisado, confunde a la una con la otra y mete a las dos en la misma saca.

María, a partir de Doña Bárbara, va a ir acogiéndose a la idea de su capacidad como bruja. Pero no está tan segura de la brujería, como de la conveniencia de parecerlo.

Escribe Rómulo:

"Era, en efecto, una de las innumerables trácalas de que solía valerse Doña Bárbara, para administrar su fama de bruja y el temor que con ella inspiraba a los demás."

Cuando estábamos discutiendo una serie de programas de televisión, María insistía en aparecer como bruja. Escribí una larga secuencia en la que estaba rodeada de veladoras encendidas y vestía como gitana. Sobre una alfombra persa, María manejaba las cartas del tarot. Me pareció que le gustaba más la escenografía que lo que las cartas le pudieran decir, a pesar de que habitualmente afirma que ella lee su propio destino en la baraja.

Algunos momentos de la obra de Rómulo Gallegos tuvieron que impresionar muy profundamente a la nueva actriz de cine; parecía como si hubieran estado escritos pensando en lo que ella podría llegar a ser.

"A la brusca contracción del ceño, las cejas de Doña Bárbara, se juntaron y se separaron en seguida, con el rápido movimiento del aletazo del gavilán.

"No acostumbraba a tolerar chanzas al amante en presencia de terceros, como tampoco le consentía ternezas ni nada que pudiera ponerla en condiciones de inferioridad."

El mundo en el que Doña Bárbara señoreaba era apetecible y misterioso, brujeril y lleno de miedos y premoniciones.

"También la iniciaron en su tenebrosa sabiduría toda la caterva de brujos que cría la bárbara existencia de la indiada. Los ojeadores, que pretenden producir las enfermedades más extrañas y tremendas sólo con fijar sus ojos maléficos sobre la víctima; los sopladores, que dicen curarlas aplicando su mágico aliento a la parte dañada del cuerpo del enfermo; los ensalmadores, que tienen oraciones contra todos los males y les basta murmurarlas mirando hacia el sitio en donde se halle el paciente, así sea a leguas de distancia. . ."

La película abre las páginas de la novela y la novela cambia la vida de María. Rómulo Gallegos se sorprendía de "la constante curiosidad de la actriz".

María, casada, divorciada, sin el hijo que continuaba en poder de la familia del padre, va a pedir a Doña Bárbara la fuerza necesaria para ser la Doña. Y un día roba a su propio hijo, y se casa con aquellos que parecían ser sus superiores y a los que demostró, muy pronto, que podía dominarlos, y pelea por un collar, porque es más que un collar; es todo un trofeo de la victoria y otro día consigue que las orquestas de todo el mundo canten un himno a su belleza, mientras ella se acuesta con el compositor. Doña Bárbara iría aún más lejos: ". . .nada la complacía tanto como el espectáculo del varón debatiéndose entre las garras de las fuerzas destructoras."

María Félix no se creyó Doña Bárbara; se fue haciendo poco a poco Doña Bárbara. Asombroso trabajo de adaptación al mito, de usurpación lenta y satisfecha de la personalidad señalada como meta.

Imagen de Doña Bárbara según Don Rómulo:

"No obstante este género de vida y el haber transpuesto ya los cuarenta, era todavía una mujer apetecible, pues si carecía en absoluto de delicadezas femeninas, en cambio, el imponente aspecto del marimacho le imprimía un sello original a su hermosura; algo salvaje, bello y terrible a la vez."

Imagen de María, según una nota periodista:

"Se presentó a la fiesta María con unos pantalones negros y adornada con oro. A su lado las mujeres palidecían. Era como un ser fuerte muy bello y bastante importante como para asustar."

La brujería en Doña Bárbara, según Don Rómulo:

". . . sus poderes de hechicería no eran tampoco invención de la fantasía llanera. Ella se creía realmente asistida de potencias sobrenaturales y a menudo hablaba de un 'socio', que la había librado de la muerte, en una noche, encendiéndole la vela para que se despertara, al tiempo que penetraba en su habitación un peón, para asesinarla. . ."

La brujería de María, según María:

"Yo, mexicana de Álamos, nací cuando el sol estaba a plomo y fui criada por una bruja yaqui. Bajé a los infiernos y hablé con el diablo. Nada me asusta."

Doña Bárbara recorre sus dominios vestida como un hombre y a caballo, con una fusta en la mano. El caballo va a entrar, también, en la vida de María que llegara a ser dueña de una cuadra de París.

—María, un explorador de la mente, el señor Carl G. Jung, dijo que los caballos salvajes simbolizaban las indomables tendencias instintivas que pueden brotar del inconsciente. Dijo, también, que mucha gente trata de reprimir a sus caballos salvajes.

—Yo siempre los he dejado en libertad.

—¿Qué es para usted un caballo?

—La libertad, justamente.

—¿Qué es la libertad?

—Hacer lo que se te pegue la real gana.

—Cierta vez, en la revista mexicana Siempre usted escribió que los hombres sólo le interesaban de la cintura para arriba.

—Me fui muy larga. Del cuello para arriba; o del corazón para arriba.

—¿Qué le interesa de los caballos?

—El alma. El alma de los caballos.

—Cuando en una película monta usted a caballo, se forma una imagen muy estupenda. Es como si en vez de mirar desde un caballo, mirara desde la cima del mundo.

—¿Eso parece?

—Sí.

—Así será.

—¿Será, también, porque el caballo la eleva aún más?

—Para estar encima del mundo, no necesito caballo. Pero será.

—¿Qué nombre tienen los caballos de su cuadra en París?

—Nombres de películas.

—¿Qué son, en definitiva, los caballos para usted?

—Mi pasión.

—¿Qué prefiere, los caballos o las yeguas?

—Los caballos.

—¿Qué prefiere los caballos o los hombres?

—Me casé varias veces. Y siempre con hombres. Con caballos nunca.

—¿Se imagina a Doña Bárbara a pie?

—No. Está a pie cuando es una muchachita sin carácter. Cuando se vuelve una hembra fuerte, dominadora, se sube al caballo. Doña Bárbara es mujer de a caballo.

—Es cierto.

—Claro que lo es.

Hacia finales de los años sesenta, escribí cuatro programas musicáles de televisión para ella. María insistió en que uno de ellos debiera estar dedicado a "Doña Bárbara". Vestida como aparecía, poco más o menos, en el film, narró la historia, si no de la propia película, sí de la novela. Durante días María estuvo ensayando sus textos y cuando años después volvimos a vernos, me dijo de memoria, poniendo un entusiasmo y una fuerza verdaderamente notables, un largo párrafo, de Gallegos:

"¡De más allá del Cunaviche, de más allá del Cinacuro, de más allá del Meta! De más lejos que más nunca, decían los llaneros del Arauca, para quienes sin embargo, todo está 'Ahí mismito detrás de aquella mata.' De allá vino la trágica curicha. Fruto engrendrado por la violencia del blanco aventurero en la sombría sensualidad de la india, su origen se perdía en el dramático misterio de las tierras vírgenes."

Resulta curiosa y es notoria la forma en que los personajes se evaden de los autores y adoptan la calidad de símbolos para los cuales no estaban diseñados.

María ha convertido a Doña Bárbara en un personaje de una fuerza y verdad muy notable y con el tiempo se han ido perdiendo las aristas brutales del comportamiento de esta mujer, de alguna forma justificado por el hecho de haber sido ultrajada en su juventud.

Sin embargo, para el autor, Doña Bárbara entrañaba una razón simbólica que para María Félix era ajena y sin sentido. Durante una entrevista de Rómulo Gallegos con el escritor Mauricio de la Selva, se habla de estas significaciones que el cine olvidó y que han dejado de lado quienes ven a otra Doña Bárbara en María Félix.

Escribe Mauricio de la Selva:

Doña Bárbara, 1943. Los tres rostros del triángulo. María Elena Marqués: la ingenuidad desprotegida. Julián Soler: la desconfianza justificada. María: la varonil femineidad.

"En Doña Bárbara —le repetimos lo que ya se ha repetido hasta la saciedad— la 'mujerona' representa el cacicazo. Mister Dangel representa al extranjero pernicioso y Santos Luzardo a la civilización bien nacida. Este último vence a los primeros que simbolizan a las fuerzas regresivas coaligadas. Al triunfar el bien sobre el mal —interrogamos entonces al creador de los personajes—: ¿Por qué dejó sin castigo al 'extranjero' y a Doña Bárbara, agentes predominantes de lo atentatorio, y en cambio, penó a los simples instrumentos como son los personajes: los dos Mondragón, el Brujeador y Balbino Paiba?

"El castigo a que usted se refiere —refuta con tranquilidad— sólo hubiera podido ser el definitivo aniquilamiento de los dos personajes. Pero ello hubiera falseado la realidad y la interpretación que yo quería hacer de ella. Los males personificados por Mr. Dangel y por Doña Bárbara podían perder una batalla, como en efecto sucede en el libro, pero sólo un optimismo desbocado los hubiera considerado extinguidos para siempre. La prueba es que ambos personajes han vuelto a sus andadas en mi país, ahora con procedimientos más modernos. Y espero que no se llegue a pensar que yo tengo la culpa de ese retorno, por no haberlos castigado con la última pena, como se lo merecían. Y se lo merecen.''

María ha tomado de la Doña el gesto, el caballo, el vestuario y la ha dejado con la vileza. Doña Bárbara ''. . .había envejecido en una noche, tenía la faz cavada por las huellas del insomnio, pero mostraba, también impresa en el rostro y en la mirada, la calma trágica de las determinaciones supremas'' (página final de la novela).

Dorian Gray se ha trasladado a América, y aquí, como en Londres, sólo envejece la imagen retratada. La Doña sigue joven y, además, ajena a la posibilidad de ese castigo que el personaje, no ella, merecería según el autor.

Clasa Films hizo una serie de exhibiciones previas al estreno oficial de la película. Una de ellas tuvo un carácter espectacular. El martes 31 de agosto de 1943, fue invitado el Cuerpo Diplomático a una sesión que se celebró en el cine Palacio. Acudieron también periodistas e invitados especiales. María se exhibió ya muy segura de sí misma. Esta misma semana llegaba a México otra bella del cine: Lupe Vélez. María ya no temía a las comparaciones.

El éxito de la película tenía muy pocos precedentes en el cine mexicano. En tres meses se recuperó su inversión. Duró cinco semanas en el cine de estreno y sumó un total, en ese tiempo, de más de 230 mil pesos. En sólo tres días, en el cine Reforma, de la ciudad de Puebla, recaudó más de nueve mil pesos, suma para entonces muy importante, y en el cine Alcázar, de Tampico, ganó, en noviembre de 1943, más de once mil pesos.

Los periodistas de cine ofrecieron una comida en octubre de 1943 a Fernando de Fuentes, como ''Homenaje al más destacado director'', y desde Caracas se recibieron, según hizo público la productora, telegramas de felicitación para María Félix y para el propio Fernando de Fuentes, firmados por Rómulo Gallegos, quien en uno de ellos afirmaba que el film ''resultó lo que yo esperaba''.

La fama de María en Venezuela ya era considerable: en el mes de agosto de 1944, se estrenaron en Caracas sus films ''La China Poblana'' y ''La mujer sin alma''.

El cine mexicano estaba por entonces sumamente interesado en abrir nuevos mercados en Hispanoamérica y en mantenerse en ellos; el lanzamiento de una estrella nueva ayudaba a estos fines y apoyaba un sistema de producción tomado de Hollywood. El productor mexicano ofrecía al exhibidor venezolano "una película con Cantinflas, Jorge Negrete o María Félix" y éste adelantaba unas ciertas sumas, según los nombres de los actores, sin investigar ni el tema del film ni el resto del reparto.

Mientras las otras estrellas habían llegado al cine recorriendo un camino en ocasiones lleno de dificultades, María se había instalado en el éxito en muy pocos meses y con sólo tres films.

Se puede decir que la carrera de María no es comparable a la de ninguna de las otras figuras del cine mexicano.

Ella parte de la fama con su primer film y supera de inmediato a figuras ya instaladas en la popularidad.

En el mes de julio de 1943, la revista *Cinema Reporter* hace una encuesta entre sus lectores y establece esta nómina de famosos:

1. Jorge Negrete.
2. Isabela Corona.
3. Sara García.
4. Gloria Marín.
5. María Félix
6. Mapy Cortés.
7. Arturo de Córdova.
8. Emilio Tuero.
9. Cantinflas.
10. Dolores del Río.
11. Fernando Soler.
12. Pedro Armendáriz

Cantinflas, Dolores del Río, Emilio Tuero, habían ya quedado atrás en la estimación de quienes frecuentaban las salas de cine y en muy poco tiempo más, este orden de cosas se transformará y el propio Jorge Negrete va a ser rebasado por la recién llegada, quien comenzaría a cobrar los mayores sueldos que estaba dispuesta a pagar la industria cinematográfica de México.

El éxito de "Doña Bárbara" impulsará aún más rápidamente esta carrera.

Las críticas aparecidas inmediatamente después del estreno son entusiastas, teñidas muchas veces por los intereses de la casa productora y otras veces redactadas por gentes muy poco enteradas.

El *Cinema Reporter* del día 25 de septiembre de 1943 dijo:

"Bien, muy bien para nosotros los mexicanos, ha sido captada la estupenda novela de Rómulo Gallegos. ¿Opinarán igual los venezolanos? De ocurrir así no tendremos empacho de declarar que 'Doña Bárbara' es una de las mejores películas nacionales. Lo tiene todo. Argumento, dirección, tecnicismo, interpretación. ¡Cuánto sabor emana su tema, virgen como la tierra en que se desarrolla! ¡Cuánta humanidad sus diálogos, dichos más con los corazones que con las bocas! Fernando Fuentes acertó más que nunca y nuestra industria fílmica puso cuanto ahora posee, que ya es mucho, para que el éxito de la cinta fuera completo. Y lo ha sido, señores, porque, además, María Félix luce bellísima y se mantiene discreta. María Elena Marqués está encantadora; los dos Soler (Julián y Andrés) viven, ésa es la palabra, sus respectivos papeles y

Agustín Isunza, Charles Rooner y demás elementos del reparto, contribuyen a hacer de 'Doña Bárbara', película, algo tan elevado como 'Doña Bárbara', novela. ¡Que ya es decir!"

Sin embargo los criterios sobre el film han ido cambiando con el paso del tiempo y una nueva actitud vino a sustituir a las gacetillas entusiastas. Jorge Ayala Blanco, virulento observador del cine de México, escribió en 1969:

". . .incapaz de resistir el paso del tiempo, el relato se apoya en el folklorismo verbal para exhibir personajes curiosos hasta la caricatura; el personaje arquetípico de María Félix campea sus pantalones de montar con un fuete en la mano, soportando estoicamente el paso de una mitología llanera en el borde de lo risible, todo ello con objeto de que el enfrentamiento de la barbarie que domina en las praderas venezolanas con la luz redentora proveniente de Europa imponga su fácil simbolismo. . ."

Esto no puede ocultar el hecho de que la película produjo un clamor de entusiasmo popular, al cual no fue ajeno el lanzamiento muy bien diseñado por Clasa Films. Se estrenó en Monterrey, Guadalajara, Tampico, Morelia y Querétaro, el mismo día que apareció en el cine Palacio de la capital, en donde el precio de la entrada se señaló en tres pesos. Por entonces el precio del boleto preferente para ver un partido de futbol entre el Asturias y el Moctezuma era de dos pesos y el cine Alameda cobraba regularmente dos pesos con cincuenta centavos por la entrada.

A partir de ese momento, era lógico que María probara fortuna en Hollywood y, sin embargo, no parace haberlo intentado como otros artistas mexicanos o hispanoamericanos. Por estos años Lupe Vélez estaba haciendo la serie de films titulados "Mexican Spitfire", que inició en 1939 y acabó en 1943, después de siete títulos.

Arturo de Córdova interpreta, junto con Joan Fontaine, "El pirata y la dama", en 1944, y un actor de carácter, Fortunio Bonanova, para no hablar sino de pocos ejemplos, es principal protagonista de "The Sultan's Daughter", con Ann Corio.

Éstos y otros casos pudieron tentar a María, pero ella afirmó siempre que "no trabajó en Hollywood, porque no quiso". Acaso el idioma, totalmente desconocido para ella, la asustó o hubo otras razones que ignoramos. De cualquier forma resulta sorprendente que una mujer que ha logrado de forma tan rápida el éxito, no intente un segundo paso hacia la meta, por entonces, de todos los artistas de cine.

Cuando, más tarde, busca la internacionalización, elige Europa, seducida no tanto por el cine que se le ofrece, como por las ciudades que la llaman.

En cuanto a la película, vista ahora, resulta difícil de identificar con el entusiasmo que en sus días levantó entre muy diversos críticos. Alguno elogió, incluso, la belleza y justeza con la que se ofrecieron los ríos y algunos paisajes venezolanos, cuando lo cierto es que muchas de estas tomas de exteriores fueron rodadas, justamente, en Venezuela, y comprado este material por los productores mexicanos.

LA CHINA POBLANA NACIDA
EN MONGOLIA

4. *La China Poblana*. 1943

Cecil B. de Mille pensaba que
todo actor puede llegar a ser
chino, si el maquillista es bueno.
P.I.T.

Poco después del estreno de su primera película, aparecía el cuarto film de María Félix en el cine de Lindavista. Los reporteros parecían sentirse un poco sorprendidos de que hubieran convertido en china a la artista sonorense, pero la productora anunciaba un esfuerzo extraordinario empleando el color y una utilería y vestuario espectacular.

Por otra parte, el director era el hombre que se había proclamado como el descubridor de María, al que ella sin duda respetaba y al cual acompañaba a fiestas y exhibiciones de todo tipo. María estaba inquieta.

—Yo no me podía convencer a mí misma de que era china. La idea de las chinas que yo tenía no coincidía con la idea que yo tenía sobre mí misma. Pero era necesario continuar con mi carrera; así hice "La China Poblana".

El paso del tiempo, desde su primera aventura fílmica no había enseñado gran cosa a Palacios, quien hizo con "La China Poblana", un film torpe, acartonado y pretencioso.

Los periódicos insistieron en señalar el hecho de que Palacios era el verdadero descubridor de María y se llegó a señalar ese momento histórico.

"Vi a María Félix por primera vez en mi vida, el jueves cuatro de enero de 1940, exactamente a la hora en que un reloj de un edificio ubicado en Madero y Palma, marcaba cuarto para las seis de la tarde."

Tardaría cuatro años en poder hacer una película con su descubrimiento y no volvería a dirigir a María. Su gloria fue la de haber estado en una esquina de la ciudad de México a las seis menos cuarto de la tarde.

Pero si la película fue recibida con escepticismo, María fue aclamada de una forma precedente. El crítico del dominical *El Redondel* saltó de gozo:

"¡Milagro! Decididamente, María Félix es la artista que necesitaba nuestra cinematografía."

Los primeros días el cine fue materialmente asaltado por espectadores que, sin embargo, parecían salir defraudados. El mismo comentarista señala:

"Millares de gentes entraron en el salón llenas de optimismo, pero a la salida no abundaban en el mismo sentimiento."

Demasiadas cosas se esperaban de María y de este pintoresco film en el que los piratas no son libidinosos y el espíritu de la aventura está siendo amenazado por el Espíritu Santo.

Como uno de los atractivos era el vestuario que se supone inventó la China Poblana, se usó el sistema de cinecolor. Los trajes de la China Poblana, convertían a María en un luminoso árbol de Navidad, dentro del cual se ocultaban muy serias inquietudes.

"Yo estaba muy preocupada, porque hacer de china me parecía que no iba con mi rostro ni a mi tipo. Las chinas, pensaba yo, eran más pequeñas y más tímidas. Pero todos me decían que yo haría una china especial; que prácticamente no era china, sino nacida en Mongolia. Sinceramente esto parecía peor aún. Pero yo necesitaba continuar mi carrera de artista de cine y no podía, por entonces, darme el lujo de rechazar guiones. Creo que lo mejor que escuché sobre mi papel de China Poblana, me lo dijo un maquillista, cuando me estaban haciendo los ojos oblicuos, antes de la primera toma. 'Señora, a las chinas les gustaría ser como usted'. Me hizo mucha gracia y me dio ánimos."

Pienso que lo más sorprendente de la película es el trabajo de los peinadores; mientras por una parte alisaron el pelo de María, hasta dejárselo planchado en ocasiones o cubriéndolo con una peluca que exhibía un curioso flequillo sobre las cejas, buscaron para el actor Miguel Ángel Ferriz, la más asombrosa peluca entrecana a la cual el color del film convertía algunas veces en rojiza y otras en azulada. El pelucón de Ferriz venía a caer sobre una carrera de actor ya muy golpeada por otros directores, y sobre una cabeza ya dada a las pelucas grotescas. Justamente en "El Peñón de las ánimas", Ferriz había tenido que exhibir una peluca blanca y una perilla que parece haber heredado en "La China Poblana". El trabajo de todos los actores es malo, impulsados por un director dado a entender la historia como un ejercicio de cartón piedra.

Barroco desaforado, milagros y gritos, presencias divinas y angelicales, cuidadoso resguardo de la virginidad; todo esto hubo de representar María Félix en su tercera película.

Un padre predicador dijo el día 24 de enero de 1688 en el Colegio del Espíritu Santo de la Compañía de Jesús, en Puebla de los Ángeles, todo esto:

"En los crepúsculos de la edad infantil, se le aparecían a Catharina de San Juan, dos primeras majestades en el cielo, con los señores San Joaquín y Santa Anna, provocándole los deseos de recibir el bautismo. Y para abrirle el camino y para recibirlo en tierra de cristianos, permitió Dios que sus padres, huyendo de las hostilidades que padecían del turco en sus tierras, se entraran más adentro a una ciudad marítima, donde comerciaban con las naves portuguesas. Algunas naves corrían la costa con piratas y en una de estas correrías se encontraron a Catharina y otro hermanito suyo, que estaban jugando en la playa. Los juntaron a los demás prisioneros y se fueron a sus tierras. Fue desnudada de sus ricos atavíos y joyas Catharina y le pusieron una falda corta y roída. La metieron entre la chusma de la nave. Una princesa, una niña aún, tierna de ocho o nueve años, sin esperanza de volver con los suyos."

Catharina crece y se viene a convertir en María Félix, para el cine mexicano; aun cuando parece quedar muy claro que en Hollywood hubieran elegido a María Montez.

Que María Félix es capaz de defender su doncellez a estacazos, si el hombre no le gusta, no parece que debe ponerse en duda; pero es difícil creer que ella sea la hija del Gran Mongol, que sea la dulce niña que ve a Dios y que pueda acostarse con un mulato sin caer en la tentación de la concupiscencia.

"La China Poblana" es uno de los mitos más curiosos y perpetuados de México; historia romántica y desmesurada se inicia ya en vida de la protagonista y se liga después a modas, tradiciones culinarias y otros fenómenos. Catharina de San Juan es alabada como Santa, apenas si se produce su muerte en Puebla de los Ángeles, en el mes de enero de 1688. Se conserva el sermón, pronunciado con motivo de su fallecimiento, por Francisco de Aguilera, religioso profeso de la compañía de Jesús, en el que el orador, entre otras cosas afirmó:

"Ejemplar vivo de virtudes heroicas, abismo de ilustraciones divinas, depósito del Espíritu Santo, Virgen, esposa y viuda siempre inviolable en la virginal pureza, que hizo célebre el nombre del Señor desde donde nace el sol hasta donde se pone."

Entre otros datos, el sacerdote afirmaba que Catharina había nacido en tierras sujetas al Gran Mongol, fue capturada de niña por unos piratas, vendida una y otra vez, conservando su doncellez, entregada a un español y traída finalmente a México, en donde fue casada con un mulato, con el que jamás quiso hacer vida marital. El mismo cura decía que durante la vida de Catharina, se habían producido numerosos milagros y un día bajó del cielo el propio Jesucristo y se le presentó a la llamada China Poblana, para consolarla. Catharina, ante la presencia divina, gritaba: "No, Señor. No soy digna de ser vuestra hija; sino vuestra esclava. Vuestra sierva, para barrer con mi boca vuestra casa. Porque yo soy polvo y ceniza."

Luis Márquez, el diseñador del vestuario, fue un hombre que dedicó gran parte de su vida a recuperar, o inventar, el traje indígena mexicano. Para esta película creó unos vestidos de no muy fácil identificación, pero entre ellos hizo uno que llegó a entusiasmar a María. Se trataba de un curioso conjunto de blusa blanca y falda de brocado chino azul. En el borde inferior de la falda, estaban cosidas multitud de campanitas de plata, de tal forma que María sonaba alegremente al caminar.

Esto de llevar la música encima, pareció a María cosa de asombro y parece que se movía por el estudio gozando con el campaneo.

El cine mexicano sufría, por entonces, por falta de película virgen, que se importaba con muchas dificultades de los Estados Unidos. El clima de guerra presionaba sobre todo tipo de productos y el material virgen era uno de los más cotizados; hasta el punto de que en México se llegó a desatar una verdadera campaña para ahorrar película, pidiendo expresamente a los directores que no despilfarraran el celuloide, y éstos por su parte ciudaban que cada toma fuera la definitiva.

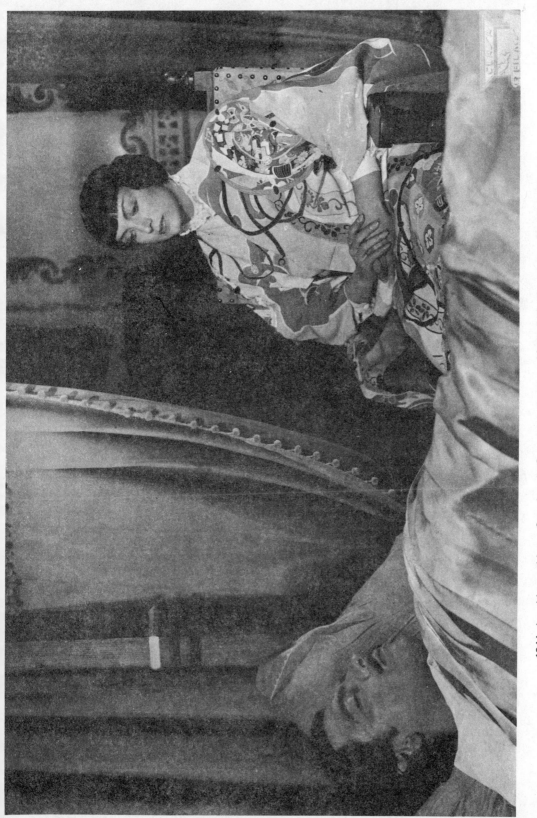

1944. *La china poblana.* Catarina de San Juan vista por María Félix. Leyenda sobre leyenda.

Para "La China Poblana", el ingeniero Palacios, dispuso de un total de sesenta y dos mil pies de película, de los cuales llegó a utilizar solamente treinta y siete mil pies. Por entonces se produjo un verdadero escándalo en la industria mexicana del cine, cuando se supo que para rodar "La dama de las camelias" se habían usado ciento veinticinco mil pies. El director, Gabriel Soria, fue acusado por los productores de derrochador.

El cuidado con la película que demostró el ingeniero Palacios, se hacía aún más aconsejable, por el hecho de que se estaba usando material a colores. Era la segunda vez que se hacía un film a colores en México.

La productora distribuía gacetillas en las que se elogiaba el sistema técnico que México estaba empleando para filmar la película. Uno de esos textos de publicidad afirmaba:

"No sería audaz afirmar que es en México en donde se ha obtenido mayor adelanto en estos aspectos (el tratamiento del color). Una prueba de ello la van a tener los cinéfilos, cuando aparezca en alguna importante pantalla la película Clasa films, que por primera vez presenta la belleza fresca de María Félix a colores naturales y que está bordada en la leyenda de la famosa princesa china capturada por los piratas y traída a América en donde fue comprada por un capitán español, hombre piadoso que la convirtió al cristianismo e hizo de ella una santa."

El primer experimento con el color había resultado malo; ("Así se quiere en Jalisco"), pero el ingeniero Palacios no era fácil de desilusionar. Su primer intento fue el hacer con María un film titulado "Aventurera", que jamás pudo llevar a cabo, ya que María, en junio de 1944, lo desilusionó definitivamente: "Esa película jamás la interpretaré yo." Cuando le aceptaron el proyecto de "La China Poblana", sintió que, al fin, iba a crear la obra definitiva en su carrera y en la de María.

Su experiencia en el cine no era, sin embargo, como para estimular todos estos sueños. En el año 1938, se estrenó "Hambre", un film suyo al que algunos acusaron de reaccionario y otros de "socialista"; cuando todo hace suponer que era, sencillamente ingenuo y primitivo.

El periodista Fernando Morales Ortiz conoció bien al ingeniero Palacios y a María, cuando ésta aún no era estrella, ni tan siquiera había hecho su primer film.

"Una tía mía, viuda, tenía una casa de huéspedes en la esquina de Versalles con Lucerna. Yo era un muchacho de nueve o diez años y cuando me portaba mal, mi madre me enviaba con mi tía unos días. En esa casa vivía el ingeniero Palacios. Era ingeniero marino. Me tomó mucho cariño y yo le tuve mucho respeto. Como teorizante era un genio. Sabía de todo y lo decía muy bien. Después supimos que como realizador era un desastre. Su película 'Hambre' era una defensa muy pálida del derecho de huelga y se estrenó gracias a la Central Sindical CROM, que presionó al gobierno. Pero duró un solo día; era insoportable. Pasó el tiempo y nos veíamos de cuando en cuando. Yo me hice periodista, como mi padre, y él se convirtió en un entusiasta del cine. Una noche, frente a Bellas Artes, oí que me llamaban. Era el ingeniero Palacios que estaba con una mujer, mucho más joven que él, bellísima. Me dijo que me quería presentar a aquella joven, porque se iba a convertir en una de las mujeres más importantes del cine mundial. Hablaba con mucho entusiasmo, muy convencido. Así conocí a María, que tartamudeaba al hablar; algunas palabras casi no las podía decir. Iba muy bien vestida, con un abrigo de pieles que le había comprado el ingeniero. Estaban esperando un taxi, porque él no tenía coche. Nos despedimos, pero al poco tiempo me invitó Palacios a su departamento y me mostró cientos de fotografías de María, a la que entonces llamaba María de los Ángeles. El ingeniero era un gran fotógrafo y estaba muy enamorado de su descubrimiento. Estaba enviándolo todo al diablo por ella, incluso su familia. Me dijo que quería hacer una película sobre la China Poblana, pero que todos intentaban robarle el argumento o comprárselo. Quería dirigir a María él mismo. Por entonces actuaba como el representante de María, ya que había hecho firmar a la joven un contrato en exclusiva. Su amor por María era incluso exagerado, pero ella lo llamaba 'abuelo'. Poco después el ingeniero comenzó a tener un temblor nervioso. Algo le había afectado.''

La relación de María con los hombres que de ella se van enamorando apoya también su propia leyenda de dominadora y destructora. La imagen del ingeniero que se va haciendo un anciano, mientras ella se va convirtiendo en una figura mundial, es patética y acaso simboliza esta idea.

MI RIVAL ES EL CORAZÓN
DE AGUSTÍN

5. *La mujer sin alma*, 1943

> Mujer alabastrina,
> eres vibración de sonatina
> pasional
> AGUSTÍN LARA.

En la vida de María entra, casi al mismo tiempo, "la mujer sin alma" y el "músico-poeta". Es decir; llegan de la mano el nuevo melodrama desaforado que apoyará la idea de una María desalmada y el romanticismo sin cortapisas, sin miedo al ridículo.

Ambos elementos van a ser aprovechados por la sonorense que los manejará para continuar creando su propia imagen.

No tener alma le va bien a la devoradora de hombres y tener como esposo al más famoso músico mexicano de todos los tiempos, ayuda a la propia mitología.

Agustín Lara, por su parte, parece entender ese matrimonio como una aportación más al folklorismo nacional y a su propia egolatría. La pareja va a convertirse en el más divertido espectáculo del país, al que el pueblo contempla con una curiosa mezcla de burlón cariño, que en ocasiones puede convertirse en una presencia fastidiosa.

Cuando se estrena "La mujer sin alma", sólo han pasado seis meses desde el conocimiento por el público de "Doña Bárbara" y la imagen de la devoradora permanece. Fernando de Fuentes va a continuar desarrollando el mito de la mujer que juega con los hombres para salir de la pobreza y del anonimato.

Al comienzo de la película María es una empleada que tiene, por casualidad, ocasión de acudir a un baile lujoso; del despliegue de riqueza por parte de los demás, saca una conclusión y también un destino: "Yo he de llegar a vivir como las gentes que he visto esta noche."

La anécdota se pone en marcha. Pero el camino del arribismo es poco recomendable, según la película, y la protagonista termina como prostituta y cantante en un cabaret de mala vida. María canta en este film, pero no con su curiosa voz, voz negra que dirían los gitanos, sino que María Alma presta la suya. Cuando interpreta "Tuya", quienes conocemos la curiosa forma de cantar de María, lamentamos que no hubieran confiado en sus personales dotes de intérprete de boleros.

El melodrama busca dentro de sí un final ejemplar que nos obligue a perdonar a todos los excesos de la pecadora y acaso la simpatía que algunas prostitutas, engañadores y malos tipos pudieran haber despertado en nosotros. Con final moral, pagamos el placer de habernos hundido en el mal. María estaba iniciando un largo camino de vampiresa que va a terminar fatalmente. Lo que los productores esperaban del film y de la propia María parece estar condensado en la frase que aparecía en uno de los desplegados de prensa:

"Fingía ternura hacia los hombres; pero en el fondo los manejaba con invisibles hilos de perfidia."

Para los seguidores de la anécdota simbólica, esta película encierra la ocasión de meditar sobre lo fugitivo de la belleza y lo intrascendente de la fama. En el reparto de "La mujer sin alma", se incluye a Mimí Derba, quien había llegado en la primera decena de siglo a ser lo que ahora María estaba buscando en forma tan afanosa. (Ya ambas habían coincidido en "María Eugenia".)

Mimí Derba, en el año 1917, junto con Enrique Rosas, formó la "Azteca Films". Una sociedad que en sólo doce meses llegó a hacer cinco películas. La primera aparición de Mimí Derba en esta serie, se produce en el film "En defensa propia". Se trata de contarnos la historia de Eva (María Caballé), una mujer sin escrúpulos, a quien "una larga vida en Europa había convertido en frívola y temperamental". Eva tiene una hermana, "Carlota", que interpreta Mimí Derba. Es una "adorable mujer mexicana". Cuando Eva sufre "un desliz" y tiene un hijo, Carlota lo hace pasar por suyo. Y con ello pierde su honra, en beneficio de la hermana frívola.

Mimí, como se ve, estaba buscando la fama a través del desprendimiento y la bondad; María había seguido el camino de "Eva" y parecía ya preparada para películas en las que su afán destructor llegara a límites terribles.

Mimí fue sin duda, la primera gran estrella del cine nacional y aparecía en la vida y en los films de María, en un momento en que pudiera servir de curiosa imagen viva de los peligros del olvido. Hoy Mimí Derba es figura solamente para los investigadores del cine mexicano-mudo. María sabía que Mimí había sido una gran estrella a comienzos de siglo.

"A mí no me olvidarán. Yo le aseguro que no me olvidarán."

Y María azotaba con la mano sobre el sillón en el que se había sentado, erguida y tensa. Tal vez sea aún muy pronto para vaticinar sobre esa cosa tan fluctuante llamada fama en el futuro; pero yo diría que quienes ven en la pantalla a María, con dificultad la podrán olvidar; aun cuando lleguen a olvidar sus films.

La contemplación de las viejas fotos de Mimí Derba y las actuales de María Félix podría llevarnos, también a una serie de consideraciones sobre los cambios en el gusto sexual del varón.

Mimí es gordita, de carnes blancas y un poco bailarinas.

María es flaca, alta, de carnes pegadas al hueso.

Mimí tiene el rostro redondo.

María uno alargado.

Mimí busca mirar amorosamente.

María encuentra la forma de mirar desde arriba.

Mimí fue deseada por la aristocracia mexicana de comienzos de siglo.

Una pregunta quedaría en pie ¿Quienes, de verdad, desean a María?

O, para ser preciso: "¿Qué es lo que un hombre como Agustín Lara, por ejemplo, desearía en María Félix?" La sonorense se había convertido, definitivamente, en una figura impar en el mundo social de México; parecía sobresalir sobre todas las mujeres manejando sabiamente sus desplantes, sus gestos de audacia, su ceja levantada y manejada como señal de desdeño.

Mimí Derba era la mujer rolliza apetecible para el gusto nacional; María era la mujer para ser cantada y también temida. Una especie de lujo de muy difícil adquisición, de elegancia que no auguraba grandes placeres en la intimidad, pero sí despertaba envidias, asombros, y aplausos en público. Agustín Lara había venido cantando a mujeres alabastrinas, a figuras femeninas que sabía distinguir de las aventureras a las que aconsejaba cobrar muy bien sus favores. Esa mujer para ser cantada y exhibida, pero a la que, en el fondo, posponía ante la prostitua suculenta y sumisa.

Que María Félix estrene "La mujer sin alma" al mismo tiempo que se descubre su boda con Agustín, parece entrañar un simbolismo que al público no le pasa desapercibido; como tampoco parece escapársele un hecho que se comenta en todos los hogares:

"El músico-poeta ha encontrado la horma de su zapato."

La noticia de la boda llega precedida de toda una espectacular serie de declaraciones, contradicciones, gestos heróicos, caballerosas sugerencias. Pero el hecho es que desde hacía tiempo las columnas de chismes de los periódicos y revistas habían venido señalando las frecuentes salidas de María con el músico Agustín Lara. Formaban una pareja insólita que más de un cronista había definido como la unión de la bella y el feo. El lunes 4 de octubre, la noticia saltó a los diarios desde la revista *México Cinema*, que dirigía Benjamín Ortega. El poeta Efraín Huerta cantó con entusiasmo este matrimonio que reunía a las dos "figuras nacionales", pero Agustín y María comenzaron a desmentir la historia indignados: Agustín: ¡Hombre, con una noticia así hubiera podido subir el precio de la revista!

MARÍA: Lo niego, lo niego. No nos hemos casado. Pero, además, si lo hubiéramos hecho, ¿qué importancia tendría?

AGUSTÍN: Soy caballero, que ella diga, primero, la verdad.

MARÍA: ¿Es que en este país no se puede casar una sin armar un escándalo?

AGUSTÍN: Mi relación con María es limpia.

MARÍA: Los periodistas han procedido con una audacia fantástica.

Fernando Morales Ortiz, joven reportero, insiste en que la boda ha sido un hecho y Benjamín Ortega asegura que desde el día ocho de septiembre se lo comunicó la propia María.

MARÍA: "Nunca esperé una cosa así de Ortega."

La estrella y el músico han conseguido que cualquier otra noticia no importe en este invierno.

¿Están casados? ¿Cuándo se casaron? ¿Quién los casó? Caricaturistas, escri-

54

tores muy serios, agencias de noticias se dedican a investigar la boda del siglo.

Y María, burlonamente, acota: "No del siglo. . . a juzgar por el ruido, de los últimos siglos."

Efraín Huerta, entusiasta admirador de la Doña, me contaba hace años en la Asociación de Periodistas Cinematográficos de México:

"Acaso tú no lo entiendas, pero fue una conmoción nacional; un hecho fantástico, que venía a reunir otra vez al monstruo con la bella. El mito viejo pasaba a la página de sociales de los periódicos. Todo el país entró en la duda de amar o de odiar a Agustín Lara; fue un sentimiento contradictorio y salvaje que llegaba a las cantinas y se emborrachaba con ron y tequila. ¿Con qué derecho, nos preguntábamos todos, ese flaco patibulario se metía en la cama con la muchacha más linda del mundo? Y nos decíamos, también, ¿con qué derecho esa chica inculta conquista al mejor músico y al más original poeta de México? El país entero dejaba las cosas más importantes para hablar de lo único que le importaba. Muchos pensábamos que Agustín y María se estaban acostando juntos desde hacía tiempo, pero eso era informal, y los mexicanos sabemos distinguir entre la formalidad del matrimonio y la casa chica que aspira al matrimonio. Cuando se casaron, ya no era posible seguir murmurando en la cantina de la calle Bucareli; la formalidad obligaba a hablar claramente de algo más escandaloso que una acostada. Se había formalizado la unión de lo imposible, y esto transformaba el punto de vista. Ahora era necesario enfrentarse a los acontecimientos y opinar sobre lo insólito. A última hora, en la cantina de 'La Mundial', los reporteros tomábamos la última copa y nos decíamos: 'Pinche Flaco.' Y es que estábamos entre la admiración y el odio más salvaje. Creo que fue Pepe Pagés Llergo el que dijo que la boda de Agustín y María sólo hubiera podido ser opacada por la noticia de que Hitler y Mussolini habían hecho el amor una noche en Berlín. Antes de que María apareciera en la vida de todos los mexicanos, yo escribí en un poema: 'Tu corazón, penumbra.' Bueno, en penumbra están todos los corazones; y cuando un día tiene que mostrarse, a la luz, vamos descubriendo que no lo conocemos. Algunos, en aquellos días de asombro nacional, se preguntaban: ¿Qué es lo que ha visto María en Agustín? Yo creo que María se inventó un Agustín Lara. Y supongo que yo me he inventado una María. Al fin, todos los corazones viven en la penumbra. ¿O no?"

El escrito de Benjamín Ortega que hizo saltar "La bomba del matrimonio Lara-Félix" se publicó en el número 16 del mes de octubre de 1943 de *México Cinema*. Entre otras cosas afirmaba que fue María la que aceptó que el casamiento era una realidad.

"¡Pues bien, sí. Me caso con Lara porque lo quiero!" Confesó María Félix, brillantes los oscuros ojos, después de tres horas de discutir en ciertos momentos violenta y acaloradamente. Pocos minutos antes me había dicho, un poco exaltada: "¿Qué derecho tienen ustedes para penetrar en nuestra vida sentimental?"

Ortega le dice que la vida sentimental de María y de Agustín ya no les pertenece por entero. Y pregunta: ¿Quién le manda ser famosa? Después María acepta que Agustín le regaló un anillo de aguamarina. También un pequeño

Se establece en 1943 la imagen que llegará a ser la devoradora: *La mujer sin alma*. Chela Campos, María Gentil Arcos y Mimí Derba.

Los dramas caen sobre la estrella, uno tras otro.

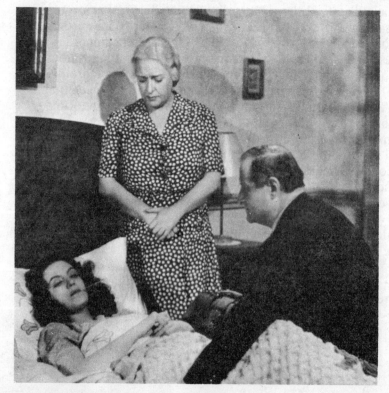

piano y un ramo de claveles, para "celebrar el compromiso".

María confiesa:

"Yo lo amaba desde que tenía trece años, allá en Álamos, mi tierra. Escuchaba sus canciones y soñaba con estar cerca de él. Era el gran amor de mis ilusiones. Entonces mi familia se reía de mí, porque Agustín Lara era personaje inalcanzable, astral. ¿Quién habría de pensar que pasados los años nos encontraríamos en un mismo mundo? Me decían que estaba loca cuando, hablando de idilios imaginarios, salía de mis labios el nombre de Agustín Lara. Pueden sorprenderse las gentes todo lo que quieran. He conservado mi pasión de los trece años a través de todo el tiempo, en todas las circunstancias. Y ahora que el destino lo ha decidido, seguiré adelante, cumpliré mis sueños."

El reportero señala que la aguamarina que Lara regala a María no es gran cosa. Y lo justifica: "Lara no tiene el mal gusto de pretender lucir su dinero, pero cada presente tiene un significado para su pasión."

El primer encuentro entre Lara y la estrella fue poco afortunado, al igual que había ocurrido al conocer María a Jorge Negrete. Agustín contaba que ella iba vestida "sin encanto". Por lo visto lo que más le disgustó al músico fueron los zapatos de la "Doña", que parecían "los de una enfermera". Se conocieron en la estación de radio W, y mientras él tenía un programa extremadamente popular, ella iniciaba el rodaje de "La China Poblana".

Raquel Díaz de León, amiga íntima y "musa" de Lara, afirma:

"Ella (María) también había sido programada desde jovencita para abrir la boca por Agustín, por lo tanto, cuando lo conoció, quiso atraparlo. Además esa relación sería un trampolín extraordinario para su inicial carrera. Claro, a María también la sacó de onda cuando él empezó con sus desplantes de indiferencia o cambios de actitud, sin más ni más. Ella era la figura más llamativa del momento. ¿Cómo era posible que el Flaco no cayera a sus pies rendido? Pero el Flaco tenía muchos gatos en la barriga, tantos que ahí se quejaba, se retorcía, tenía fuertes cólicos. La enfermedad la usó como arma de justificación, tanto con María Ángeles como conmigo."

Yo conocí a Lara en la última época de su vida y escribí los guiones de la serie de programas de televisión que no pudo terminar por causa de la enfermedad que le vencería. Fue Eulalio Ferrer, escritor y publicista, quien me contrató para que hiciera ese trabajo.

Yo estaba bastante inquieto; digamos que mi estilo no tiene nada que ver con las palmeras borrachas de sol. No entendía cómo podríamos entendernos; sin embargo, fue fácil, después de un comienzo sorprendente.

Agustín me hizo esperar unos minutos al pie de una ancha escalera alfombrada; apareció envuelto en una bata y con un pañuelo rodeándole la garganta. Jamás vi bajar a nadie unas escaleras de forma tan despaciosa y señorial, tan teatral y medida; bajaba Agustín fumando y recreándose en cada escalón, gozándolo, dejándose descansar sobre la alfombra. Tenía algo del ceremonial del Casino de París y de "El Águila de dos cabezas" de Cocteau; cuando al fin pisó sobre el suelo de la sala lo hizo al mismo tiempo de terminar el cigarrillo, que aplastó en un cenicero instalado sobre un pie de metal dorado.

Yo comencé a adelantar mi mano para saludarle, pero Agustín inició otro nuevo desplazamiento desviándose de mi camino y avanzando hacia un monumental mueble bar.

El tal mueble era como una biblioteca colmada de botellas de todo tipo; las últimas tocaban el techo.

Llegó al bar, tomó dos copas y las llenó de coñac; colocó las copas entre los dedos centrales de la mano derecha, sosteniendo la palma de la mano en dirección al suelo.

Así avanzó hacia mí y me ofreció todavía en silencio las dos copas; yo tomé una, brindé en silencio y a las doce de la mañana expuse mi estómago a un brandy que estaba entre el fuego y la lija.

Entonces Lara entrecerró los ojos y afirmó:

"Me han dicho que usted es un caballero español."

La connotación que yo siempre he dado a los caballeros españoles tiene mucho de cursi y de petulante. Jamás había pensado que tenía algo en común con el caballero español, extraño a todos mis intereses políticos y sociales. Ser nombrado caballero español al pie de una escalera alfombrada, tomando brandy a medio día y de pie frente al inmenso bar de madera, resultaba por lo menos extraño.

Sonreí y volví a tomar un trago. Luego creo que tuve que toser.

El trato entre caballeros no duró sin embargo mucho; a los dos días nos hablámos de tú; él quejándose de un fuerte dolor en los riñones.

Fue el mío un trabajo muy pintoresco; Agustín Lara afirmaba que todas sus canciones habían sido inspiradas por una mujer; esa mujer, su musa, tenía casi siempre unas caderas grandes y una cintura estrecha. Las musas de Lara sólo resultaban espirituales cuando eran cantadas; apenas si terminaba el último acorde, la musa se tomaba con Agustín una copa y el vocabulario pasaba de ser romántico a ser fieramente realista.

Por aquellos días estaba de guardia en la casa una musa que ocupaba el lugar de la musa-esposa que había abandonado el músico-poeta.

Agustín quería cambiar todas las alfombras para que la musa nueva no pisara sobre los mismos alfombrados de la musa perdida.

Todo esto resultaba para mí contradictorio y nuevo.

En ocasiones yo bromeaba sobre su capacidad para convertir en musa a una mujer y quitarle la calidad de musa diez minutos más tarde.

Yo le decía:

"Las musas no existen."

Agustín me miraba como lamentando que hubiera caballeros españoles con tan poca calidad de caballeros españoles.

Escribimos los guiones prácticamente entre los dos. Llegaba a asombrarse mucho con mi capacidad mimética:

"Ya escribes igual que yo."

Y me miraba ocultando su desconcierto.

Los programas comenzaron a salir al aire patrocinados por una fábrica de ropa interior para hombre.

Agustín sentado al piano narraba cómo habían nacido sus canciones y una musa aparecía por el balcón y cantaba la canción descrita. Tuvimos problemas cuando los que cantaban eran hombres; Agustín no quería que aparecieran en el balcón y yo estuve de acuerdo con él.

Mejor los sentábamos junto al piano y Lara les dirigía la palabra entre condescendiente y distante.

Un día llegué a su casa y me abrió la puerta la última musa vestida con una bata azul larga; estaba bastante asustada; Agustín Lara se había enfermado en la noche y se sentía muy deprimido. Me pidió que subiera a su dormitorio. Encontré a un Lara con el rostro color de cera y los ojos más apagados que nunca. Me habló en susurros. Yo quería despedirme y dejar para otro día la sesión de trabajo; pero Agustín no quería que me fuera, pero tampoco quería hablar.

Estuvimos mirándonos un rato.

Después, en un susurro pidió a la musa que me diera una copa de coñac, aún no sabía que no me gustaba el coñac; yo no me había atrevido a decírselo.

De pronto me contó una historia sorprendente: la noche anterior había querido suicidarse.

"¡Qué locura!"

Lo dije muy desconcertado, porque no se me ocurrió otra cosa.

Pero él no quería hablar del suicidio sino de algo que le venía preocupando; parece ser que una cantante de ranchero, amiga mutua, había llegado a la casa y se había enterado del intento de quitarse la vida.

La amiga entonces tomó todas las pistolas, que entiendo que eran varias, y se las llevó en una bolsa de terciopelo rojo.

Agustín Lara me miraba muy inquieto:

"¿Tú crees que me las devolverá?"

Por entonces yo había caído ya en su fascinación; me contaba historias desconcertantes. Me dijo que él conocía España antes de conocerla "no por las tarjetas ni las películas" sino por los latidos del corazón.

Creo que le pregunté qué cosa era el conocimiento a través de los latidos del corazón, y me dijo:

"Parece mentira que seas escritor y no lo sepas."

Pero lo cierto es que nunca supe; por lo menos no supe lo que todo esto significaba para él.

Su romanticismo parecía una prenda de vestir; se lo quitaba y ponía a tal velocidad que yo jamás estaba seguro de cuál de los dos papeles estaba representando.

Cuando llevábamos seis o siete programas, Agustín se enfermó muy seriamente.

Lo internaron en el Hospital Francés.

Lo fui a ver; tenía una habitación con una ventana a un jardín triste por el que pasaban personas envueltas en albornoces blancos.

Me pidió que Eulalio Ferrer le enviara un televisor.

Yo hice de intermediario y el televisor llegó esa misma tarde.

Pasé a ver cómo funcionaba y a sentarme a su lado mientras el programa salía al aire, ahora llevado por su compadre Pedro Vargas.

Estaba inquieto; no quería perder el programa y no quería que Pedro Vargas se hiciera el dueño del mismo.

"Dile claramente que está sustituyéndome, nada más."

"Ya se lo diré, Agustín."

"Bueno."

Pedro y Agustín eran amigos entrañables; pero Lara no parecía confiar demasiado en nadie.

Unos días después me confesó:

"Quiero llevarme el televisor a mi casa. Tendrás que decirle a Eulalio que se perdió en el camino."

"Se lo diré."

Por cierto, no sé si el televisor se perdió en el camino o si Ferrer lo recibió de nuevo.

No lo sé, porque poco después Agustín Lara murió.

Un día quise que Agustín me hablara de María Félix.

—Los caballeros, no hablan de las damas en particular.

—¿Y de las mujeres en general?

—La mujeres en general, hermano querido, pueden ser muy cabronas.

En sólo dos años y con sólo cinco películas, María se había convertido en una figura famosa e inhabitual en el país; la muchacha tímida del principio había desaparecido para convertirse en una mujer voluntariosa, capaz de desplantes vigorosos, de actitudes que rompían con la imagen abnegada de la hembra mexicana según los más tradicionales folletines. La vampiresa había llegado al cine nacional y encontrado una serie de fórmulas de comportamiento que la hacían distinta a los estereotipos de Hollywood.

La revista *Cinema Reporter*, de febrero de 1944, parece aceptar todo esto no de muy buen agrado:

"Hay que abrir los ojos a la evidencia, y la evidencia es que María Félix es la estrella fílmica mexicana que tiene más personalidad. Todavía se le notan vacilaciones propias de su inexperiencia. Claro, como es cierto también que a su labor en general le falta algo de 'academicismo'. ¡Si hubiera estudiado María Félix declamación y un poco de arte teatral! No lo hizo a tiempo y hoy, actuando, tiene que recorrer la senda que ha de llevarla al triunfo. Tarea no muy penosa que digamos, supuesto que está sembrada de flores y dinero. Fernando Soler, en primer término, y Carlos Martínez Baena, en otro no inferior, se destacan también en 'La mujer sin alma', cinta cuyo éxito habría sido completo si al arreglo de la obra de Alfonso Daudet se le hubieran dado unos cuantos tijeretazos. De todas maneras hay 'mujer sin alma' para rato, gracias a María Félix, a Fernando Soler, a Carlos Martínez Baena, a Andrés Soler, Mimí Derba, Barreiro y demás artistas del reparto."

Sin embargo, no todos veían a María como una actriz todavía sin carácter y fuerza. En el mes de abril de 1943, cuando aún no se había preparado la filmación de "La mujer sin alma", la revista de Nueva York en español, *Cine Mundial*, publicó esta nota curiosamente premonitoria:

"En lo que va de mes, sólo ha llegado a las pantallas de nuestras salas 'El peñón de las ánimas', con éxito mediano, pero con una revelación artística. María Félix, una linda debutante, tapatía por más señas, que se roba la película, a pesar de su inexperiencia, pues de todas las ánimas del peñón, queda ella con ánima sola. Es la única que tiene alma en el film."

El seminario *Claridades* publicó una larga crónica en la que se referían a la novela original como "un novelón de turbias complicaciones dramáticas, de sombríos laberintos psicológicos propios de la podrida sociedad francesa que proyectaba el citado novelista en sus obras".

Poco después el cronista recogía el asombro general que parecía estar causando el trabajo de María como actriz: "Fue un acierto seleccionar esta obra para ella, que está resultando mucho mejor actriz de lo que todos supusimos desde el principio de su carrera en la pantalla."

Y señalaba algo en lo que todos parecían estar, también, de acuerdo; María era la mujer mala ideal.

"No tiene entre nosotros rival para ofrecernos el cuadro de una mujer sin alma, capaz de todos los engaños y de todas las malas artes."

Este proceso de identificación de María con la mujer perversa estaba apoyado, también, por las gacetillas que distribuía la propia productora: "María Félix representa a una mujer, como tantas que hay por el mundo, egoísta y poseída de ambiciones, que destroza la vida de los hombres que se ponen a su alcance y los arruina pensando solamente en su triunfo como mujer hermosa y en su acceso al mundo social cubierto su cuerpo de pieles y ricas joyas."

Los encargados de la publicidad estaban intentando la definición de la vampiresa, uno de los más atractivos mitos del cine mundial.

María estaba heredando, a nivel nacional, toda una larga historia cargada ya con elementos literarios y tradiciones cinematográficas. La palabra "vamp" había sido acuñada por el cine de Hollywood para designar la vampiresa, versión femenina del vampiro pero con técnicas si no tan sangrientas, sí crueles. La "vamp" es la mujer fatal, la cruel y sin corazón, la arrogante e inaccesible, la dominadora. La primer "vamp" del cine fue la pintoresca, pero al mismo tiempo asombrosamente atractiva, Theda Bara, una norteamericana que se hizo pasar por personaje exótico.

Otras vampiresas fueron la italiana Pina Menichelli, la alemana Brigitte Helm, la francesa Musidora.

María iba a colocar en el máximo nivel la versión mexicana de la "vamp" en su acepción más desalmada y sarcástica frente al enemigo: el hombre maduro y rico.

Vengadora de todas las infamias, se convertía en una "vamp" por oscuras razones morales; si los hombres eran villanos justificaban su mala conducta.

Se estrenó "La mujer sin alma" trece años después de la fecha en que los mexicanos conocieron el film de Josef von Sternberg "El ángel azul"; un extraordinario ejercicio de destrucción de la masculinidad a cargo de una vampiresa inolvidable: Marlene Dietrich.

Marlene, sin embargo, no tenía con María Félix muchos puntos de contacto;

había iniciado su carrera bailando sin ropa interior en ambiguas comedias musicales y su trabajo en "El ángel azul" (Berlín. 1930) estaba basado en una cruel y lejana indiferencia hacia el hombre dominado.

María aparecía en la pantalla de manera vigorosa, con un espíritu más patentemente destructivo: Marlene había sido cuidada por Sternberg como un objeto misterioso y adorable al que la misma luz del estudio no debe de herir, sino acariciar.

María estaba obligada a no dejar nada en la duda, a ser una fuerza del mal en cuyas manos el hombre sería un pelele.

Marlene era una vampiresa que partía de una sonrisa burlona, de una condescendiente manera de humillar.

María era una vengadora altiva.

Ambas cantaban para embelesar a la audiencia masculina; la voz de Marlene era sensual, íntima, rasposa; la voz de María le había sido prestada por María Alma.

Por otra parte el hombre al que la vampiresa reduce a un papel sumiso y vergonzoso era muy distinto en ambos films. Marlene convertía en un guiñapo al actor Emil Jannings, una especie de rinoceronte teatral; mientras que Fernando Soler resultaba un enemigo muy menor.

Cuando Emil Jannings comprendió que "El ángel azul" no era su película, sino el asombroso lanzamiento de una nueva estrella a la fama mundial, quiso vengarse y trató de estrangular a Marlene durante la escena en la que su personaje intenta matar a la vampiresa. Fue una secuencia rodada verídicamente.

Fernando Soler aceptó, por lo que se sabe, su papel sin llegar tan lejos.

La película, que duraría cuatro semanas en el local de estreno, significa el debut de la productora "Compañía Cinematográfica de Guadalajara" y viene a ser el film número 22 del director Fernando de Fuentes.

Los críticos parecen haberse puesto de acuerdo en algunos puntos: "María puede alcanzar cumbres mundiales dentro del arte de la pantalla." (Semanario *El Redondel*.)

"María no sólo confirma sus posibilidades, sino que muestra esa flexibilidad de temperamento que le es indispensable al comediante cuyo arte consiste en desdoblarse en personas, en vidas diversas." (Diario *Excelsior*.)

"María se presenta más hermosa que nunca." (Semanario *La pantalla*.)

El argumento es observado con muy buena voluntad, por parte de los comentaristas que parecen concederle el don de intentar moralizar a nuestra sociedad corrompida. Lo que hubiera podido desprenderse de la historia es que una muchacha joven y de muy bajo nivel económico, está obligada a terminar su vida en su misma situación social. Pero si al intento de violentar esta ley, añade trucos, esfuerzos deshonestos y ambiciosos sin límites, entonces la Providencia, que mantiene sobre el mundo una mirada vigilante, se encargará de que le ocurran las suficientes calamidades, como para que ella y el público de la sala adviertan los peligros de un comportamiento tan poco ejemplar.

Alfonso Lapena, un exiliado español, no parecía dudar del tipo de material con el que estaban trabajando:

"Esto es un melodrama, y los límites del melodrama están por encima de la imaginación, incluso, de los guionistas."

El trabajo de Fernando de Fuentes es a mi juicio plano y sin detalles importantes.

Emilio García Riera señaló en su día que este film iniciaba el camino de una muy larga serie de películas de cabareteras que terminaría atrayendo de forma irresistible a nuestros argumentistas y directores. Efectivamente, la protagonista termina su vida cantando en un cabaret y abriendo las puertas a una moda discutible.

El fervor del público cinematográfico mexicano por los cabarets es difícilmente comprensible, sobre todo, como volveremos a señalar, porque los cabarets del cine venían a ser la negación del verdadero cabaret. Es posible que su éxito se debiera al hecho de que los públicos de las salas de cine no habían ido nunca al rasposo y bronco cabaret de la época.

A MARÍA LE SIENTA BIEN EL PANTALÓN

6. *La monja Alférez*. 1944

Yo me pongo los pantalones porque quiero.
Que ellos se pongan faldas si quieren.
MARÍA FÉLIX

Leyendo ahora las innumerables páginas que la presencia de Marilyn Monroe desató en el mundo, encontramos que así como para los espectadores el descubrimiento de la beldad fue una nueva aventura de la imaginación, para los productores de Hollywood llegó a convertirse en un dilema siniestro.

Tener a Marilyn (o tener a María) venía a significar la aventura de atrapar a un tigre por la cola.

Hay actores y actrices cuya presencia en las plantillas de los productores tiene una significación placentera y renovadora; son las piezas que se pueden colocar en el lugar oportuno con la seguridad de que se conseguirá de ellas un trabajo limpio y atrayente. Otros actores llevan dentro de sí la inseguridad, la bronca, los súbitos cambios de temperamento y los instantes dulces y atractivos.

María era ya tan profesional como impredecible; tan segura como equivocada, tan variable como tenaz. Los productores, los escritores, los directores, estaban obligados a recordar que seguía siendo una recién llegada, una invasión que se había ahorrado el largo y doloroso camino de los principiantes.

Cuando aún era un rostro nuevo, ya era, también, un gesto audaz y definitivo. Muy poco tiempo para ascensión tan rápida; el mundo del encono se estaba alzando a su alrededor.

Con esta nueva película se venía a demostrar, por otra parte, que en el cine cualquier descubrimiento trae cola; nadie se puede quedar con su invento a solas, sino que está condenado a que le crezca el rabo. Así ocurrió con los pantalones que usaba en "Doña Bárbara" María Félix; de esos pantalones a los que ha de calzarse en "La monja Alférez" sólo van pocos meses.

En mayo de 1944, se estrena esta película en la que María interpreta a un alférez llamado Alfonso que termina siendo una mujer llamada Catalina.

El principal defecto de este film es su solemne afición a la historia; la historia no como un momento de la humanidad, sino como un estático homenaje. Así, el director parece haber dedicado todo su tiempo a que nadie se saliera de la historia, a que todo participara en el juego representativo y teatral. La historia se desenvuelve como un catálogo de formalidades y jamás lo cotidiano entra en la historia; en estas condiciones María camina con dificultades.

Ella, María, mantiene también su propia historia, ya establecida desde que lanzó su caballo sobre Lorenzo Barquero, la historia de María choca con esta otra, tan pusilánime y representativa.

La devoradora se convierte en espadachina y la mujer sin alma en vengadora del honor; es un lamentable paso atrás, no en la carrera de la estrella, sino en el establecimiento del mito.

Por otra parte la belleza de María es una belleza ligada con las vamps del cine americano, con un tímido sueño nacional, con el momento en que México vive, atento a un anhelo de despegue burgués. La belleza de María no parece propicia para andar hurgando en el pasado colonial o en las historias de chinos. Hay en la película un momento supuestamente malicioso pero desafortunado; el actor Ángel Garasa se viste de mujer y así compensa la presencia de la María-hombre-alférez.

Resulta curioso y apropiado para investigaciones psicoanalíticas el hecho de que la visión de una María Félix amachada en sus pantalones y en sus gestos de espadachín o de azotadora de hombres venezolanos, aumentara el entusiasmo masculino del país.

México, obligado a respetar una tradición machista, se vengaba así de sus propios machos, representados ahora por una mujer que les vencía desde el caballo o desde la aparatosa esgrima a espada.

María no parece haber estado ausente de esta representación de la mujer-macho o de la mujer que para vengarse de los machos se hace aún más macho o macha. En su vida privada incluso y por lo que sabemos, el comportamiento de María con sus enamorados venía a ser otro duelo de caracteres y peleas después de las cuales tenía que surgir un dominador, un vencedor. Lo que María no parecía estar dispuesta a aceptar es que se pronunciara un veredicto a priori; sólo después de la gran batalla se podría saber el nombre del ser victorioso.

La revista *México Cinema* publicó un desplegado en el mes de julio de 1944, anunciando el inmediato estreno de "La monja Alférez". Aparecía en él la fotografía de María tocada con sombrero emplumado, larga capa, espada y altas botas de cuero. También se incluía un curioso poema:

> "Muchacha arisca de corcel y espada,
> sintióse en el convento desolada.
> Fue allí por orden de una tía,
> que negra infamia con sigilo urgía;
> pero saltó las tapias del convento
> y huyó para cobrar un testamento.
> Antes cambióse de ropas Catalina
> adoptando figura masculina.
> Y en tierras del Perú, dulces mujeres
> suspiraron de amor por el alférez.''

Poema anónimo, parecía iniciar un ciclo de programa versificado, pero ahí quedó la cosa.

Carmen Bravo-Villasante recoge de diversas fuentes la historia de la Monja Alférez. Personaje asombroso, merece entrar en cualquier libro en donde se hable de la mujer-macho.

Nacida en 1592, se hace monja y luego se escapa del convento. Pasa a América y llega a Panamá. Vive en Trujillo, se convierte en espadachina formidable y mata a un hombre en duelo. Se acoge a la iglesia. Pasa a la cárcel. Pelea en Chile. Aparece en una casa de juegos y mata a varios hombres en una riña colectiva. En otra pelea mata al que era su hermano, pero no conocía. Atraviesa los Andes con dos soldados que mueren de frío. En todas partes las mujeres la persiguen y se ofrecen en matrimonio. La condenan a muerte por otras peleas. Escapa y aparece en Cádiz. Va de nuevo a la cárcel. El conde de Olivares la libera.

En el año 1926 un peregrino, Pedro del Valle, la retrata en una carta singular: "Alta y recia de talle, de apariencia más bien masculina, no tenía pecho, sino tan chico como el de una niña. Me dijo que había empleado no sé qué remedio que le suministró un italiano; el efecto fue doloroso, pero muy al deseo. De cara no es fea, pero bastante ajada por los años. Su aspecto es más bien el de un eunuco que el de una mujer. Viste de hombre, a la española; lleva la espada tan bravamente como la vida, y la cabeza un poco baja y metida en los hombros, que son demasiado altos. En suma, más tiene el aspecto bizarro de un soldado que el de un cortesano galante. Únicamente su mano podría hacer dudar de su sexo, porque es llena y carnosa, aunque robusta y fuerte, y el ademán que, todavía, algunas veces tiene un no sé qué de femenino."

La Monja Alférez recibió licencia de Urbano VIII para que vistiera como varón. En el Archivo de Indias, en España, se conservan documentos en los que diferentes militares elogian su valor y su capacidad como soldado.

No se sabe cabalmente cuál era su verdadero nombre, aun cuando durante mucho tiempo se supuso que se había llamado Catalina Erauso. Francisco de Pacheco, que la retrató, dijo de ella que tenía "un gesto áspero en la boca, ni aun para hombre tiene buena catadura".

Poco antes de morir, Max Aub cenó en mi casa, junto al poeta Luis Rius, y hablamos brevemente de todo esto.

Pienso que el personaje de la Monja Alférez es apasionante, le dije:

—También yo lo creo. Es una mujer que merecía una película muy seria, en la que se estudiara su comportamiento y las razones profundas que la llevaron a querer ser un hombre y no sólo un hombre, sino un hombre extremadamente masculino, entendiendo esto como agresor.

—¿Quedó usted contento con el guión que adaptó?

—No, no. De ninguna manera. Pero no se trataba de hacer la película que usted gustaría. Era sólo un divertimiento. Una ocasión para que María Félix apareciera como espadachín, muy bien vestida y muy extravagante.

Creo que también me dijo que lo que no había aparecido en el film era más importante que lo que habían mostrado.

Max aceptó la historia como un trabajo profesional al que no concedía importancia, pero pensaba que en el personaje existía un material extraordinariamente valioso como para hacer una película buena.

—La mujer que se viste de hombre lleva por dentro siempre un drama muy serio, una historia que merece ser estudiada y escrita con cuidado. La Monja Alférez no es un personaje pintoresco, sino una mujer apasionante que daría motivo a todo un ejercicio literario y a una adaptación para teatro o cine que me interesaría mucho.

Después volvió a repetir que, sin embargo, lo que pedían los productores no era un trabajo formal y profundo, sino un argumento que le fuera bien a ella.

—Habían descubierto que el público quería a María Félix vestida de hombre. Lo sabían desde que la vieron en "Doña Bárbara" con pantalones.

Y Max Aub torcía el gesto, como asombrado y confuso. La investigadora Carmen Bravo Villasante señala estas razones, para que la mujer se disfrace de hombre, en el teatro del Siglo de Oro.

1. Para servir al amado. Para buscar al seductor. Para obligar al amado a que se case.
2. Para ir a la guerra. Para ser famosa.
3. Por ambición. Para reinar. Por mandato del padre.
4. Para buscar a Dios.
5. Para poder estudiar como un hombre.
6. Para huir de un peligro. Para escapar del marido.
7. Para vengarse. Para lavar la honra de la familia.
8. Para representar comedias, cuando las mujeres no podían subir a los tablados de la farsa.
9. Para defender a la patria.
10. Para acompañar a su señora (una criada).
11. Porque así las vistieron desde niñas.
12. Para ayudar a la familia.
13. Para ganar dinero.

La Monja Alférez parece haber participado de varias de estas razones; lo sabía Max Aub, hombre culto y paciente que no desconocería, aun cuando no llegué a preguntárselo, los textos de aquellos autores que trataron el mismo personaje.

Por lo pronto es bien conocida la pieza teatral que escribió un discípulo querido de Lope de Vega; Juan Pérez de Montalbán y los textos firmados por doña Catalina de Erauso titulados "Historia de la Monja Alférez, escrita por ella misma".

Thomás de Quincey escribió una historia de "La Monja Alférez", que tradujo al español Luis de Loayza. Este último describe a Catalina de forma ruda: "la antigua monja, disfrazada de hombre, fue un ser brutal, asesino que contaba sus crímenes con indiferencia, soldado castigado por su crueldad con los indios".

De Quincey se muestra más amable y ve a Catalina como "impetuosa, altiva, violenta a veces, tenaz y arrogante". Lo último parecía convenir a María Félix en su vida privada y también a la imagen que se estaba forjando de ella el público espectador de sus películas y lector de sus anécdotas.

En *La monja alférez*, María se vuelve a calzar los
pantalones. Ya nadie se los podrá quitar, 1944.

El hábito no hace al
monje... ni a la monja.

Una imagen que se repetirá muy poco: María se recoge el pelo.

Para que Catalina se convirtiera en un supuesto hombre, De Quincey encuentra razones o ventajas de mucho peso: tenía una constitución sana y un brazo muy vigoroso, un corazón valiente, una inteligencia sagaz y "una piel más o menos gruesa".

Cuando la Monja Alférez llega a la ancianidad se confiesa con el mismísimo Papa y le dice "al anciano sus tristes e infinitas aventuras y en lo que respecta al honor sexual afirma que sigue siendo tan pura como una niña".

Catalina no sólo guardó celosamente su virginidad (según este autor), también defendió, incluso con más furor, la bandera de España, ya que en una ocasión, en Perú, atacó a caballo a un grupo de indios que se llevaban un estandarte y lo rescató a mandobles.

De Quincey se entusiasma: "¡Oh mi buena y noble Catalina; quisiera que no nos separaran doscientos años para poder besar tu bella mano!"

Al escribir para el cine la historia de esta mujer asombrosa y dura, Max Aub y Eduardo Ugarte siguieron dulcificando la figura de Catalina y lo que de ella quedó en el film es verdaderamente una estampa gallarda, un vestuario bellamente diseñado y la ambigua belleza de María tocada con sombrero de plumas y calzada de pantalones y botas de montar.

La película parece confirmar a escritores, directores y productores un camino que ya se había señalado en "Doña Bárbara"; el que habría de seguir una mujer tan bella que resultaba absolutamente necesario vestirla de hombre; con lo cual la relación de la investigadora antes mencionada aumentaba en una nueva razón para que se lleve a cabo el acto de disfrazar a la heroína. En cuanto a María cabe pensar que efectivamente, su encuentro con la Monja Alférez le abrió una serie de perspectivas de todo tipo que va a aprovechar en el futuro con singular agudeza. A lo largo de su vida social, irán apareciendo los sombreros tipo Tercio de Flandes, las plumas airosas, los pantalones de piel, las largas botas por encima de la rodilla, los cinturones de los que parece necesario dejar que cuelgue un arma, los guantes de manopla. Toda una parafernalia que nace con este film y que más o menos encubierta engalanará de manera periódica a la actriz en su vida privada.

Pero hay algo más: María descubre que la mujer puede usar otros elementos que no sean la belleza, la coquetería, la altivez, para manejar y dominar al hombre, y comienzan a aparecer en su vocabulario expresiones tales como "es poco hombre para mí", como si con ello sugiriera que vencería a tal o cual periodista, no sólo con la palabra, sino también en un supuesto campo del honor en el que estarían en juego el coraje y la habilidad; también la hombría.

La apostura y fuerza de María vestida de espadachín resalta aún más en el film por la presencia de un José Cibrián de rala barbilla rubia y bigote recortado que, además, lleva el pelo tan largo como el de María y tan cuidadosamente peinado. Cuando ambos sacan las espadas y se enfrentan en un duelo, el espectador tiene la sensación previa de que apostar por Cibrián es perder el dinero.

La productora distribuyó una foto de rodaje, señalada con el número 193, que resulta singularmente ilustrativa en cuanto a la ambigua presencia de los dos protagonistas; María está vestida con traje femenino y tiene en sus manos un gran abanico de encaje negro, a su lado, con las cabezas muy juntas, se encuentra José Cibrián. Ella tiene un gesto de altiva seguridad, la frente muy alta y despejada; él muestra un casi perfil, de nariz bien dibujada y el pelo le cae sobre los hombros. No hay en José Cibrián ninguna pasión; ambos parecen complacerse consigo mismos e ignorar a quien se supone aman en la película. El sexo ha desaparecido en ambas actitudes y lo que queda es una pose a beneficio de un observador que de ser agudo bien pudiera asombrarse ante un doble hedonismo tan ajeno a las pasiones que cabría pensar despiertan en la parte contraria bellezas semejantes.

Después de ver "La monja Alférez" escribí un diálogo con María que sólo tiene el inconveniente de no haberse producido jamás:

—María, te voy a leer un fragmento del *Deuterenomio*, dice así:

"No se vista la mujer de vestido de hombre ni el hombre vestiduras de mujer, porque lo uno y lo otro es abominable a los ojos de Dios."

—¿Eso viene en la *Biblia*?

—Sí.

—Ah, cuando se escribió, a pesar de lo que digan mis enemigos, yo no había nacido aún.

—No.

—Entonces debe referirse a otra María Félix.

—Es posible, pero pienso que no hubo muchas María Félix a lo largo de la historia. Quiero insistir; tu constante afecto por los pantalones, ¿quieres señalar algo que ocultas en tu mente?

—Mis pantalones son femeninos siempre. Los pantalones que yo uso no los podría poner un hombre sin parecer marica.

—Sin embargo: ¿te hubiera gustado ser la Monja Alférez?

—Ella era una rebelde con malas causas; mi causa es buena. Si hubiera tenido que usar la espada para defender mi causa hubiera sido una Monja Alférez muy especial.

—¿Cuál es tu causa, María?

—Mi causa soy yo.

Al historiador del cine mexicano Emilio García Riera no le pasó desapercibido lo que la película, de forma soterrada y acaso totalmente inconsciente, parecía señalar:

"La devoradora de hombres se convertía en el objeto de sus propios apetitos y, ante su transformación masculina, eran las mujeres las dispuestas a ser devoradas. Es decir: la antropofagia amorosa privaba sobre la definición del sexo; el disfraz cedía ante el mito de la devoración."

Cabría pensar que el personaje de María iba tan lejos en la defensa del sexo femenino que se ofrecía como víctima de sí misma; pero lo cierto es que la Monja Alférez no parecía haber sido creada bajo tan sutiles ideas.

Max Aub me lo dijo: "Por algo será que el teatro español del Siglo de Oro está lleno de mujeres disfrazadas de hombres que pelean, vencen, se vengan, escapan de los conventos, se hacen soldados. Por algo será. Pero la película nunca se planteó esto ni quiso ofrecer una respuesta al fenómeno."

70

Ya muerto Max Aub, el poeta Luis Rius me envió algunos materiales sobre la mujer disfrazada. De alguna forma aquella conversación sobre una película insignificante, pero al mismo tiempo llena de posibles implicaciones, se prolonga hasta hoy.

El propio García Riera define el film con cinco palabras: "Plano, estático, lento, solemne y confuso."

Es aún posible resumir aún más el resultado final de la película: aburrida.

Sin embargo, como suele ocurrir, los críticos del estreno fueron mucho más optimistas. El dominical *El Redondel* publicó un comentario halagador:

"¡Qué linda se ve vestida de hombre! Demasiado linda, porque con esa cara no parece posible que se le tomase por alférez. Sin embargo se señalan dos defectos 'sin mayor importancia'. Son los siguientes: en la pantalla muestra a una monja mexicana que en el hábito exhibe una imagen de la Virgen rusa del Perpetuo Socorro, conocida en América hasta mediados del siglo XIX; y después de una larga carrera de María, a través de 'una extensa planicie', la actriz no demuestra ni el menor cansancio. Incluso, como se ve, los más rendidos enamorados de María vestida de hombre, no podían creer que sus cualidades atléticas llegaran tan lejos."

En cuanto a la interpretación de la estrella, se afirma que hace "su papel un poquitín al desgaire, confiándolo todo a su extraordinaria personalidad".

Aun cuando volveremos sobre el tema de la María empantalonada, digamos desde ahora que su afición a usar pantalones y su desprecio por la opinión de la sociedad mexicana la llevaron en cierta ocasión a una situación límite: al morir su marido, Jorge Negrete, fue a recoger el cadáver a los Ángeles y a su retorno, frente a fotógrafos, camarógrafos y reporteros, bajó del avión vestida con pantalones ajustados.

Esto, a juicio de miles de ofendidas personas, fue un gesto falto de respeto por el charro cantor, quien también viajaba en el avión dentro de una caja.

Los admiradores de María la abandonaron, furiosos, durante un cierto tiempo; su amor por los pantalones, símbolo de su voluntad empecinada, la habían llevado esta vez demasiado lejos. Estaba retando una de las tradiciones hundidas más profundamente en la hipocresía nacional. De ella se esperaba que bajara del avión envuelta en velos negros, repitiendo la espectacular dramatización de Pola Negri ante el cadáver de Rodolfo Valentino. María, sin embargo, se negó a disfrazarse, a darle a su público la posibilidad de llorar con la viuda inconsolable. Bajó seria, vestida con pantalones y el pueblo mexicano no sabía si con ello quería decir que no aceptaba entrar en el juego del desconsuelo nacional o que, aceptando una de las frases más repetidas por la propia Doña, "la muerte le hacía los mandados".

A lo largo de este libro iremos viendo cómo los pantalones y María van hermanándose de tal forma y tan seguido, que se convertirán, con otros pocos elementos, en uno de sus símbolos más pertinaces.

La sociedad mexicana, que aceptó el pantalón en sus mujeres con muchas vacilaciones y con mucho retraso, va a tener en esta actriz a una adelantada que no puede, por ello mismo, crear escuela. Las mujeres de nuestra pequeña burguesía, en sus casos extremos, usaban los pantalones dentro de casa, para goce del marido que las sabía domesticadas y, al mismo tiempo, colmadas de redondas apetiteces. Sólo el tiempo cambiará estas reglas. Durante la filmación de "La monja alférez" la unión con Agustín Lara comenzó a ofrecer fisuras de todo tipo; el músico no parecía dispuesto a olvidar otros viejos amores o a dejar de experimentar con otros nuevos y María no era tolerante con tales vejaciones a la institución matrimonial. Una de las mujeres de Lara contó una singular anécdota que muestra a Agustín llamándola por teléfono para que ocupe en la cama el lugar que María Félix acaba de abandonar para ir a los estudios.

El canje se produjo, por lo visto, varias veces, pero en una ocasión María llegó en la noche cuando aún no se la esperaba; escribe Raquel Díaz de León: "Tocó desesperadamente el timbre, él ordenó que nadie abriera, por entre las persianas, a oscuras veía lo que sucedía afuera, pero a la Monja Alférez, todavía muy entrada en su papel de mujer masculinizada, no le importaron las rejas y las saltó. Al oír las zancadas de ella que subía las escaleras, nada más tuvo tiempo de cerrar la puerta de la recámara en donde yo me encontraba y salir a recibirla al pasillo."

Historia de comedia de boulevard, tiene la ventaja de ofrecernos esa imagen de monja con espada que salta rejas y va en busca de lavar su honor mancillado en su propia cama.

Una nueva nota de comedia de alcoba se produce el mes de este mismo año, cuando la anterior esposa de Agustín Lara, socialmente conocida como la "Chata" Zozaya, acusa al compositor ante el juez Olivares Sosa, de bígamo. Ya que, afirma, jamás se ha divorciado de ella. María se niega a intervenir en este nuevo escándalo.

"La monja Alférez", vista ahora, es el resultado de esa lamentable reverencia, al paso que lleva a los directores a concebir la historia como una época en la que la vida se congelaba y estatificaba. Nadie habla con sencillez, porque la sencillez es cosa de hoy, y no de ayer. El pasado se hiela en las manos de muchos directores de cine y los actores se ven obligados a abandonar sus vivencias para hacerse (como diría Luis Rius) "estatuas de sí mismos".

Por otra parte esta película cae en la curiosa tentación de que todos los personajes usen un vestuario recién hecho; como si en el pasado no existiera la ropa usada.

Es, por lo tanto, un cine del ayer que se inaugura en cada secuencia, que deslumbra por el excelente trabajo de los tintoreros, que a fuerza de respeto se convierte en mentira.

Pero acaso pedir veracidad a la historia, en cuanto a diálogos y vestuario, sería pedir demasiado; si aceptamos que María puede ser un hombre, habrá que aceptar que el ayer acaba de pasar por el tinte, y que hablar es declamar.

La verdadera Monja Alférez fue, según todos los testimonios, un ser agresor y cruel, un personaje duro y astuto.

Hay un tipo de cine que cuando mira hacia atrás, lo hace con ojos de miel.

LA PASIÓN PUEDE SER
TAMBIÉN DESAPASIONADA

7. *Amok*. 1944

A María Félix le extirparon
el apéndice. Al fin podremos
verla sin Agustín Lara.
MANUEL HORTA.

La Guerra Mundial envía a México no sólo a muy curiosas personas de todos los países, sino también un cierto afán de internacionalizar nuestros gustos y con ello nuestro cine.

Es una postura de un snobismo elemental y algo triste; como quien descubre el brillo de unos ciertos comportamientos no conocidos ni apetecidos hasta el momento y al mismo tiempo quiere aprovechar la ocasión para colocar nuestro cine en el gran hueco que ha dejado un Hollywood restringido por la contienda.

El director de cine Alejandro Galindo explicó bien esto:

"(La Guerra Mundial) arrojó a nuestras playas mucho dinero y una gran cantidad de aventureros de toda especie. Vinieron personajes como el Rey Carol de Rumania y una gran cantidad de vampiresas rubias. Se abrieron cientos de centros nocturnos y en ellos la capital inició una vida falsa, pero muy atractiva. Pudimos hacernos la ilusión del cosmopolitismo. Se hablaba en todos los idiomas en la barra del Sans Souci o en la del Ciro's. Se manejaban fortunas enormes que cambiaban de mano con la mayor facilidad. La especulación estuvo a la orden del día, lo mismo que la ligereza de costumbres. Sobrevino la corrupción, en una palabra."

En este clima de recién adquirida elegancia y riqueza, la figura de María Félix resultaba esencial para los cronistas de sociales y los fotógrafos. También para quienes con su presencia se hacían la ilusión de que el París ocupado por los alemanes bien podía trasladarse a los alrededores de la estatua de Cuauhtémoc.

El cine, entendido como una respuesta a las pretensiones de una recién nacida clase media, iba a fingir que lo cosmopolita ya estaba en casa. Era una decisión no sólo apresurada, sino totalmente ajena a la realidad del país.

El México oficial, la nueva aristocracia y la novísima clase media, daban la espalda a las realidades trágicas de la nación.

La Productora Clasa Films parecía recoger todas estas turbias intenciones en su nueva película, "Amok", rodada durante el mes de mayo de 1944 y estrenada el día 22 de diciembre del mismo año.

73

Se reunían en el film ciertos elementos que retratan de forma sucinta la época: un director aventurero y del que se sabe poco, un autor popular y teñido de un romántico liberalismo y una estrella ya famosa que habría de hacer el doble papel: de dama morena y de rubia.

"Amok", era, por detrás de lo que aparecía en la pantalla, la noticia más clara de una absurda esperanza mexicana al margen de lo que México fuera en ese momento.

Entre tanto espía, aventurero, rey en el exilio, ardientes revolucionarios, judíos perseguidos, enemigos de Hitler y de Mussolini, franceses aterrados, españoles en derrota, llegaban también gentes de cine.

Antonio Momplet es un personaje español del que Roman Gubern nos da una serie de datos.

Nacido en Cádiz en 1899, se educa en Barcelona. Director teatral, periodista, autor de guiones de cine. Trabaja en Alemania, pasa a Francia desde 1927 hasta 1930, en la casa Gaumont. Aparece consecutivamente en Italia, China, Japón, India, Canadá, Estados Unidos. En el año 1935 dirige una película en España titulada "Hombres contra hombres" que fue elogiada por la crítica. Hace otras dos películas en España y en 1937 se sitúa en Buenos Aires. En el año 1944, después de hacer varios films en la Argentina, llega a México. Aquí propone a Clasa Films hacer "Amok" y el proyecto se lleva a cabo. En el año 1951 regresa a España y dirige algunas otras películas.

Por su parte el escritor austriaco Stefan Zweig era una figura bien conocida en México a través de sus libros. En el año 1914 se había editado *Momentos estelares de la humanidad*, que consiguió un éxito internacional extraordinario. *Amok* apareció, pienso que por vez primera en México, en la revista *Continental*, del 15 de junio de 1933, ejemplar con el que se conmemoraban los cien números de la publicación.

Después *Amok* se editó en varias ocasiones en forma de libro.

La anécdota de esta novela corta era, por lo tanto, muy bien conocida por los buscadores de historias para cine y, parece ser, se había considerado llevarla a la pantalla en México en otras oportunidades.

En el año 1942 Zweig se suicida en Brasil, a donde había llegado huyendo de los nazis alemanes, quienes lo perseguían por judío.

La historia de *Amok* se cuenta en muy pocas páginas y tiene una anécdota delirante, pero de línea muy sencilla: un médico alemán se enamora de una prostituta y por ella roba en la caja del hospital en donde trabaja. Para huir de ella acepta un empleo en una colonia holandesa. Allí conoce a una mujer, casada con un importante empresario ausente, y se enamora de ella. La mujer está embarazada y le pide que la ayude a abortar. Él quiere, a cambio, que ella acepte hacer el amor. La mujer lo rechaza y acude a una curandera indígena. Cuando el médico, arrepentido, la busca, ella está muriendo.

La mujer le pide que nadie se entere de que ha muerto a causa de un aborto. Él le promete que ni aun después de muerta, se sabrá. El médico consigue un acta falsa de defunción atribuida a una enfermedad cardiaca. Cuando vuelve el marido sospecha que algo extraño ocurrió y decide embalsamar el cadáver, lle-

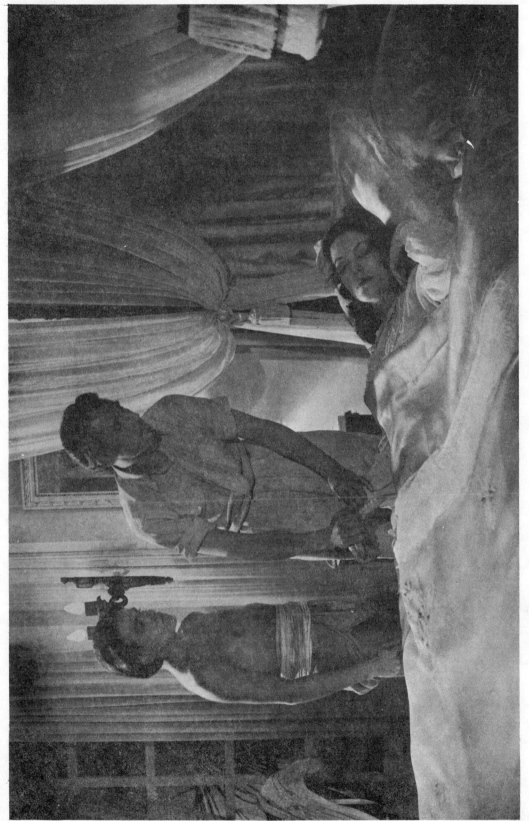

Año 1944. El cine mexicano se asoma al exotismo: *Amok.* Julián Soler y la bella dormida.

varlo a Londres y hacerlo examinar por médicos competentes. El marido sube el cajón con el cádaver de la mujer en un buque y el médico toma el mismo barco. Cuando la nave llega a Nápoles, el médico hace que la caja caiga al mar y se tira él también.

El secreto del aborto jamás podrá ser esclarecido.

La palabra "Amok" tiene un sentido aterrador: es la súbita embriaguez de los malayos que se lanzan a la calle, de pronto, matando a todos los que encuentran.

El médico, al conocer a la mujer embarazada, entiende que él está "corriendo el amok" y que ha de sufrir el mismo fin del malayo borracho; caer muerto y así liberarse y liberar a los demás.

Antonio Momplet dijo que la historia parecía haber sido escrita para María Félix y que ella tenía, obligadamente, que hacer los dos papeles. Esto nos da una nueva pista de cómo se veía a María a través de un mito cada vez más entrañado, no sólo en el público, sino en la gente de cine.

La descripción que hace Zweig de la prostituta contiene los siguientes datos:

"Había vuelto loco a su amante anterior."

"Era altiva y fría hasta el punto de enloquecerme."

"Soberbia y arrogante."

"Me dominaba hasta el punto de hacer crujir mis huesos."

De la dama embarazada, la descripción incluye estas señales:

"Desenvainaba como un cuchillo su exigencia."

"Masculinamente enérgica."

"Era más fuerte que yo, me dominaba si quería."

"Un rostro impenetrable, duro, señoreado por una belleza inalterable a los efectos de la edad."

"Boca fina y cerrada, nunca revelaría un secreto sin proponérselo."

De alguna forma Momplet parecía ver en las dos mujeres de la narración a una sola mujer, a María Félix, y llegó a la conclusión de que bastaba con que la prostituta fuera rubia y la dama de sociedad morena.

A María todo esto no le pareció muy mal; después de haber pasado por china, todo parecía posible en el cine mexicano.

Clasa Films entendió que el argumento ayudaba a mantener la línea ya iniciada que vendía a su estrella como una mujer cuya sola presencia en una película desataba toda suerte de calamidades y dramáticas peripecias.

Max Aub recibió el encargo de escribir los diálogos y lo hizo de forma poco afortunada.

"Teníamos una dificultad muy especial, no conseguimos establecer la exacta diferencia entre un diálogo escrito para una novela y otro para un film. Quiero decir que manteníamos dos posiciones distintas; yo pensaba que hay cosas que en la novela se pueden poner en los labios de un personaje y que en el cine parecerían risibles. Mis colaboradores parecían pensar que en el cine se tiene que ser aún más literario que en la literatura."

Sin duda los esfuerzos de Aub para crear diálogos sencillos y creíbles fracasó, ya que los personajes hablan de forma literaria y cuando respetaban, lo que ocurre en ocasiones, los diálogos de Zweig, éstos son dichos de tal forma que suenan absolutamente falsos.

Una sirvienta dice: "Mi amo está perdido en las lunas de los recuerdos."

Un gobernador, cuando alaban la forma de bailar de un teniente, aclara:

—La profesión de las armas así lo exige.

La mujer embarazada dice por teléfono al hombre que la preñó:

—Porque cuando queremos mucho, nosotros mismos no sabemos cuánto queremos.

Max Aub tenía otras razones para quejarse:

"La historia original es muy escueta, de línea muy clara, y no contiene apenas diálogos. Había que inventarse no sólo personajes nuevos, sino todo lo que se tenían que decir entre sí."

Además la censura no quería que apareciera una prostituta; así que se convierte en aventurera y estafadora.

Aparecen personajes nuevos, surgen cambios en el argumento y la dramática sencillez de la novela de Zweig pasa a ser un melodrama pintoresco.

En otras ocasiones parecía confabularse la ingenuidad del guión con la del propio director.

Así, cuando el médico, ya en su miserable consultorio de la aldea malaya, contempla la lluvia que cae constantemente, escuchamos su voz fuera de pantalla que nos cuenta cómo es el lugar, "ccn inmensos templos". El espectador tiene que conformarse con imaginarlo.

El mismo doctor habla con furiosa nostalgia de París, y hace un recuerdo de las bellezas de la ciudad, que parece haber sido tomado de una guía de turistas: los grandes bulevares, el Arco del Triunfo, los Campos Elíseos, etc. Para un hombre que ha vivido en París, parecería natural que nos hablara de su barrio, de su calle, de su café predilecto.

Cuando ha de definir a las mujeres de París, dice que "se visten de cualquier manera, pero siempre elegantes".

En el momento en que los guionistas necesitan contarnos quién es la mujer embarazada, usan el truco de poner todas las aclaraciones necesarias en boca de un personaje que le cuenta todo esto a un sirviente indio tocado con turbante. Ambos viajan en un carricoche y con ellos el espectador que debe ser enterado, rápidamente, de lo que está ocurriendo.

El primer caso de "amok" que se nos ofrece es una carrera, tomada en un bosque, de un indígena que persigue a otro y lo asesina a cuchilladas. Después el doctor pelea con el hombre enloquecido y cuando el médico está a punto de ser asesinado también, lo salva su fiel criada disparando contra el que ha "corrido el amok".

Estamos ante un "amok" que pierde toda su locura frenética y el "amor loco" del médico se azucara y palidece de forma lamentable, convirtiendo una pasión fatal en una anécdota menor.

Gran culpa de todo esto la tiene el actor Julián Soler que recita sus textos con énfasis y finge una locura extraviada, con ojos desaforados y barba crecida, que no lleva sino a la risa.

María cumple treinta años. Es la mujer más bella del cine de habla española.

Stella Inda hace de la sirvientà indígena de rostro inexcrutable, y María cambia de peluca, pero no de actuación.

Recuerdo que una tarde, en la tertulia del Café Sorrento, en la ciudad de México, que capitaneaba León Felipe, se habló del melodrama. Max Aub dijo que lo malo de los melodramas solía ser el director.

—Los actores buenos hacen buenos melodramas, pero los directores buenos no hacen buenos melodramas.

Estaba presente Cipriano Rivas Cherif y me parece que apoyó esta teoría. León Felipe tenía una tarde socarrona y aseguraba que al melodrama hay que ir de boina y de garrote. Max Aub no era muy permeable al humor e insistía:

—Hay que defender con fuerza la nobleza de los melodramas.

Yo planteé: "¿El buen cine, necesita de la buena literatura?"

Max Aub opinaba: "Necesita de literatura adecuada al cine."

León repetía: "Al cine hay que ir con bastón, Max, con bastón."

No se me olvidó esa defensa, ajena a las bromas de los demás, de un Max Aub y cuando, para escribir este libro, volví a ver "Amok" recordé la escena: un Max insistiendo en la necesidad de un melodrama noble, en manos de gentes nobles.

El día del estreno los comentaristas señalaron que estaban ante el primer film en el que el matrimonio Lara-Félix coincidían; efectivamente la música era de Agustín, quien ya tenía una larga experiencia en entregar sus canciones al cine nacional.

Lara, heredero decadente del modernismo, héroe nacional, romántico de frases sin precedente, figura flaca y sonreír torcido, había registrado su primera canción en el año 1926 ("La prisionera").

Él mismo aceptaba que en su juventud había sido pianista de burdeles y "amigo de la canalla". En el año 1944, Agustín Lara era ya un compositor famoso en todo el mundo: Walt Disney había usado su canción "Solamente una vez" para la película "Los tres caballeros". Para entonces, contando "Amok", ya 19 films mexicanos habían usado de una u otra forma sus canciones.

A estas alturas de su carrera, María había atraído hacia sí misma a poetas y pintores. Es curioso cómo se convertía en irresistible para los seres más cultos y elaborados; en este círculo de intelectuales admiradores caían aun aquellos que parecían poseer un gran espíritu crítico y una aguda capacidad para denunciar defectos del prójimo. María había creado un curioso vocabulario personal que fascinaba incluso a aquellos que habían participado en la búsqueda de frases ingeniosas para servicio de la estrella. Salvador Novo, una de las personalidades más cáusticas que ha dado la intelectualidad mexicana, se había convertido en uno de los proveedores de ingeniosidades para María y el poeta Efraín Huerta, crítico de cine del diario *Esto* por entonces, perdía toda capacidad de análisis para dejarse llevar por el entusiasmo que la sonorense despertaba dentro de sí. La crítica que Efraín publica después de ver la película en un primer corte, antes del estreno, es toda una declaración de amor.

"Masculinamente enérgica, cínica en esta escena, tremendamente sensual en aquélla, logrando la mayor perfección a lo largo de la cinta, alternando con un actor que está en la plena madurez de su carrera, dejándose llevar por los matices, dominándolos, siendo artificiosa, natural, altiva, sumisa 'muriendo' como (y es el único ejemplo que se nos viene ahora mismo, y no se crea que es escribir a la ligera), pues como supo morir Greta Garbo en 'La Dama de las Camelias'. Hablamos de María de los Angeles Félix en la cinta 'Amok'.''

Después Efraín confiesa:

''Cuando ahora, como en 'Amok', se desborda María Félix, siente uno el cortocircuito, se hace la oscuridad; pero queda ella en estrella auténtica, y en actriz que no tenía ninguna prisa en llegar al día siguiente, sino a la hora indicada y el día indicado por equis destino.''

Pocas veces un crítico de cine se ha dejado llevar por su pasión personal, por su amor por la estrella, como en este caso.

Cuando Huerta vio esta primer versión de "Amok" duraba una hora y cuarenta y cinco minutos; el poeta sugería que resultaba demasiado larga, "muy alargada".

"A Momplet le dijimos que la cinta no nos parecía larga, sino alargada, a veces inútilmente alargada. Con su hora y cuarenta y cinco minutos resultaba exageradamente larga."

Momplet no hizo caso al poeta y la película así se quedó.

En cuanto a Efraín Huerta, llevó su estupendo entusiasmo hacia María hasta convertirlo en un poema que no se encuentra en ninguno de sus libros ni antologías, pero que asombró a la "Doña".

—No sabía que me quería tanto.

Solamente la admiración y el amor hacia la protagonista puede ocultar el hecho de que el film es un fracaso absoluto.

Nadie quedó contento, ni el propio Momplet, quien confesó, más tarde, que había pasado por multitud de vicisitudes: "Por lo pronto tuve que convertir una historia escrita con la idea de que el protagonista es hombre, en un guión pensado para una mujer."

Dijo que el final había sido destruido por los productores.

—Verdaderamente la película termina cuando María muere y la caja con el cadáver es arrojada al mar. Pero filmamos otros tres rollos para completar la acción dramática. Yo los había concebido como rollos mudos, con sólo música. La música era esencial, tenía que resaltar los momentos dramáticos, que dar importancia a las imágenes. Ocurre que un sábado, el día 22 ó 24 de diciembre, sin consultarme, se grabó la música de los tres rollos. Yo había ido a descansar y no me enteré de que estaban grabando. Cuando llegué el lunes, supe que la música ya había sido colocada en la película. La verdad es que la grabaron a escondidas, porque tenían mucha prisa en estrenar el film. Fue un desastre. Llevo diecisiete años en el cine y no había visto una cosa así. Una música inexpresiva, plana, monótona, que dejaba sin sentido a las imágenes. Destrozaron el film.

El final de la película se alejaba de la historia original y parecía sugerir otros misterios no relacionados con el "Amok" malayo. Así el médico, después de lanzar la caja con el cádaver al mar, toma una pistola y se suicida mientras baja una escalerilla del barco. Recogen el cuerpo, aún con vida, unos oficiales y lo llevan al botiquín de la nave, que resulta ser un estupendo quirófano. El médico, a pesar de los esfuerzos de sus colegas, muere también.

. Antes había visto un fantasma de la mujer vagando por el buque. La cámara ahora nos va a revelar que en el mismo barco, viaja la aventurera de pelo rubio. Ella está en su camarote y en el mismo instante en que muere el doctor, deja caer al suelo un espejo y éste se rompe. Después la rubia se asoma por una ventana y ve el mar. Sube la mirada y se encuentra con un cielo lleno de nubes en el que no puede verse la luna. Sobre esta imagen aparece la palabra "fin".

¡DIOS MÍO; LLEGARON LOS CULTOS!

8. *El monje blanco*. 1945

Curiosamente las películas de
Hollywood que más han gustado a
los cultos europeos, fueron aquellas
que hicieron los incultos de Hollywood.

P.I.T.

Julio Bracho resulta un personaje sorprendente en el cine mexicano; consciente de su propia cultura, atento a las voces del exterior, viajero y amigo de directores y productores importantes, parece hundirse apenas si pone en juego todas estas supuestas capacidades.

Bracho quiere ser el cine-que-no-existe-en-México. Y lo quiere ser con tal pasión que se va a extremos verdaderamente ridículos. Tiene ante sí la oportunidad de dirigir a María Félix, y elige un melodrama que parte de versos teatrales y que se instala en una Italia del siglo XIII; añade una concentración de peripecias confusas y encima de todo esto pide a Alex Philips que instale la cámara en los lugares menos habituales.

Bracho quiere sorprender a la audiencia y parece ser el primer sorprendido; pero no ceja. Años después diría:

—"El monje blanco" es uno de mis films preferidos.

No se entiende la preferencia ni aun aceptando el snobismo como factor esencial.

Ver ahora "El monje blanco" es entrar en la confusión y sentir que lo gratificante está, solamente, en la presencia de una María tocada con sorprendentes coronas, velos, túnicas, anillos.

María va a convertirse en Gálata Ursina que ha de entregarse a un conde, el cual se hará monje más tarde y posteriormente escultor (si no me he perdido en el enredo).

A todo esto hay que añadir que los actores cinematográficos hablaban en verso y que a los versos del poeta Eduardo Marquina añadió otros versos el poeta Xavier Villaurrutia y acaso el propio Bracho, ya que se conocen algunos sonetos suyos.

Bracho, quien no deja de admirarnos y de sorprendernos, hizo público un poema que dijo estaba inspirado en "mi terrible sensualidad: piel con piel es la caricia de los sexos".

Resulta curioso que un hombre que canta al roce de la piel con la piel, recurra a Marquina y luego al convento y luego a esa absoluta falta de sensualidad del film.

Bracho hizo una mala película, pero lo que es peor, quiso imponer a María el verso helado y ella no es, precisamente, una declamadora.

En una entrevista para televisión con Julio Bracho, éste me dijo:

—Yo pretendía llevar a María Félix hacia un personaje más sofisticado, más literario, más metido en la leyenda.

—Sin embargo, no parece que María haya ganado al perder lo que pudiéramos llamar "su originalidad".

—Entiendo lo que usted pretende decirme al hablar de "originalidad" en María. Yo, sin embargo, creo que si se repite la originalidad se convierte todo en maneras vacías. María es original actuando como actúa; pero yo pensé que sacándola de su forma habitual de comportarse encontraríamos esa originalidad de que usted habla.

—Yo me estaba refiriendo a su origen.

—Y yo también.

Julio Bracho defendió, en ese mismo diálogo grabado en T.V., la teoría de que tenía sentido hacer de María un personaje de leyenda antigua. Me dijo, también, que él pensaba que tal cosa había ayudado a la actriz, demasiado instalada en tipos locales.

—El cine mexicano fue siempre demasiado pueblerino.

—¿Cómo definiría usted a sus experimentos cinematográficos?

—Yo abrí ventanas.

Julio Bracho resultaba encantador y convencido de sus propias teorías.

Al final del diálogo dijo:

—Por otra parte, en cine, fracasar no es malo. Si fuera malo no hubieran triunfado todos los grandes, que antes de triunfar, fracasaron.

Nos reímos los dos.

La familia Bracho está ligada al cine mexicano en forma profunda. Jesús Bracho, autor de numerosos decorados para todo tipo de películas, daba una nueva prueba de la originalidad familiar al recordar que muchos miembros del clan "tienen recuerdos intrauterinos". El propio Jesús recordaba cosas que vivió cuando aún estaba en el vientre de su madre. ("Yo conservo tres recuerdos intrauterinos y muy vivos, de cuando vivieron mis padres la revolución en Durango.") Andrea Palma, acaso la primera verdadera estrella del cine mexicano, es hermana de los Bracho y una hija de Julio, es actriz.

El escritor Edmundo Báez visitó el set cuando estaban filmando una escena de "El monje blanco".

"Fue en el momento en que Gálata Ursina (María) penetra al convento disfrazada de monje blanco para encontrarse con Hugo del Saso. Su amado (Tomás Perrín) escondiendo bajo el traje de religioso su personalidad aristocrática, quiere huir de la bella visión y golpea la puerta, tratando de salir.

—¡Más emoción! (Grita Bracho).

Año 1945. María estrena en *El monje blanco* un sombrero
insólito, creación de Valdez Peza.

"Y Tomás Perrín, con la cruz en la mano, golpea desesperadamente la puerta, mientras María Félix, increíblemente bella, como siempre, se le acerca lentamente."

Edmundo Báez, que había llamado a Bracho "el poeta de la plástica", se mantiene dentro de un tono de rendida admiración por el director de cine que veremos repetirse una y otra vez, siempre a cargo de los intelectuales mexicanos del momento.

Bracho había partido, para hacer su film, de una obra teatral de Eduardo Marquina y para redactar los diálogos, en verso, necesarios para completar el guión, llamó a un poeta importante, Xavier Villaurrutia.

Éste es un ejemplo de la labor de Villaurrutia en la película:

ÉL: Como si la noche fuera
claridad, cuando te miro.
Como si la selva hubiera
entrado contigo aquí;
yo de otro modo respiro.

ELLA: No sé qué invisible guía
mi camino iluminaba;
ni sé qué oculto imán poderoso
mis sentidos atraía
ni qué demonio imperioso
con sus voces me impulsaba.

Que Bracho llamara a Villaurrutia es, también, muy significativo de las intenciones culturanas del director, que quería no un film más, sino "una película poética".

Villaurrutia, nacido en 1903, fue uno de los miembros del llamado grupo de "los contemporáneos", escritores, poetas, y autores teatrales empeñados en la tarea de acercar a México las últimas corrientes de la cultura universal. El cine había despertado en todos ellos un entusiasmo grande, lo habían visto crecer y habían colaborado desde diferentes ángulos. Celestino Gorostiza, Salvador Novo, Jaime Torres Bodet, el propio Xavier Villaurrutia, eran hombres de cine, que esperaban ardientemente el momento en que surgiera una cinematografía mexicana culta y expresiva. Villaurrutia conocía bien los ensayos y la obra de Einsenstein y en 1931 fue testigo de la fundación del primer Cine Club Mexicano, dirigido por Fernando Ortiz de Montellano. En 1936 colaboró en el guión de "Vámonos con Pancho Villa" (Fernando de Fuentes) y fue autor de diálogos para muchos otros films.

Crítico de cine, se convirtió en un "enemigo de la industria" según los productores, que soportaban con dificultad sus observaciones sobre los films creados en México.

En 1941, Villaurrutia escribió en la revista *Así*: "Un gran sector (del público mexicano), todavía se conforma con sólo comprender, sin pensar en la calidad de lo que oye. De un rumor incomprensible se ha pasado a un rumor comprensible; el de los diálogos, imperfectos y dichos con inseguridad, por los actores del cinematógrafo, en su mayoría incapaces de una buena dicción; el de los diálogos escritos por autores —salvo poco numerosas excepciones— no saben construir algo que merezca ese nombre. Pero sucede que el público empieza a cansarse de comprender los diálogos de su propio idioma como simples voces atadas por una insostenible lógica; y quiere algo más. Quiere que los actores digan por boca de los personajes que encarnan, cosas interesantes, bien pensadas y lógicas, y que las digan bien.''

Bracho estaba de acuerdo con todo esto, pero no parecía tener la paciencia necesaria para ir creando, poco a poco, esa nueva cinematografía. Ansioso por llegar a una muy alta meta, quería de Villaurrutia unos diálogos que se acercaran a la poesía de Xavier.

> Correr hacia la estatua y encontrar sólo el grito.
> Querer tocar el grito y sólo hallar el eco,
> querer asir el eco y encontrar sólo el muro
> y correr hacia el muro y tocar el espejo.

Este mundo de huidizas emociones que termina enfrentándose a la repetición de la propia imagen, sería a juicio de Bracho un reto para la cinematografía. Pero lo cierto es que en la pantalla sólo iba quedando lo menos entrañable, lo más grandilocuente y ajeno a la emoción.

Cinco años después del estreno de ''El monje blanco'', Villaurrutia moriría en la ciudad de México.

Un reconocimiento póstumo a su poética nos obliga a señalar que su obra se encuentra muy por encima de los versos, casi siempre fríos y mecánicos, de Eduardo Marquina.

Es más que posible que fueran las opiniones de Villaurrutia las que llevaron a Bracho a adaptar la obra de Marquina para el cine. Poco antes de morir, Villaurrutia escribió sobre María y dejó muy claro que él pensaba que era necesario apartar a la sonorense del camino que hasta el momento parecía haberle señalado el cine nacional.

''Encerrarla en ese tipo de vampiresa es desaprovechar sus otras disposiciones. María es una mujer cuya inteligencia y voluntad de aprender proporcionarán muchas sorpresas al cine mexicano, tan pronto como encuentre a un director que la comprenda íntegramente. Yo colaboré con ella en 'El monje blanco' y recuerdo con qué facilidad se hizo a la armonía y al espíritu de los versos de Marquina y con qué impecable dicción los dijo. Ésa es una pauta para comprender hasta qué punto puede aprovecharse su talento, aunque todas sus posibilidades artísticas no estén todavía al descubierto.''

Villaurrutia pensaba, también, que existía un personaje novelesco que a María le iría muy bien en el cine: la Teresa Raquín, de Zola. Parece ser que siguiendo los consejos de Villaurrutia, María compró la novela, la leyó y estuvo durante un tiempo enamorada de la idea de hacer ese film.

La boda del siglo. Agustín visita a María en los estudios donde se rueda *El monje blanco*.

La fotografía del recuerdo.
María en el centro del equipo de rodaje de *El monje blanco*.

Para enseñar a declamar a María, Julio Bracho contrató a un especialista en teatro lírico, Paco Fuentes, a quien dio también el papel de "Capolupo". Paco Fuentes había sido en otros films "director de diálogos" y aparecido, como actor, en otras muchas ocasiones. Bracho quería "bellos versos bellamente dichos". María aceptó las enseñanzas con la misma severidad con la que ya se imponía toda suerte de disciplinas y dietas; estudiaba cada verso, atendía a las indicaciones, repetía veinte, cincuenta veces, cada uno de sus parlamentos.

Los otros actores la veían hundida en el guión con un manifiesto deseo de vencer en lo que, sin duda, era un reto muy personal; porque nadie había olvidado una cierta tartamudez inicial y una falta de matización de las frases. Obligada a declamar, dejándose llevar por el respeto que los cultos y los intelectuales habían despertado ya en ella, María parecía haberse convertido en una colegiala empeinada en sacar las mejores notas.

Este furioso afán de mejoramiento personal surgía de un orgullo que le reprochaba todo defecto y que la obligaba a aceptar retos que muchas otras estrellas, en su posición, hubieran desechado. Por estas fechas la situación de María dentro del cine nacional ya no era la de una promesa o de una figura importante, sino la que correspondía a la número uno.

Estaba rodando su octava película y ya cobraba más que nadie.

En junio de 1945 la revista *México Cinema* publicó la nómina de los artistas más caros; según esto, María estaba en primer lugar, con un sueldo de doscientos cincuenta mil pesos por película; la seguía Cantinflas con doscientos mil pesos. Arturo de Córdova cobraba cien mil y Jorge Negrete, que había perdido popularidad, estaba tasado en setenta y cinco mil pesos. Lo seguía Pedro Armendáriz con cincuenta mil.

Alrededor de "El monje blanco" se crearon curiosas polémicas y se publicaron divertidos comentarios; la afición de María hacia los sombreros y gorras llevaba a su modista, Armando Valdez Peza, a inventar constantes atavíos sorprendentes. En esta ocasión diseñó un gorro alto, blanco, recamado de perlas, que parecía haber sido tomado del film "La corona de hierro" (Alessandro Blasetti. 1941). Según Valdez Peza, el gorro tenía la misma altura que el rostro de María y alargaba su cara de una forma elegante y artificial. Según un reportero irreverente, el gorro era como "un queso redondo y alto al que le hubieran pegado perlas falsas".

Es en esta película donde se inicia un curioso movimiento de divinización de María, cuando se le dice que parece "una virgen bizantina". Más adelante veremos que en otra película un indígena la confunde con la Virgen.

Por su parte la estrella parecía dispuesta a aceptar los más sorprendentes piropos y las más misteriosas comparaciones; en este último sentido acaso el gran premio debiera ser recibido por el escritor Roberto Browning quien afirmó que el nombre de María era "una denotación, una ráfaga de ametralladora".

En el mismo artículo, publicado en marzo de 1945, añade que, sin embargo, "la gente llega a acostumbrarse a ella y yo he llegado a perderle el miedo".

En defensa de la estrella, diré yo que no se conoce a nadie que haya muerto ametrallado por su nombre.

Toda esta desenfrenada pasión y tanto homenaje llegó a descubrir a la propia María su capacidad para apabullar y someter a los demás y desarrollar en ella un sentimiento de curiosa superioridad moral y física que se deja ver en un artículo, firmado por la propia estrella, y aparecido en el mismo año. María cuenta en ese documento, titulado *Mi hijo y yo*, que el muchacho tuvo un altercado con otros chicos y salió victorioso de la pelea. A su llegada a casa el chico afirmó absolutamente convencido: "Nadie puede con el hijo de Doña Bárbara."

Los Félix eran invencibles, se sabían capaces de vencer, no sólo a los chicos de la escuela, sino a la humanidad entera. Y esta asombrosa fuerza les llegaba, curiosamente, del cine.

Cada película hacía a María más segura y el hecho de que las heroínas interpretadas terminaran de mala manera, parecía llevar al ánimo de María el convencimiento de que ella no sólo podía vencer a la humanidad que la rodeaba, sino también a los personajes que llegaba a interpretar.

Sin embargo, este año de 1945 fue vencida por Dolores del Río, en el acto de premiación a los mejores films. La llamada Academia Mexicana de Ciencias y Artes Cinematográficas, creada a imitación de la de Hollywood y protagonista de una azarosa y en ocasiones risible vida, dio el premio "Ariel" a Dolores por su actuación en "Las abandonadas". Las otras mencionadas para ganar el trofeo habían sido María, por "El monje blanco", Anita Blanch, por "La barraca" y Esther Fernández, por "Flor de durazno".

La crítica, en buena parte, se desconcertó ante el film en verso y con tan sorprendente anécdota. En *Novelas de la Pantalla* se decía que la película tenía tres virtudes:

1. El notable progreso de María como actriz.
2. La audacia de Bracho llevando al cine un tema desacostumbrado.
3. La producción que puede competir con cualquiera realizada en el extranjero.

Sin embargo se le reprochaba su "brachismo", que significaba el hecho de dar la espalda al público.

"Si es verdad que 'El monje blanco' supera a todas las anteriores películas de Bracho, tampoco está exenta de ese característico 'brachismo' que impide que sus grandes realizaciones lleguen a ser buenas películas, entendiendo por 'buenas' aquellas que en lugar de obtener un éxito de 'discusión', son aceptadas 'sin discusión' por todos los públicos, no importa su condición social o cultura."

Se diría que la crítica temía ofender de forma directa a un "artista del cine" que había hecho una "película cultural", pero al mismo tiempo insistían en señalar que ése no era el camino. Nadie dijo que fuera aburrida o pedante, ni que resultara absurda o decadente; se dijo que era una obra importante. . . y que al público no le gustaba.

De esta manera el "arte" era señalado como enemigo de las masas. . . y del propio cine.

A todo esto Bracho respondió afirmando que "El monje" es su obra más audaz. Y la audacia nunca ha sido reconocida por la masa. Cuando un periodista se burla de él, porque ha dirigido toda la película con los guantes puestos, Bracho se justifica:

—No uso guantes durante la filmación porque yo sea un snob. Lo hago para defender a la productora, ya que si no uso guantes me acatarro y me tengo que ir a la cama, posponiendo la producción. Uso guantes no por elegancia, sino a causa de mi salud.

Un colega de Bracho sugiere, con maldad, que en el futuro para no irritar a la prensa democrática, dirija sus films con las manos en los bolsillos.

Pero mientras a algunos las actitudes e incluso las obras de Julio Bracho llevaban a sarcasmos de todo tipo o bien a situaciones de perplejidad, a otros los situará en una posición de entusiasmo inaudito. Firmado por "Florestan" apareció un artículo en el que se abría la catarata de elogios con esta pregunta: "¿Quién que haya visto 'El monje blanco' no conserva (euforia y embeleso, oro fino del arte dramático en una de sus más exquisitas manifestaciones) y la belleza del asunto de ese inolvidable drama poético de don Eduardo Marquina?"

El escrito terminaba con una llamada a los "cineastas de todo el mundo", a los que se les decía que, al fin, "el Séptimo Arte, luce ahora sus mejores galas. . . ¡Está nimbado de gloria!"

Oswaldo Díaz Ruanova, convertido ya en el profeta de Bracho, publica en la revista *Celuloide*, en marzo de 1949, un largo artículo que se inicia con una cita de Paul Valéry: "Atravesamos la idea de la perfección como la mano impunemente atraviesa la llama, pero la llama es inhabitable y las moradas de la más alta serenidad están desiertas."

Acudir a Valéry para iniciar un elogio de Bracho resulta muy significativo; México estaba necesitando a un director-poeta, a un director-intelectual, a un director-esteta. Los intelectuales querían estar representados en la pantalla y la imagen del "Indio", salvaje y peleonero, no cubría estas ambiciones. "A la luz de la exégesis, Bracho muéstrase artista de una elegancia y de un gusto exquisito. Su destino es a un mismo tiempo estético e intelectual. Antes de ser poseído por el demonio del cine, asimiló una cultura informada en los clásicos griegos y en los grandes prosistas del Siglo de Oro. Le son familiares las formas y los espíritus, en sí distintos, de las literaturas francesa e inglesa, como igualmente las de la italiana. A sus estudios de lenguas, matemáticas y medicina, siguen los de arquitectura, escultura y escenografía. . ."

A estas alturas Bracho había sido convertido, por sus admiradores, en la cultura del cine y en la esperanza del mundo. Su cultura lo obligaba, por lo visto, a hacer el cine esperado por los cultos.

A comienzos de los años sesentas, la dirección del periódico *Novedades*, de la ciudad de México, cesó al director de su suplemento cultural, Fernando Benítez, a causa, sin duda, del tono progresista de este semanario, que había convocado a su alrededor a los ciudadanos interesados en las diferentes manifestaciones de la cultura mundial. Prácticamente todos los colaboradores renunciaron y un grupo nuevo entró a sustituirlos: uno de los colaboradores llamados por *Novedades* fue Julio Bracho.

Los intelectuales comienzan a acercarse a María con asombro.
Una amistad larga la unirá con Salvador Novo.

Con uno de sus primeros artículos sobre cine, la cultura de Bracho fue brutalmente puesta en entredicho. Demostró que pensaba que los films de la época muda, rodados a 16 imágenes por segundo, pasaban a "velocidad excesiva" ante los ojos de los espectadores de la época. Confundió a Edward Muybridge con Etienne Jules Marey, que sólo tienen en común el hecho de haber nacido y muerto el mismo año (1830-1904), pero en distintos países, y denunció que no conocía la obra del ruso Dziga-Vertov.

Tal suerte de equivocaciones fue, inmediatamente, convertida en broma sarcástica por los redactores de la revista *Nuevo Cine*. Sin duda, y esto no puede negarse, a Julio Bracho le atraía la audacia.

Los espectadores de "El monje blanco", atosigados por artículos tales como los que antes señalamos, no sabían muy bien si el hecho de que no les gustara el film era un problema de falta de cultura personal, o de pretenciosidad por parte de los cultos.

La película costó aproximadamente 850 mil pesos y en escenografía, creada por Fontanals, se invirtieron 150 mil. María cobró unos 160 mil, cantidad inferior a la que se estimaba podría pedir, en gracia a la importancia del film. Vista la obra y el autor desde nuestros días, hay que aceptar que las esperanzas de los intelectuales, colocadas de forma tan ardiente en Julio Bracho, no se vieron cumplidas.

Firmado por Julián Soler, en febrero de 1946, se escribió en *Celuloide* esta frase: "Es un film como para ser superado cuando las nuevas generaciones alcancen un plano superior."

Las nuevas generaciones, por lo menos las que escribían en *Nuevo Cine*, o no habían escalado ese plano, o por cine entendían otra cosa muy distinta.

No todos los críticos y comentaristas de la época, sin embargo, parecían rendirse ante el hechizo del realizador nacional. En el periódico *Excélsior*, Álvaro Custodio señalaba unos caminos, más razonables y menos pretenciosos, para el cine de México. Justamente en marzo de 1945, Álvaro Custodio daba la lista de lo que llamó "las siete maravillas del cine universal", a su juicio.

1. "Varieté", de Dupont.
2. "El acorazado Potemkin", de Eisenstein.
3. "La quimera del oro", de Chaplin.
4. "Amanecer", de Murnau.
5. "Bajo los techos de París", de Clair.
6. "Motín a bordo", de Frank Lloyd.
7. "El ciudadano Kane", de Welles.

Custodio parecía señalar, con esta muy clara línea de preferencias, cómo entendía el camino del gran cine, el cual, sin duda, no estaba dentro de la poética de Marquina.

Una idea de la tónica de la producción mexicana por entonces nos la pueden señalar los títulos de aquellos films que se estaban rodando al mismo tiempo que "El monje blanco":

"El amor las vuelve locas", de Fernando Cortés.

"Flor de durazno", de Miguel Zacarías.

"Seis días con el diablo", de Jaime Salvador.

"La rosa del Caribe", de Marco Aurelio Galindo.

"La dama y el torero", de José Díaz Morales.

"Una canción en la noche", de René Cardona.

"Sinfonía de la vida", de Celestino Gorostiza.

"La caza de la zorra", de J.J. Ortega.

El celo, amor y entusiasmo que despertaba María entre los periodistas se revela en una sorprendente anécdota. En febrero de 1945, en el cine Chapultepec, se celebra un homenaje a la sonorense. El grupo de periodistas del diario *Esto*, entusiasta de la estrella, advierte que en la sala se encuentran algunos de los más acérrimos críticos de María, y para protestar contra esta presencia, que consideran inadecuada, abandonan la sala. Entre los que se van, están dos poetas: Efraín Huerta y Renato Leduc. María Félix, que había llegado acompañada de Agustín Lara, no se mueve de su butaca.

LOS PELIGROS DE LA
METÁFORA SEXUAL

9. *Vértigo*. 1945

El secreto de Cecil B. de Mille
era sencillo; sólo desnudaba en
sus films a las mujeres malas.
P.I.T.

El film "Vértigo" propicia a un observador atento una serie de elementos que pueden desembocar en reflexiones divertidas. Durante todos los años del cine, los escritores y directores han buscado afanosamente los símbolos que sustituyeran al acto sexual y dieran del mismo una idea cabal y descriptiva. En la imposibilidad de mostrar al hombre y a la mujer en pleno ayuntamiento, hecho al que ni remotamente se atrevían a acercarse los directores hasta hace poco tiempo, se buscaban metáforas que despertaran en la mente del espectador imágenes sustitutivas.

Los creadores más púdicos, al llegar el instante culminante hacían que la cámara se alejara discretamente y se fuera a fijar sobre un ramo de flores, una ventana azotada por la lluvia o una pareja de muñecos de·porcelana tomados del talle.

Otros, menos dados a esta forma de trasladar los hechos a las evocaciones, cortaban la escena al primer beso y dejaban que el espectador soñara por su cuenta lo demás.

En algunos films hemos visto cómo se sugería el orgasmo con un sonido de campanas, un estallido de fuegos artificiales o la súbita apertura de una botella de champaña.

Esta última imagen fue convertida por Luis Alcoriza en un diálogo salvaje, en su film "Mecánica nacional" (1971). Un personaje, después de enterarse de que una joven había pasado la noche con su novio, preguntaba:

—Pero bueno, yo quiero saber, ¿la descorchó o no la descorchó?

Y con esto, la botella de champaña, símbolo elegante y efervescente, pasaba a ser una metáfora brutal.

En el año de 1945, a los directores no se les permitía llegar tan lejos y la pérdida de la virginidad por una dama o el acto sexual tenían que ser sugeridos con tanto cuidado que en ocasiones el espectador no llegaba a reconocer el símbolo.

El español Momplet al elegir su metáfora no va a contenerse con la sugerencia de una eyaculación normal, sino que irá hacia un apabullante extremo;

María, según su director, Antonio Momplet, "es un torrente que se desborda de la montaña".

María es ''la primer figura en el mercado del cine nacional''.

María se dirige sola.

cuando María es poseída en pleno campo por su enamorado, se produce un intercorte y aparece ante nuestros ojos una catarata fragorosa.

Para los no preparados, esta aparición súbita de un torrente fastidiaba en extremo, ya que impedía ver cómo María y su compañero se comportarían durante un momento tan excitante.

Para los entendidos en imágenes paralelas, la catarata era, sencillamente, una exageración.

Este film venía a añadir una nueva nota patética a la historia de las heroínas interpretadas por la sonorense, y el público comenzaba a preguntarse ya si el ser bella desemboca fatalmente en la destrucción del mundo circundante.

Emilio G. Riera expresa este sentimiento general con una frase divertida: "He aquí pues que el melodrama cuenta con un subgénero: el dedicado a demostrar que la belleza de María Félix es, de hecho, una calamidad que se ha abatido sobre el género humano."

La película "Vértigo" contaba la historia de una mujer llamada Mercedes Mallea, que ha de casarse contra su gusto, que tiene una miserable vida y que despierta a la pasión cuando descubre la presencia en su hogar del novio de su hija.

El novio de la futura suegra mantiene un apasionado romance que llega a mayores en el campo; después ella se arrepiente y termina matándolo. De esta forma singular y muy efectiva, el tal novio no será ni para ella ni para su hija. Muerta la razón sexual el sexo muere.

Por lo que se sabe la filmación de este drama tuvo también niveles dramáticos en el set en donde se filmaba la película. Director y estrella chocaban constantemente y la productora cerró las puertas del estudio a todo tipo de posible espía periodístico. Sin embargo un reportero de la revista *Novelas de la Pantalla* consiguió colarse y contar después lo que había podido ver. Se estaba rodando la llegada de "un tropel de enardecidos indígenas que intentan matar a María". Ella, con una pistola en la mano, intenta detenerlos.

María grita: ¡Yo lo maté! ¡He matado al asesino de mi único amor! ¡Que caiga sobre mí la justicia de los hombres!

En este momento el director Momplet grita: ¡stop!

María se revuelve, indignada:

—¿Qué pasa ahora?

El director, en tono conciliador: "María, recuerde usted que tiene que dominar a esa turba."

María (furiosa): "¿Y cómo quiere usted que la domine? ¡Están armados con machetes y escopetas!"

Momplet: "Yo quiero otra toma."

Al fin María acepta que la escena se repita y entonces el director afirma que ya tiene lo que desea. Pero ahora es María la que quiere repetir la actuación. Momplet parece resignado.

Un aire frío recorre el estudio y la turba furiosa mira inquieta este nuevo duelo que las cámaras no registrarán jamás.

La estrella es ya una estrella y todos los días los periódicos y revistas se lo recuerdan. Una idea del entusiasmo que la presencia a esta altura de María en la pantalla despertaba en los más serenos críticos, podría sernos ofrecida por la nota que el semanario *El Redondel* dedica al film.

Se trata de un comentario de cuarenta y siete líneas.

De éstas, treinta y nueve están constituidas por elogios a María; cuatro señalan que Lilia Michel logra "que el público se fije en ella", y otras cuatro líneas para Emilio Tuero, del que se dice que "Aun siendo el principal personaje masculino de la obra, pasa punto menos que desapercibido".

No se menciona ni al director, ni a los argumentistas, ni a las otras personalidades del reparto.

Este comentario de la crítica, que estaba resultando habitual, desconcertaba a los comentaristas de otros países.

Antonio Barrero, en su libro *Historia de vampiresas*, Madrid, 1976, reproduce una entusiasta crónica de Edmundo Valadés y señala:

"Es curioso el hecho de que todos sus biógrafos ponen el mayor interés en presentarnos a la mujer (María) y olvidan en absoluto a la actriz."

La crítica que hemos comentado parece dar la razón a esta opinión, cuando está colmada de frases tales como: "¡María Félix, la única!" y "¡Qué linda es María!"

En el mes de febrero de 1945, tres críticos de cine se reúnen para establecer una llamada "Clasificación cinematográfica". Se trata de Oswaldo Díaz Ruanova, Vicente Vila y Fernando Morales Ortiz. El primero de ellos deserta al poco tiempo, ya que no coinciden sus opiniones con las de sus colegas. Pero el catálogo se termina. Los autores señalan que se trata de calificar de "acuerdo con la situación actual de las personas mencionadas en el mercado". La lista quedá así:

1. María Félix.
2. Dolores del Río.
3. Desierto.
4. Gloria Marín.
5. Andrea Palma.
6. Mapy Cortés.

A pesar de los incidentes ocurridos durante el rodaje de "Vértigo", hasta el director Antonio Momplet cae en las redes de su estrella. De Momplet son estas frases:

"Es un torrente que se desborda de la montaña."

"Es un producto de la tierra."

"Es una fuerza animal."

"Ella misma no sabe lo que es."

Esta última afirmación parece precipitada, ya que un testigo alejado del entusiasmo general bien puede intuir que la única que sabía muy bien quién era María Félix, era María Félix. Momplet, en otro momento de sinceridad, añadió un dato cargado de una cierta tristeza: "En algunas escenas no se puede dirigir a María. Ella se dirige sola."

SIN EL DEVORADO
LA DEVORADORA NO EXISTE

10. *La devoradora*. 1946

—Viola, pélame una uva.
MAE WEST.

Diana, "la devoradora", está en la cama, con los ojos cerrados, rodeada de luz, de tules y sedas; la cámara se inclina sobre ella y goza con su fingido sueño; descubrimos que junto a Diana está una fiel sirvienta, una de esas mujeres que en servir tiene goce. La cámara nos muestra a la fiel sirvienta que tiene en la mesita de noche una fuente con frutas. La fiel sirvienta toma una de esas frutas, una uva, y con ella sujeta por el tenedor acaricia los labios de Diana. Diana apenas se mueve, siente la caricia y va abriendo poco a poco la boca. La fiel sirvienta coloca la uva dentro de la boca de Diana y ésta masca suavemente, sin esfuerzo, mientras sigue con los ojos cerrados.

Estupendísimo momento de María, que goza realmente con la caricia y con la sensación fría de la fruta que va entrando por entre sus labios, que si no se resisten tampoco se esfuerzan.

Es una secuencia que tendríamos que sacar del film y mostrar aparte; dentro de la antología de las Marías que María hizo.

Estamos en la pura representación de la vampiresa, también en la herencia del cine negro de Hollywood que bien pudiera haber creado esta "Diana de Arellano", a la cual distinguía la publicidad con los adjetivos de "cerebral y amoral".

La devoradora, sin embargo, sufre su bien conocido proceso de castigos y torturas; en este caso no interviene tanto el destino como las pistolas.

En un momento del film un joven enamorado apunta con el arma a María-Diana y ésta se asusta, pero pronto reconoce la incapacidad de matar del muchacho y se ríe de él, se acerca a la pistola, hace que apoye el cañón en su pecho. Se burla del presunto matador y goza con el momento.

Es una secuencia muy curiosa que parece haberle sido sugerida a Fernando de Fuentes por un acto típicamente taurino; el matador que se acerca al pitón, apoya su pecho sobre el mismo, desprecia el toro y contempla a los espectadores en espera del aplauso. Un gesto muy Carlos Arruza que María remeda con una gran jerarquía.

Sentimos como si el público del cine estuviera a punto de aplaudir ante esta arrogancia tan marcada.

Año 1945. "Tres hombres se quemaron así; en la llamarada de esa mujer, devoradora de vidas". *La devoradora*.

María termina su faena despidiendo al muchacho enamorado que no la pudo matar y en cierto modo matándolo, ya que él se suicida. Y ella contempla el cadáver como Arruza contempla al toro muerto. Más tarde, otro enamorado, éste más acorde con el espíritu sanguinario de nuestro tiempo, mata a Diana aprovechando que ésta se prueba el vestido de bodas con el cual habría de casarse un momento después.

La publicidad anota detalles con precisión:

"Uno era rico y a ella le convenía. . . Otro era casi un niño y creía poder amarlo. . . pero el tercero le fue necesario. Tres hombres se quemaron así, en la llama de esa mujer, devoradora de vidas."

María está tan bella que uno está dispuesto a creerlo todo.

La escena de las uvas en la cama obliga a recordar otra secuencia famosa interpretada por Mae West.

María comiendo uvas medio dormida, en la cama, atendida por una sirvienta entre maternal y enamorada, parece el otro extremo de una Mae que mantiene con su sirvienta negra una relación descarada y divertida.

María, apenas abre los ojos y dice "más".

Mae acaba de lanzar de su casa a una joven que le vino a reclamar el hecho de que le estuviera robando el novio. Mae la escucha desvergonzadamente y cuando la otra le dice que es una mujer sin corazón, Mae le responde:

—Yo no muestro mis mejores virtudes a desconocidas.

Después lanza a la joven fuera de la casa y se vuelve hacia la cámara, camina contoneándose con una vulgaridad agresiva y grita:

—¡Viola, pélame una uva!

Así cierra el camino de recriminaciones.

Entre esta Mae West en la línea del amor que puede ser tomado a broma y María dentro de la vamp americana, que necesita un reposo familiar y absolutamente entregado, antes de acudir a otra batalla, está todo el desarrollo de la mujer dominante en el cine.

Mujeres que llevan su labor de destrucción del sexo contrario hasta sus máximos extremos, y que en el momento de pedir un socorro o una ayuda no buscan al hombre sino a la sirvienta. La desfachatez de Mae West parte del hecho de su propia superioridad corporal: es grande, fuerte, desvergonzada; sabe mover los pechos y las caderas; se ríe del macho.

María es sutil, descansa en la cama, como si estuviera pagando el esfuerzo del amor compartido; pero mientras Mae se divierte con la acción, María goza con la indolencia. La vampiresa de ataque es Mae, la vampiresa de desprecios es María. Hay que suponer que Paulino Masip y Fernando de Fuentes recordaron "El peñón de las ánimas" cuando escribieron la secuencia del traje de novia. María, en "El peñón de las ánimas", se ve obligada a probarse un vestido de novia, ante la insistencia de dos modistas impertinentes. Cuando ya lo tiene puesto, ha de escapar a caballo y un disparo de rifle la mata. De nuevo el vestido blanco de novia va a significar la muerte a tiros para el personaje que María interpreta. Y una vez más el símbolo de la pureza amorosa es atravesado por una bala sin que el matrimonio pueda llevarse a cabo.

La sangre que mancha el vestido blanco no significa la pérdida de la virginidad, sino la pérdida de la vida. La heroína paga tanto por sus errores como por los errores de la sociedad. El vestido blanco de novia es la esperanza truncada, la imposibilidad de un final feliz.

Acaso al final de estas dos curiosas secuencias paralelas, distanciadas por más de cuatro años, se encuentre la idea germinal de que para violar a María es necesario un tiro. La devoradora, en fin, muere ataviada para la boda; los devorados se vengan pero sin duda su sufrimiento será insufrible; se puede matar a la devoradora, pero no se la podrá olvidar jamás.

La devoradora sigue devorando el alma de hombre desde el más allá; su presencia sólo muere cuando muere el macho, devorado. Jorge Ayala Blanco definió a estas curiosas hijas de la literatura y del cine en una espeluznante frase:

"Las devoradoras son vampiresas despiadadas y vengativas, sin escrúpulos sexuales y usurpadoras masculinas; esclavistas, bellas e insensibles, supremos objetos de lujo, hienas queridas, hetairas que exigen departamento confortable y cuenta en el banco para mejor desvirilizar al macho."

La muy larga definición merece un comentario y acaso, también, este falso diálogo entre la estrella y quien esto escribe:

—María: ¿Sabía usted que un crítico de cine, dijo que uno de sus personajes era una "hiena querida"?

—Yo le pregunto: ¿Por qué la gente no quiere a las hienas?

—Acaso porque comen carroña.

—Oh, ese crítico no me ha visto comer.

—¿Es usted una hiena querida? ¿Una devoradora?

—Yo preguntaré: ¿Para las hienas machos, son feas las hienas hembras?

—Supongo que son atractivas. Pero: ¿Es usted una devoradora?

—Lo soy. Todos los somos. Yo devoro todo lo que tomo. Yo no me trago la vida a cucharaditas.

—¿En qué se parecería una hiena a María Félix?

—A los ojos de un hombre en nada. Y a los ojos del macho de la hiena en nada también.

—¿Qué le diría usted al crítico?

—Le diría que tuviera respeto por las hienas.

Y María sale del diálogo con un gesto burlón.

Durante la película Salvador García cantaba la famosa canción "Aventurera" de Agustín Lara, de la cual la célebre escritora y dama política Griselda Álvarez dijo:

"Parte de su vida, Agustín Lara la pasó trabajando en bares y centros nocturnos, donde conoció a este tipo de mujeres dedicadas a la prostitución y a las cuales trata de reinvindicar con sus canciones. Por otro lado, el tema de la mujer caída (tema tan preciado en la literatura romántica) sirve al compositor para completar sus variaciones sobre el enaltecimiento del amor. Con tonos sombríos y amargos, Agustín Lara presenta a estas mujeres como motivo de sus canciones y como testimonio de sus experiencias. Defensor de oficio de la mujer prostituta (al igual que otro romántico, Manuel Acuña, quien la canta en 'La ramera') hace confesiones de amor: 'Te quiero aunque te llamen pervertida.' O le da consejos contables:

> 'Vende caro tu amor, aventurera;
> da el precio del dolor a tu pasado,
> y aquel que de tus labios la miel quiera
> que pague con brillantes tu pecado'.''

Habría que añadir que los consejos de Agustín Lara no sirven de gran cosa al personaje interpretado por María en ''La devoradora''.

Por el contrario, en vez de pagarle con brillantes, sus enamorados le pagan con tiros.

El escritor Paulino Masip sirvió al mito ya establecido de una María deslumbrantemente perversa y añade un dato más a la leyenda que ofrece a la ''Doña'' como un personaje al que es necesario matar para que no siga produciendo todo tipo de catástrofes emotivas.

El melodrama de Masip no huye nunca de las posibilidades que el género ofrece. Un joven médico, que ha pasado dos años en los Estados Unidos abrillantando su historial, llega a la casa de su tío, un millonario.

El tío le presenta a su prometida, mucho más joven que él, pero también mucho más pobre. El médico sospecha que la prometida, llamada Diana, va a casarse por dinero y el millonario lo acepta así, pero señala que su amor es tan intenso que puede soportar esa sospecha.

Mientras tanto aparece un joven romántico y exaltado, con el que Diana ha tenido relaciones sexuales, y enterado de la boda se dispone a impedirla a tiros. Pero Diana juega con él, se burla de su patético amor, y el muchacho se suicida.

El argumento entra ahora en un problema nuevo: cómo deshacerse del cadáver. Termina por abandonarlo en el bosque de Chapultepec, pero un nuevo personaje descubre a la devoradora y al joven médico, que han tramado y llevado a cabo el plan.

Cuando el doctor quiere establecer de forma, digamos natural, sus relaciones con Diana, ésta le dice que está dispuesta a casarse con el tío rico, pero que bien pueden continuar amándose en secreto a espaldas del marido.

El médico se asombra de tanto cinismo y se dispone a denunciar a la devoradora. Ella le gana por la mano y cuenta a su anciano prometido que el médico la quiso violar. El millonario cree a la mujer y no al sobrino, como suponían todos los espectadores.

Mientras tanto Diana tiene que confabular con el hombre que la vio dejar un cadáver en el bosque. Cuando el médico decide interrumpir la boda, elige el camino menos adecuado para un salvador de vidas; toma una pistola e irrumpe en la casa de Diana cuando ya está vestida con su traje de novia.

Diana piensa que tampoco el doctor tendrá valor para matarla y lo reta. Cuando descubre que el médico bien puede ser un asesino, ya es tarde. Tiene dos tiros en el cuerpo y se muere. Algunos cronistas caen en la trampa y vuelven

La *devoradora* contempla una sortija de brillantes, mientras un inquieto Julio Villarreal la contempla a ella.

La moral triunfa. Todas las devoradoras terminan mal.

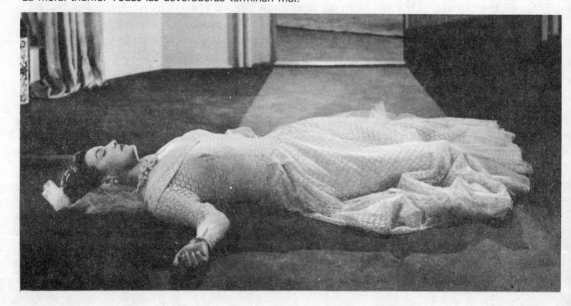

a identificar el personaje con la actriz. El diario *Esto* asegura:

"Tal parece que María solamente aprendió sus líneas, siendo ella misma en toda su actuación."

El crítico Alfonso de Icaza adopta la misma curiosa actitud: "En esta cinta tiene nuestra máxima estrella momentos tan reales, que tal parece que vive su propia existencia, mucho más que un simple argumento fílmico."

Y Justo Rocha, en *La Prensa*. "Al escribir y adaptar 'La devoradora' se tuvo en cuenta esto: exprimir hasta el límite ese espacio de mimetismo de sí misma, esa especie de narcisismo que interpone a modo de una bella y deslumbrante máscara, ante el mundo exterior y el mundo interior de María Félix."

Un fenómeno cinematográfico, sufrido ya por muchos actores y actrices, se estaba produciendo en este caso; el público identifica a la estrella con un cierto tipo de personajes y se niega a entender que la realidad y la ficción se mueven en dos planos distintos.

Boris Karloff se quejaba, lastimosamente, de todo esto:

—Mis productores ya no me dejan reír en público y tengo miedo que un día mis nietos huyan de mí, horrorizados.

Fernando de Fuentes parecía ser el máximo responsable de la trampa en la que había caído María. Las tres películas que hizo con él marcaban una ruta única e inexorable.

"Doña Bárbara" venía a ser una devoradora sin alma.

"La mujer sin alma", una Doña devoradora.

Y "La devoradora", una Doña desalmada.

A mi juicio, en las tres películas, María se escapa de la dirección de Fernando de Fuentes, y se convierte en una figura sin sangre y sin verdadera vida en muchas escenas. Se diría que la maldad de los personajes cierra el camino a interpretaciones más sinceras y entrañadas.

Esto es aún más lamentable, ya que se supone que estamos ante un director con un cierto talento que, a mi juicio, sin embargo, ha sido sobrevalorado por una crítica ansiosa de encontrar razones para su propio alborozo.

En la muy larga filmografía de De Fuentes, abundan los films mediocres y en el caso de las tres películas que dirige a María, hay que aceptar que parece acogerse con un frío convencimiento al mito en marcha y conformarse con lo que podríamos llamar "la primera toma".

En muchos momentos la falsedad de la situación y de los parlamentos sitúa a la actriz en situaciones en las que ella, con un limitado arsenal de conocimientos artísticos, es incapaz de resolver. Para poder mantener la leyenda de Fernando de Fuentes, sería necesario olvidar en gran medida sus fracasos como director de María Félix, pienso yo.

En el mes de agosto de este año que nos ocupa (1946), María y Agustín reúnen a sus amistades en un conocido restaurante y apagan, al mismo tiempo, las tres velas de un pastel. Según Lara, esto simbolizaba "los tres años de amor que nos unen".

Ese mismo día la "Doña" confía a la prensa que sigue pesando sesenta kilos y midiendo 1.75 de estatura.

OLVIDAR ES LA FÓRMULA
PARA SEGUIR VIVIENDO

11. *La mujer de todos*. 1946

> Hay algo en común en todos los hombres famosos:
> antes fueron desconocidos.
> GROUCHO MARX.

En "La mujer de todos" hay una secuencia fenomenal que María establece dentro de la más antigua tradición de la vampiresa.

ERNESTO ALONSO: —¡Mi padre lo sabe todo y estoy perdido. No sé qué hacer!

MARÍA: —Volver a tu casa y pedir perdón.

ERNESTO: —No sé pedir perdón.

María lo contempla con una media sonrisa socarrona, le habla desde una inmensa altura, lo mira como a un pobre mequetrefe, lo está insultando con toda complacencia.

MARÍA: —Aprende.

Él se dispone a suplicar; lleva el pelo ligeramente revuelto, una cuidadosa onda negra le cae sobre la frente. María está impecable, vestida con un traje de tul transparente; su espalda es inmensa, grandiosa. Una hilera de botones parte de arriba abajo esa espalda y la hace más desnuda aún.

ERNESTO: —¿Y nuestro amor? María, apenas puedo creer que vienes a esta cena.

MARÍA: —Aprende a olvidar también.

ERNESTO: —¿Es todo lo que tienes que decirme?

Y María parece separarse ligeramente del varón humillado y suplicante; comienza a dibujar una sonrisa que se va acentuando. Ríe, al fin, con claridad. Se ha tomado un tiempo tan largo que la cámara se quedó inmóvil, como abobada.

Al fin, María decide preguntar:

MARÍA: —¿Y qué otra cosa podría decirte?

Ernesto insiste:

ERNESTO: —Una palabra que me ayude a vivir.

Entonces ella inicia la retirada, muestra su espalda majestuosa, se mueve ondulando un inmenso sombrero de plumas negras y se aleja.

Pero parece meditar, piensa que, al fin y al cabo, tiene una palabra para el dolorido tipo.

María: "Naturalidad admirable, aplomo convincente".

MARÍA: —Olvídame.

Es su consejo para que Ernesto viva.

Y se va por un salón de baile de máscaras adecuadamente elegante, pero en el que la única elegancia es ella misma.

Y Ernesto saca una pistola y dispara sobre ella.

María se derrumba. Esa espalda tan bella resultaba irresistible. Todos hubiéramos disparado.

La productora manejó para uso de la prensa una sinopsis que pudiéramos llamar "amplia" y otra breve. De esta última ofrecemos lo esencial. Es decir, seré más breve todavía.

En el Madrid de 1910 el coronel mexicano Juan Antonio Cañedo ofrece, en plenos carnavales, una fiesta a su querida María Romano.

La fiesta se estropea, porque otro enamorado quiere matar a María, sin conseguirlo. María, después de sentir que el peligro ha pasado, entrega al aspirante asesino el revólver con el que éste pretendía matarla y el enamorado se suicida. El coronel y su querida vuelven a México. Un capitán llamado Jorge Serralde, e interpretado por Armando Calvo, conoce a María y la corteja. Pero Jorge es hermanastro del coronel, y éste lo protege de una serie de peligros tales como de ir a la cárcel. María ama a Jorge, pero se niega a entrar con él en una cama. Cuando Jorge sabe que María es la amante de su hermanastro, adopta una actitud agresiva contra la bella. La esposa del coronel interviene para que María abandone a su esposo y el matrimonio se salve. María acepta, al fin, a Jorge, y se van de vacaciones a Tlacotalpan, en donde viven muy felices un cierto tiempo. Pero el coronel no se resigna y reta a duelo al capitán. María tiene la curiosa ocurrencia de fingir que prefiere, por su dinero, al coronel. Esto desespera al capitán, que la insulta. María decide que su presencia en México causa demasiados infortunios, pero antes se cerciora de que en el duelo ninguno de sus dos amores resulte herido. Hay una escena en la que vemos al capitán y al coronel desfilar encuadrados en el ejército nacional. Esta secuencia podría sugerir que el amor a la Patria salva a los enamorados de caer en la perdición y en las redes de las malas mujeres, que serán olvidadas a partir de un nuevo amor: el cuartel. Lo menos que se me ocurre pensar de este argumento es que los guionistas confiaban más en el uniforme que en los atractivos sexuales de la "Doña".

El hombre fuerte del cine nacional anuncia que ha buscado y encontrado a un famoso guionista para que aporte el argumento de este nuevo film de María. Gregorio Wallerstein encontró al hombre famoso en Hollywood, pero la fama del personaje encontrado no era tan notoria como para que se llegara a conocer bien su apellido.

El señor Robert Toheren aparece en los créditos y en la publicidad de la película como Robert *Thoren*.

Wallerstein se fijó en este escritor checoslovaco a causa de su labor de adaptador de la novela de Louis Bronfield titulada "Mrs. Parkington", que fue llevada al cine en Hollywood y dirigida por Tay Garnett (Greer Garson y Walter Pidgeon). En México se estrenó en julio de 1945.

Tiempo atrás, Toheren había adaptado para el cine una pieza de Lajos Biro

Con Armando Calvo en *La mujer de todos*.

que tuvo muy diferentes tratamientos. En principio sirvió para que en 1932 se rodara en Alemania un film que trataba de tres músicos sin empleo que se hacen pasar por negros para tocar jazz, después se fingen gitanas para entrar en una banda musical de mujeres y llegan hasta el extremo de dejarse enamorar por otros músicos. Según la crítica de la época, en la película había notas de masoquismo y lesbianismo.

La misma historia de Toheren sirvió al director Billy Wilder para hacer "Some like it hot" (1959) en donde aparece el crédito del escritor como autor de la idea junto con M. Logan. Pero, como se ve, faltarían aún años para que el famoso Toheren llegara a ser conocido por esta comedia que interpretaron Marilyn Monroe, Tony Curtis y Jack Lemmon.

(Se trataba de la historia de dos músicos que presencian por casualidad la llamada "matanza de San Valentín" en Chicago y para esconderse de quienes quieren liquidar a tan peligrosos testigos, se hacen pasar por miembros de una orquesta femenina.) Por lo que se sabe, la gestación del argumento del film de María Félix tuvo serios problemas. Intervino el español Antonio Momplet, el narrador Mauricio Magdaleno y el propio Bracho; para que después el poeta Xavier Villaurrutia escribiera los diálogos.

Bracho parece haberse arrepentido en esta película de sus desbordamientos líricos de "El monje blanco", y se muestra menos dado a la búsqueda de originales.

María es un gozo para la cámara de Alex Philips que la conoce tan perfectamente como para acariciarla en cada encuadre, iluminándola de manera excepcional.

Cuando María aparece con el vestido negro, cubierta por un brevísimo antifaz, que no puede ocultar su personalidad, y tocada con un sombrero milagrosamente estable, los que la rodean desaparecen y hasta Armando Calvo, por entonces un galán famoso, se desdibuja.

El ambiente del film es lujoso y permite al decorador, Jesús Bracho, ganar el premio Ariel a la mejor escenografía.

Los seguidores de Julio Bracho renuevan con esta obra su entusiasmo por el maestro y dejan caer sobre su cabeza los más sorprendentes elogios. La periodista Marta Elba es un buen ejemplo:

"Julio Bracho, el traductor de 'Anfitrión 38', el exquisito bebedor del néctar griego, es un escogido de los dioses." A cambio de esto, María es, para Roberto Browning, "esa nueva Helena de Troya".

Cinema Reporter recoge una crítica publicada en Madrid, pero sin señalar en qué diario:

"Gusta el cine mexicano de acariciar el terciopelo del recuerdo mediante la evocación de épocas de un pretérito mediano, como, por ejemplo, las comprendidas en las dos primeras décadas del siglo. Y en muchas de las producciones de tal aspecto, lo más importante y logrado es el encanto retrospectivo, la fidelidad con que ambiente, costumbres y personajes fueron captados. Ello se repite en 'La mujer de todos', ficción dirigida por Julio Bracho con neta dignidad artística y notable pericia técnica. Todos y cada uno de los pormenores fueron cuidados con minuciosa atención y exquisito gusto. Y la feliz consecuencia ha sido un film impecable, ameno, de presentación opulenta sin llegar al derroche y que hallará profundo eco con los gustos de una inmensa mayoría del público español. El desenlace reviste hondo poder emocional y el conjunto de las escenas conserva un sabor grato de vivificación certera de un antaño, aún no remoto: circunstancias que unidas a nada vulgares hallazgos plásticos y también a un diálogo ponderado y exacto, hacen de 'La mujer de todos' una pieza dilecta de la cinematografía mexicana actual. En la interpretación destacan la avasalladora belleza, el temperamento y el arte de María Félix, a quien nuestro Armando Calvo, con su gallardía y fogosidad peculiares, da plausible réplica. Gloria Lynch, Arturo Rangel y algunos otros destacados actores mexicanos, integran el resto del reparto, en el que aparece también Juan Calvo, en un efímero papel que desempeña con su donosura de siempre. El público aplaudió de manera unánime al final de la proyección de esta película, halagüeño aserto en imágenes de lo que puede conseguirse para el engrandecimiento del séptimo arte, mediante la colaboración de los esfuerzos y prestigios cineísticos de España y México."

El crítico mexicano Alfonso Icaza fue más conciso al referirse a María: "Naturalidad admirable, aplomo convincente."

APARECEN LOS INVENTORES
DE UN PAÍS

12. *Enamorada*. 1946

Ni los mexicanos sabían que así era México,
hasta que yo los mostré en mis películas.
EMILIO "INDIO" FERNÁNDEZ.

La vida de María va a transformarse una vez más, llevada por la fuerza de una nueva película creada por un grupo extraordinario de personas. Un nacionalismo apasionado, basado en conceptos superficiales pero mostrados con una honestidad elemental, entra en la vida de esta mujer cuya carrera estaba dirigida hacia la pérdida de lo provinciano y el encuentro con lo snob parisién.

Entran en su vida estos hombres hablando de las cosas de México con una pasión en ocasiones salvaje, otras partiendo de una serie de imágenes poéticas pero poco elaboradas.

Un mundo en el que se intenta recuperar la esencia de la patria que, en resumidas cuentas, se basa en elementos estéticos (las nubes, el maguey, el sombrero charro) y en un justicialismo indigenista que tiene más de plástico que de verdadera protesta social.

Pero todo dicho con un primitivismo honesto y entusiasta y a través de tanto convencimiento que la actitud tendrá ecos no sólo en México, sino en todos los países.

María, siempre receptiva para las ideas nuevas, va a descubrir que hay una moda que bien puede ser mexicana, que existen joyas nacionales, sombreros mexicanos, ropas deslumbrantes heredadas de los trajes folklóricos.

En su vestuario, junto al abrigo de visón, va a aparecer el huipil y en la pared colgará una máscara tolteca sin que esto signifique que olvidará el óleo de Utrillo.

El grupo de personas que le traen estas nuevas voces es numeroso y está conformado por escritores, fotógrafos, actores, directores.

Son esenciales, sobre todo, Emilio "Indio" Fernández, Gabriel Figueroa, el actor Pedro Armendáriz y Mauricio Magdaleno. María va a descubrir, también, que ella puede formar parte de un mundo en el que su belleza parece conjugarse con la de los cielos aborregados, las iglesias diminutas, los ángeles barrocos, la revolución apasionada, los caballos al galope sobre la tierra seca.

En el momento en que filma "Enamorada", María lleva cinco años de profesión cinematográfica y once películas hechas. Resulta curioso que el Indio haya empeñado su palabra afirmando que la anécdota ha sido tomada de una conseja muy conocida en Puebla de los Ángeles; la historia de una muchacha provinciana bravía y soberbia, a la que un hombre tenaz consigue domesticar.

La escena final de la domesticación viene dada por un bello encuadre: María camina, como una soldadera, junto al caballo que va montando su hombre, un general.

Lo curioso, pienso yo, es que la historia no pudo ser desconocida por Benito Alazraki, que debió leerla en Shakespeare, en el Conde Lucanor o en última instancia en Alejandro Casona. Es la vieja y memorable anécdota de la mujer brava que se casó con un hombre capaz de dominarla.

El proceso de domesticación que lleva a cabo Pedro Armendáriz, en su papel de general José Juan Reyes, no deja de entrañar riesgos. La muchacha provinciana de Cholula, un pueblo famoso por tener un altar por cada día del año, sabe cómo manejar no sólo los puños, sino también las estacas; las peleas son estupendas, aun cuando no parece que puedan ilustrar demasiado lo que es la pasión amorosa.

Al final la joven de Cholula abandona a los suyos, que son unos ricos contrarrevolucionarios, y se va a la Revolución con su hombre.

A pesar del afán de reseñador de turismo que siempre parece perseguir al Indio, este film mantiene una gracia y frescura extraordinarias; emana este encanto de las calles, las plazas, el vestuario de María, su indudable gracia criolla, su furor excesivo, los cielos que se muestran como un protagonista más, los soldados de la Revolución. Es un fresco encantador y sugestivo, y por otra parte los personajes tienen, una especial simpatía y capacidad de encantamiento; este fenómeno es tan visible que el crítico Raymond Durnat escribía en *Films and Filming* lo siguiente:

"Debo decir que me gustan los revolucionarios a lo Armendáriz, con su suave felina mezcla de pasión y de crueldad, de insolencia y devoción, mucho más que el Zapata de Brando-Kazan que para mí fallaba tanto en lo realista como en lo romántico."

Efectivamente el juego de la mujer brava y del hombre rudo jamás hace que María y Pedro pierdan esa capacidad de encantamiento del espectador. Es imposible verlos golpearse, agredirse, fingir odiarse, asistir a todo un alarde de artimañas, sin dejar de pensar que son dos seres entrañables y ansiosos de reencontrarse, de perder su soledad a favor de la parte contraria.

Esta actitud del director hacia los personajes es mucho más importante que lo que pudiera parecer en un principio; se diría que el "Indio" es capaz de bajarse del caballo de bronce.

Carlos Monsiváis señaló con justeza este fenómeno cuando en 1965 escribió una crítica, como todas las suyas, imaginativa y burlona:

"Cansado al parecer u hostigado por el público, ya no tan ansioso de tragedias entre maizales, o tal vez inspirado en tenues propósitos de renovación, el 'Indio' Fernández se decide por la comedia y quiere humanizar un poco a los hieráticos e implacables héroes de la Revolución. Parece que ante el advenimiento de un nuevo régimen político ya es posible introducir elementos de farsa en un género antes monolítico. En esta nueva empresa el 'Indio' sigue contando con la presencia de Pedro Armendáriz (que fue al caudillo de la Revolución, lo que John Wayne al conquistador del Oeste: imagen, voz, cuerpo, destino físico); sigue apoyándose en la fotografía postcardiana de Gabriel Figueroa; sigue embelesado con su habilidad para dar en breves, intensas emociones, el vivac revolucionario y las 'but not least', sigue amurallando en el espeso diálogo que nos informa, de golpe y corrido de cuantas tesis retóricas se había venido acumulando (y se habrían de acumular) sobre el movimiento de 1910. Sólo sustituye, quizá para hacerse visible a sí mismo, la idea de comedia, a Dolores del Río, para siempre callada, para siempre sufrida, por la bravía y golpeadora María Félix.''

Después Monsiváis afirma que ni el trío de redactores del guión ni el propio director estaban preparados para el humor y que "La fierecilla domada" se "complica en las manos indecisas del Indio Fernández" y se convierte en cine de tesis.

Es cierto que el "Indio" no resiste la tentación de incluir sus simples postulados, su visión elemental de la justicia y de las soluciones socioeconómicas; pero también lo es que, a mi juicio, los propios elementos integrados en el film salvan la intención del autor y se imponen.

El "Indio", diría yo, quería hacer en última instancia una comedia tan eficazmente explicativa de la Revolución Mexicana como cualquiera de sus otras películas; el caso de la mujer brava venía a ser un débil elemento. Lo que intentaba era señalar que cualquiera, incluso la hija de un contrarrevolucionario, se puede integrar al movimiento liberador, a poco que de su parte ponga sobre el tapete amor y entrega.

La mujer se va a la Revolución por amor y la Revolución no le pide otra cosa; así se conjuga esa domesticación de la mujer (muy amada por el Indio macho y beligerante) y el triunfo de las ideas políticas.

No importa de dónde vengan los aliados; lo importante es tenerlos con nosotros.

La mujer camina junto al caballo; ha sido tan domesticada como el caballo; no participará en la Revolución sino es como servidora. Al "Indio" no se le puede ocurrir otra cosa.

Monsiváis emplea artillería más pesada que yo para señalar algo en lo que ambos coincidimos:

"En 'Enamorada', la debilidad ideológica del 'Indio' llega a la espuma de su esplendor. Como nunca, entendemos que para la mentalidad fernandezca, la transformación del país fue el resultado de un proceso simple: unos cuantos hacendados, cuajados y provistos de bigotes y de maldad, reciben la visita de un ejército popular, acaudillado por la bronca energía de Pedro Armendáriz, quien de inmediato, fusilando a uno y regañando a otro, imparte justicia y construye el país. Aquí el 'Indio' se plantea dos disyuntivas; o sale Dolores del Río y la música se acongoja, el drama se prodiga y hay golpes, linchamientos, lágrimas y rebozos que defienden a un tierno niño y a una abnegada mujer, o emerge, tonante y jupiterina, María Félix, cuyos no malos bigotes tienen por lo

114

menos tanta energía como los menos metafóricos y más agresivos de Armendáriz. En el primer caso la Revolución es una canana protegiendo a unas trenzas humedecidas por el dolor. En el segundo la Revolución es un grito pelado que se enfrenta a unas enaguas bien puestas."

Y Monsiváis señala que la palabra para resumir todos estos conceptos del "Indio" es bien conocida: demagogia.

Es imposible hablar de "Enamorada" sin señalar que en este film se hicieron presentes las dos más importantes personalidades del cine mexicano.

María Félix y Pedro Armendáriz conforman una pareja de una fuerza sin precedentes en México; parecen gigantes ante los otros protagonistas, ante las otras figuras. Surgen en la pantalla y se quedan dentro de nosotros para siempre.

Es posible que sea esto lo que consigue que, a pesar de tantos fallos, de tan absoluta falta de claras ideas políticas, el film se nos siga adentrando justamente a quienes estamos conscientes de sus fallas.

María y Pedro pasan por encima de los defectos y se imponen como dos presencias asombrosamente capaces de atrapar a los detractores; su magia supera todo tipo de carencias y en un momento dado lamentamos, en nombre de la ideología, que los dos actores sean capaces de crear todo este mundo de sometimientos y entusiasmo.

Las estrellas están en la pantalla y aun el más absoluto enemigo del sistema de estrellas ha de aceptar su presencia y su capacidad de domesticación de la audiencia.

Solamente cuando ya salimos del cine, cuando vamos caminando en busca del automóvil o de la casa, sufrimos un ataque de arrepentimiento y pensamos que, por lo menos, le debían de haber dado a María otro caballo y a la Revolución otro general. El guión tiene aciertos, como el momento en que los personajes que interpretan María y Armendáriz se encuentran.

La situación se resuelve con gracia y los caracteres se nos muestran de forma rápida y contundente.

Por otra parte es un guión eficaz, sin las habituales acotaciones literarias que se suelen presentar en los trabajos cinematográficos del cine mexicano. Se dice lo preciso para que el director trabaje la idea y la lleve a cabo. Copiaré un fragmento en el que los diálogos, a mi juicio, son expresivos y necesarios para que la acción avance y, por otra parte, tienen gracia y un remate divertido.

Un buen trabajo dentro del clima de comedia que se pretendía y que no suele tener, entre nosotros, a demasiados especialistas. El "Indio" estaba descubriéndose a sí mismo. Desgraciadamente, no podía abandonar muchas de sus fallas, defectos y manías. El "Indio" parece haberse tenido, siempre, por un heraldo de las grandes causas mexicanas, cuando lo cierto es que su mensaje ha sido pálido y circunstancial.

Veamos, ahora, cómo el general revolucionario y la mujer rebelde se encuentran y lo que ocurre entre ambos:

EXTERIOR UNA CALLE (DÍA) MEDIUM FULL TRACK SHOT

Se ven los pies de Beatriz caminando por la calle. En sentido contrario se ven las botas de un hombre y los pies de una mujer que camina a su lado. Al cruzarse los pies de Beatriz con los pies de la pareja, las botas se detienen y se voltean hacia los pies de Beatriz, que se alejan. Las botas hacen movimiento de seguir los pies de Beatriz, mientras los pies de la mujer se mueven con impaciencia y le dan una patada de lado al hombre, y siguen su camino, los pies del hombre con pasos desganados mientras que los pies de la mujer caminan taconeando.

EXTERIOR CALLE BANQUETA ALTA (DÍA) MEDIUM FULL TRACK SHOT
ESCENA CONTINÚA

Se ven los pies de Beatriz al cruzar la calle, que en este lugar tiene banqueta muy alta. Salen de cuadro.

FULL GROUP ANGLE SHOT DEL GRAL. JOSÉ JUAN REYES — CAPITANES BOCANEGRA Y QUIÑONES AL FONDO DE LA ESCENA BEATRIZ

José Juan, el Capitán Quiñones y el Capitán Bocanegra se aprestan para que el General vaya a montar a caballo, cuya brida tiene en la mano el Capitán Bocanegra. Beatriz, alejándose de ellos y dándoles la espalda está a punto de llegar a la banqueta alta, cuando la miran.

MEDIUM SHOT DE LAS PIERNAS DE BEATRIZ TILT A UN FULL SHOT

Beatriz sube la banqueta alta, y al hacerlo, se le descubre su muy bien torneada pantorrilla, José Juan le ve la pierna y exclama con admiración, O. S.

VOZ GRAL. JOSÉ JUAN REYES: (O. S.) —¡Qué chamorro tan lindo!

Beatriz ya ha subido a la banqueta y va a seguir su camino, alejándose de ellos.

MEDIUM GROUP SHOT

José Juan la ve alejarse y no deja de admirar su bien formado cuerpo. Se vuelve a sus compañeros, sin apartar los ojos de Beatriz.

GRAL. JOSÉ JUAN REYES: —¡Les apuesto a que tiene cuerpo de tentación y cara de espanto!

116

FULL SHOT DE BEATRIZ

Beatriz se detiene, titubeando un instante, pero todavía dándoles la espalda. José Juan agrega:

GRAL. JOSÉ JUAN REYES: (O. S.) —¡Por ver otra vez ese chamorro tan lindo, me aguantaría hasta una cachetada. . .!

MEDIUM SHOT DE BEATRIZ DE ESPALDAS A LA CÁMARA

Beatriz, que había hecho movimiento como para seguir su camino, se detiene y lentamente se voltea, mirando de frente hacia José Juan. Sus ojos echan chispas y lo mira como en indignado reto.

MEDIUM SHOT DE JOSÉ JUAN

José Juan no puede reprimir la sorpresa y admiración que siente, al ver la belleza de Beatriz, que luce aún más por la expresión de coraje que tiene.

FULL ANGLE COMPOSITION SHOT DE BEATRIZ

Beatriz, emberrinchada, se levanta el vestido hasta las rodillas.

MEDIUM SHOT DE JOSÉ JUAN

José Juan baja los ojos instintivamente, para verle las piernas.

MEDIUM SHOT DE LAS PIERNAS DE BEATRIZ

Beatriz suelta la falda, y cae el vestido cubriendo las piernas.

MEDIUM SHOT DE JOSÉ JUAN

Los ojos de José Juan se alzan a la cara de Beatriz, y una ligera sonrisa maliciosa se le dibuja en el semblante.

FULL DOLLY BACK SHOT DE BEATRIZ

Beatriz camina y llega frente a José Juan y le da una cachetada.

MEDIUM TWO SHOT FAVORECIENDO A JOSÉ JUAN

Se aguanta la cachetada, y después se sonríe, pero provocando en su sonrisa.

MEDIUM REVERSE SHOT FAVORECIENDO A BEATRIZ DOLLY A CLOSE SHOT

BEATRIZ: —¡Si es hombre, aguántese la otra. . . que me vio los dos chamorros!

José Juan le sostiene los ojos a Beatriz y hace un ligero movimiento al voltear la otra mejilla, pero su expresión y su sonrisa revelan que él no cree que Beatriz le va a volver a pegar. Beatriz ve la sonrisa, lo mira furiosa y le da otra cachetada, pero esta vez, con todas sus ganas y con todas sus fuerzas, sacudiéndole materialmente la cabeza a José Juan, sacándolo de cuadro. DOLLY A CLOSE SHOT DE BEATRIZ que lo mira con expresión de reto.

MEDIUM SHOT DE JOSÉ JUAN

José Juan se domina mientras se frota el cachete.

FULL GROUP SHOT

El Capitán Quiñones los ha observado, gozando de lo ocurrido, y el Capitán Bocanegra con ligera sonrisa de expectación. José Juan baja la mano de la mejilla y la mira a ella. Beatriz, por un instante, queda algo desconcertada y como si se diera cuenta de que tal vez no debía de haberse dejado llevar de su carácter. Se quedan mirando por unos instantes, que bastan para que sus ojos no puedan separarse.

CLOSE SHOT DE BEATRIZ

Casi sin querer, los ojos de Beatriz se suavizan, y parecen empañarse por momentos, como si una extraña emoción los obligara a seguir mirando a José Juan.

CLOSE SHOT DE JOSÉ JUAN

José Juan, que tiene los ojos presos en los de ella, se torna serio y sus labios se mueven en ligero temblor, mientras la emoción hace que sus ojos también se empañen y se abran, como si no quisieran dejar de mirarla jamás.

FULL ANGLE GROUP SHOT PAN CON BEATRIZ

Beatriz baja los ojos, se da vuelta lentamente y empieza a caminar.

GROUP SHOT

El Capitán Quiñones y el Capitán Bocanegra no han podido ver esos

118

instantes de emoción. José Juan mira alejarse a Beatriz, sin poder quitarle los ojos, y ella que camina lentamente al principio, aviva el paso, al alejarse. El Capitán Quiñones se suelta una carcajada, que vuelve a José Juan a la realidad.

CAPITÁN QUIÑONES: —(Al dejar de reírse) ¡Perdóneme, mi General, que me haya reído, pero qué mano tan pesada tiene la señorita esa. . . por tantito lo voltea. . .!

El Capitán Bocanegra se ríe con su compañero.

MEDIUM SHOT DE JOSÉ JUAN

José Juan acaba por sonreírse por un momento, pero vuelve los ojos hacia Beatriz y su mirada se torna seria, aunque se sigue sonriendo.

GRAL. JOSÉ JUAN REYES: —¡Con esa mujer me voy a casar yo!

No era habitual en el cine mexicano que una mujer golpeara a un hombre y resultaba casi escandaloso que este hombre fuera un general de la Revolución. Pero para entonces ya todo el país aceptaba que no se podían llamar chamorros a las piernas de María, sin sufrir un serio descalabro. El macho era ella y al general José Juan Reyes no le quedaba otra cosa que aceptar que, al fin, había encontrado un macho más macho que él, al que había que domesticar: casándose.

El muy famoso machismo mexicano parece rendirse siempre ante la mujer marimacha o que ha conseguido usurpar las características del macho. Las heroínas nacionales suelen instalarse no en el sacrificio humilde, sino en el gesto destemplado. Las más famosas cantantes tienen voces no sólo bravías, sino profundas, como la de Lola Beltrán o la de Lucha Villa. María, según se le define en la novela ''Zona sagrada'', de Carlos Fuentes, tiene ''voz de sargento'' y la más excelente actriz del teatro mexicano, Ofelia Guilmáin, habla con un acento tan grave que sus galanes tienen serios problemas para enfrentarse a sus parlamentos. Cuando un día, medio en broma, Ofelia afirmó ante un grupo de amigos, que ella ''era la mejor actriz del teatro de México'', uno de éstos le contestó:

—No, Ofelia, tú eres el mejor actor.

María, golpeando dos veces seguidas la cara de un general pasaba a ser general de inmediato y esto era advertido por los productores, que le concederían ese rango en próximos films.

Emilio Fernández comenzó su vida de hombre de cine en Hollywood y volvió a México para crear un equipo muy importante a su alrededor, con el cual hizo películas que sorprendieron en Europa y atrajeron la atención hacia un cine hasta el momento desconocido. Figura esencial de ese cine fueron Dolores del Río y Pedro Armendáriz, los protagonistas predilectos del ''Indio''. La obra más aclamada del "Indio" se produce muy poco después de la aparición en el cine de María y cubre de gloria festivalera al fotógrafo Gabriel Figueroa, al escritor Mauricio Magdaleno y a Dolores y Pedro.

Este mismo equipo vuelve a crear nuevos films y parecía inminente que María se uniera al mismo, como ocurrió con "Enamorada".

Por entonces algunos de los temas más amados por Emilio parecían haber sufrido una depreciación y por eso se buscó un tono de comedia para aligerar la historia.

Emilio, hombre de cultura elemental y de pasiones alborotadas, interpretó incidentes sangrientos, salió y entró en la cárcel y mantuvo amores tempestuosos en los que la pelea a golpes no parecía ser poco común.

Cuando se enfrenta a María, es hombre con experiencia en el trato de estrellas puntillosas y temperamentales y sabe mantener a raya a los intérpretes.

Sin embargo parece que "Enamorada" pasó a ser filmada sin grandes problemas, en contra de la predicción de todos.

Emilio es por entonces un hombre de cuarenta y dos años, experimentado en el cine, aplaudido en Cannes, el director más importante de México. Aquel al que parece encomendarse el orgullo cinematográfico nacional.

Curiosamente el nuevo sesgo que parecía tomar su cine coincidía, también, con el cambio de línea dramática en María; como si ambos hubieran decidido abandonar por un momento sus bien sabidos papeles y entrar en un experimento.

Fernández inició su carrera de director el día 19 de noviembre de 1941; es decir, solamente unos cinco años antes; en ese tiempo no sólo había impuesto "su estilo" sino que ya parecía necesaria una renovación temática. Estamos ante una de las carreras más rápidas y sólidas del cine mundial. Solamente en 1943, había rodado dos de sus películas más personales: "Flor Silvestre" y "María Candelaria".

El entusiasmo universal desatado por su obra pudiera resumirse en un ensayo firmado por R. Muñoz Suay y publicado en *El sobre literario,* Valencia, 1950.

Muñoz Suay termina su trabajo afirmando las "grandes posibilidades cinematográficas que tienen los dramas de Federico García Lorca si pudieran ser llevados a la pantalla por Emilio Fernández. No son los espectáculos híbridos y de mal gusto al estilo de Orduña, o las falsedades artísticas, lo que necesita nuestro cinema. Es el mundo dramático español, auténtico, el que necesita nuestro cine. De no poder hacer un cine a lo Capra, a lo King Vidor, a lo William Wyler, la cantera de un drama permanente campesino a lo Emilio Fernández es la solución de nuestra cinematografía y su aportación verdadera al cinema internacional."

El "Indio", pues, aparecía por entonces no sólo como un realizador importante, cosa no discutible ni aún ahora, sino como una solución para España.

El entusiasmo de Ricardo Muñoz Suay, un crítico inteligente y más tarde un hombre de cine, era compartido por entonces por toda la crítica seria europea. El "Indio" había sorprendido, encandilado más bien, a una audiencia intelectual para la cual el director venía a ser la llave que descubría a un país, su historia y sus gentes.

Año 1946. *Enamorada*. María, de la mano de "El Indio" Fernández, hace una interpretación memorable.

Este fervor, sin embargo, se fue desvaneciendo con el paso del tiempo y el propio "Indio" Fernández fue su propio verdugo.

Jorge Ayala Blanco le hizo una entrevista en el mes de diciembre de 1968. El encuentro se llevó a cabo en el castillo que el "Indio" tiene en Coyoacán, Distrito Federal. Algunas de las respuestas que el "Indio" ofreció al entrevistador vienen a diseñar el curioso y en ocasiones enloquecedor mundo intelectual en el que Fernández se mueve.

—¿Qué opina el "Indio" Fernández del machismo?

—Por México, por nuestro sexo, deberá continuar, porque de lo contrario podríamos no ser mexicanos.

Otras respuestas:

—Los jóvenes me molestan.

—La muerte es el alcohol de la vida.

—Hoy en día sabemos que somos cósmicos. Pero, sin embargo, en la tierra, sabemos que somos mexicanos.

—Para nosotros sólo existe México.

—México no le puede enseñar nada a un extranjero, porque ellos lo saben todo.

—Quisiera ser dobladillo de sus minifaldas para frotarme en sus divinos muslos.

—Lo nuestro es el pecado.

—El adulterio cuando concierne a un macho es divino, cuando concierne a una mujer es la muerte.

—El mexicano quiere tener lo más grande para ofrendarlo a los pies de una mujer, para merecerse.

—Lo más despreciable para un mexicano es que un hijo suyo no sea suyo.

—Prefiero el lecho completo y sufrir por la mitad del alma.

La nueva María fue saludada con entusiasmo y un buen número de críticos y comentaristas afirmaron que el "Indio" había sido el autor de la transformación.

Pienso yo que no sólo fue la dirección del "Indio", sino el nuevo espíritu que se había adentrado en ella. Capaz de aglutinar todo tipo de experiencias y emociones llegadas del exterior al personaje que estaba representando; era más que un sometimiento al director nuevo; era el goce con el país, el suyo, que sin embargo estaba descubriendo.

Sólo mucho más tarde llegaría a entender que este nuevo país tampoco era el verdadero México.

Ángel Mora, en *México Cinema*, en diciembre de 1946, ofrece un ejemplo de la actitud general con la que se acogió la película y el trabajo de la actriz:

"Nadie creía en la evolución de María Félix después de verla en sus deslucidas, mediocres, actuaciones de 'La devoradora' y 'La mujer de todos'. Fue menester que el Indio Fernández la desglamourizara con la intensidad de su realismo, situándola en 'Enamorada', para que la viéramos actuar de un modo nuevo o hasta entonces desconocido para ella. La María vulgar, despeinada, gritona, insultante, profundamente humana de "Enamorada", es indudablemente una actriz muy superior a la María devoradora, amanerada de 'La mujer de todos'. Ya no podrá decirse que sale a cobrar miles de pesos por torcer el cuello y mirar por encima del hombro, porque las manos modeladoras del Indio Fernández la transformaron por completo.''

Las nuevas generaciones de críticos mexicanos han sido mucho más rigurosas que sus antecesoras.

David Ramón, en el libro *Ochenta años del cine en México* (1977), afirma que la escena final de "Enamorada" es un plagio del final de "Marruecos", de Von Sternberg.

La secuencia a la que se refiere David Ramón, forma parte de las leyendas de Hollywood. Marlene tenía que hacer el papel de una mujer enamorada que sigue a un grupo de legionarios entre los que se encuentra su novio. Marlene insistió en que la escena tendría más dramatismo si ella se descalzaba y sin zapatos comenzaba a seguir a Gary Cooper, sobre las arenas del desierto.

Tanto Von Sternberg como Emilio Fernández, parten de una situación típica y dramática: a la protagonista de ambos films se le plantea la disyuntiva de quedarse con el hombre rico y amable o seguir al aventurero cuya vida está no sólo en conflicto, sino en peligro.

Gary Cooper sale con su destacamento a luchar en el desierto y Pedro Armendáriz con sus revolucionarios.

Detrás del ejército de los legionarios van las mujeres que arrean burros, cabras y cargan grandes paquetes con sus pertenencias. Son, podríamos decir, las soldaderas de la Legión Extranjera.

Cuando Marlene se despide del hombre elegante que la ama, le deja su vistoso abrigo, se queda con un largo pañuelo de seda, y se dirige, atravesando la gran puerta de la fortaleza hacia el desierto; pero los zapatos le impiden caminar y son como un último símbolo de la vida elegante que está dejando atrás, empujada por el amor. Marlene, según camina, se descalza y los zapatos quedan en la arena. Los soldados se han perdido detrás de una duna y sólo se ven ya las míseras soldaderas que empujan a sus bestias. Marlene va a reunirse con ellas. Así termina "Marruecos".

El momento tiene esa curiosa magia, mitad falsedad y mitad poesía, que es tan visible en los films de Von Sternberg. Cuando a Marlene le preguntaron cómo había conseguido "su maravillosa expresión" en la secuencia, ella respondió:

—Hice lo que Joe me indicó. Conté al revés desde veinticinco hasta llegar a cero.

Durante una de las reseñas cinematográficas de Acapulco, un pequeño grupo de personas hablamos con Von Sternberg y se tocó el tema del final de "Marruecos": "Yo nunca había estado en Marruecos y si hubiera podido ir para ambientar la película, no lo hubiera hecho. No entiendo el realismo, entiendo mi visión de las gentes y de los países."

Después sonrió y dijo, con suavidad y sin ninguna jactancia:

—Yo no hago films turísticos.

—¿El final fue improvisado?

—No, de ninguna forma. Podíamos improvisar un detalle, el hecho por ejemplo de que Marlene se descalce, pero no improvisar toda una secuencia que remataba el film. "Marruecos" siempre terminó como termina, aun cuando aún no estaba ni tan siquiera escrita.

Acaso convenga recordar el final de "Enamorada", comparándolo con la forma en que termina "Marruecos".

Estamos en una casa de provincia, mexicana. Se está celebrando una boda civil. La muchacha se va a casar con un extranjero. El viejo juez, "que la ha visto nacer y crecer", tiene un frase muy curiosa. Le dice a María que se alegra de que se case con un extranjero, ya que esto demuestra que el pueblo mexicano no discrimina.

El extranjero, un hombre alto y agradable, escucha en silencio.

El juez entrega la pluma a María para que firme en el libro de registro. María se adorna con un largo collar de cuentas. María, toma la pluma y con la mano izquierda, se aferra al collar.

En una de las calles, un regimiento de revolucionarios se agrupa. Los invitados a la boda se estremecen ante el gran estruendo de unos cañonazos que se oyen cercanos.

El cura, presente, afirma que el general va a retirarse con su tropa, ya que el enemigo se acerca.

Suenan los tambores de los revolucionarios. María expresa su congoja (un bello instante de sincera interpretación).

En la calle los revolucionarios desfilan en la noche, tocando los tambores. La música suena vigorosa y excitante. María, duda. El collar se rompe y las cuentas caen sobre el libro.

En la calle, a caballo, el general ve cómo sus hombres desfilan. Las sombras de éstos se proyectan sobre las paredes, fantasmagóricamente.

Los invitados, el juez, el cura e incluso el novio, están en la puerta de la casa. Ven el desfile. En la esquina, el general, a caballo, contempla el grupo.

María va hacia el viejo juez y lo abraza. Mira por un instante al novio y vuelve la cabeza.

> (Marlene va hacia el hombre que la ama, que está junto a un elegante automóvil. Se despoja de su abrigo y se lo entrega. Después lo abraza.)

María, tocada con un rebozo, avanza hacia el lugar en donde está el general, al que ama.

> (Gary Cooper desfila como un soldado más, hacia el desierto. Su compañía pasa por debajo del arco que da entrada al fuerte.)

María avanza al mismo tiempo que los revolucionarios.

> (Marlene comienza a caminar muy rápidamente, ya que los legionarios se han perdido de vista, detrás de una loma.)

124

El general mira hacia donde viene María.

Un grupo de soldaderas, cargadas con fardos y cestas, van tras de los revolucionarios.

(Un grupo de mujeres con fardos, cestas y animales que arrean, comienzan a seguir a los legionarios en el desierto.)

María toma con la mano derecha la silla de montar en la que va sentado el general revolucionario y comienza a caminar a su lado mientras al fondo un cielo aborregado enmarca las dos siluetas. La música señala con grandilocuencia no sólo el paso de las tropas, sino también el gesto de sumisión y entrega de la hembra que rechaza los lujos de un matrimonio con el extranjero por seguir a su hombre. El hecho de que se acoja al revolucionario que va a continuar su lucha, no parece tanto una aceptación de principios, como una declaración de amor que ya ha perdido el último gesto de independencia y fortaleza. La mujer va a donde el hombre la lleve y si la guerra espera, ella estará en la guerra.

(Marlene se descalza y comienza a caminar sobre las arenas del desierto. Sigue al regimiento de legionarios que se dirige hacia un nuevo enfrentamiento bélico. Es una mujer más, dentro de la corte de hembras que caminan sumisamente tras de sus machos. Se ha convertido en una árabe silenciosa, disciplinada, entregada al hombre. Los últimos símbolos de un pasado elegante los acaba de abandonar: el bello abrigo y los zapatos comprados en París.)

María camina al paso del caballo, el general va sentado sobre la cabalgadura. Derecho, inconmovible. Fin.

(Marlene, descalza, se va a perder al otro lado de una duna. Fin.)

María y Marlene renuncian a todo, hasta a los zapatos, por el hombre amado. Una sigue al legionario que pelea en Marruecos, la otra sigue al caballo en el que el revolucionario avanza hacia su destino.

No puede negarse que ambos finales tienen una profunda semejanza, por mucho que pretendamos insistir en la distancia que separa a México de Marruecos.

A la busca de escenas que ofrecen el sometimiento de la mujer al guerrero que parte para el combate, habría que recordar, también, la secuencia de King Vidor en "The Big Parade", cuando Renée Adorée se aferra a la bota de John Gilbert, quien va a bordo de un camión cargado de soldados que viaja hacia el frente. John mantiene un pie fuera del camión y ella corre junto al vehículo durante un trecho, sin soltar esa bota embarrada a la que se abraza apasionadamente. Es una secuencia de una gran intensidad y emoción, pero en este caso la enamorada no puede seguir al soldado, que es llevado a la batalla. En la forma de caminar de María, junto al caballo, parece deducirse que ella va a correr la misma suerte que el revolucionario y que ha aceptado este destino no tanto por haber sido tocada por la fuerza del movimiento popular, como por su amor al héroe.

"Marruecos" se estrenó en México el día 26 de agosto de 1931, en el cine Olimpia del Distrito Federal.

"Enamorada" se estrenó el día 25 de diciembre de 1946 en el cine Alameda de la ciudad de México.

Pasaron bastantes años entre un estreno y otro, pero la memoria visual suele ser en los cinematografistas extraordinaria. Algo distingue esencialmente a los dos directores mencionados; el barroquismo esteticista del "Indio", al que apoya la fotografía de un Gabriel Figueroa enamorado del paisaje mexicano y heredero de las imágenes bellísimas de Eisenstein, quien visitó México y aquí trabajó haciendo la película inacabada "Viva México", en el año 1932. Por entonces Figueroa cumplía veinticinco años e iniciaba su carrera marcado por el maestro ruso.

Sobre todo, un elemento de Eisenstein va a distinguir una parte muy importante del trabajo de Figueroa a lo largo de esta época famosa del cine mexicano: el tratamiento de las nubes.

La nube va a ser la decoración, el fondo ideal, el símbolo del barroquismo nacional, y también la marca de fábrica. La nube va a ser heredada por otros fotógrafos y directores, hasta el punto de aparecer ya señalada en los guiones de trabajo. En el cinedrama de "Tizoc", por ejemplo, Ismael Rodríguez acota:

"A tan tremendas amenazas que el viejo lanza en su idioma, Machitza se persigna. La cámara barre hasta encuadrar una nube."

Raymond Dugnat, en *Film and Filming*, en el año 1961, apunta ya los elementos diferenciales de este cine creado por Fernández-Figueroa:

"Cubren la pantalla de bellos cielos con nubes nítidas, mujeres con rebozo, graciosas cargas de caballería, close-ups de María Félix. . ."

La mitad de los films de María van a ser fotografiados por Figueroa o por Alex Philips. Este último es más comedido, más parco. Figueroa tiene una magia y una espectacularidad que en ocasiones subyuga y en otras falsea lamentablemente la escena.

El propio Figueroa parece haber manejado su amor por los cielos cuajados de nubes con una cierta dosis de buen humor. Se cuenta que en una ocasión, cuando fotografiaba un paisaje para cierto film, le pidió a su ayudante, muy seriamente:

—Por favor, quiero esa nube más a la izquierda.

Eisenstein había pensado que su historia mexicana titulada "Magueyes" fuera la suma de "agresividad, de virilidad, arrogancia y austeridad".

Los magueyes entraron en el cine de Fernández-Figueroa como un personaje más y en ocasiones su presencia, a fuerza de ser estática y bella, se convierte en un retardador de la acción, en un lugar común esteticista, en una fórmula recurrente y maligna.

Cuando Figueroa trabajó con Buñuel, todos sus conceptos de la belleza cinematográfica fueron trastocados: "Era fácil trabajar con Luis. Se buscaba un

126

bello cielo, un paisaje emocionante y luego se ponía la cámara en dirección contraria.''

Desde 1932, cuando se inicia, pasando en 1945, a trabajar con Gregg Toland, hasta este momento, Figueroa recibió posiblemente más premios que ningún otro fotógrafo de cine. En el año 1971, el gobierno mexicano le concede el Premio Nacional de Arte, distinción que jamás se había hecho con un camarógrafo.

Volviendo al indudable éxito de la pareja de creadores y al entusiasmo que sus trabajos despertaron en el país, acaso convenga señalar la importancia que tuvo el reconocimiento de intelectuales de izquierda a la labor de la pareja. Un nacionalismo apasionado y en ocasiones pueril parecía haber apagado gran parte del sentido crítico de muchos de estos hombres. Octavio Paz, en un artículo publicado en 1951, lo señala:

''Los dos males que padecían en aquella época nuestros intelectuales progresistas, eran el nacionalismo y el realismo socialista.''

De esto último, sinceramente, no se puede culpar ni al ''Indio'' ni a Figueroa; bien alejados de la realidad. Por el contrario, su sentido de la poesía épica los lleva a cantar de tal manera las desdichas del pueblo humillado, que el verdadero drama desaparece en parte, oculto por tan bellas y académicas maneras.

Frente al amanerado realismo socialista, sobrecargado de obreros gigantescos y de gestos victoriosos, Fernández-Figueroa manejan un nacionalismo esteticista que parece decirnos que las mejores nubes del mundo sólo se dan en México.

Tres años después de terminarse de filmar ''Enamorada'', los productores mexicanos de la película llegaron a un acuerdo con una firma norteamericana y se hizo una nueva versión en inglés, sustituyendo a los actores mexicanos que no sabían ese idioma por actores contratados en Hollywood. El papel de María Félix fue dado a Paulette Goddard y el del cura, que había interpretado Fernando Fernández, a Gilbert Roland. El propio Gabriel Figueroa fotografió las nuevas escenas dirigidas por Emilio Fernández y las secuencias en las que no aparecían los protagonistas fueron tomadas del film anterior.

Curiosamente esta película, creada para un público de habla inglesa, llegó a estrenarse en España, ¡doblada al español! (''Una mujer rebelde''. 1963). En los Estados Unidos se tituló ''The Torch o Beloved''.

Acaso porque Paulette parece dedicarse a repetir actitudes tomadas del film previo, la comparación entre ésta y María es favorable a la actriz mexicana. La sonorense tiene una mayor fuerza y mucha más gracia que su sucesora, a pesar de la indudable picardía de gestos y movimientos que caracteriza casi siempre al trabajo de la Goddard.

En la revista madrileña *Nuestro Cine*, el crítico César Santos Fontela se sorprendía de que sus colegas de los diarios españoles no hubieran advertido que estaban ante un *remake* de ''Enamorada''.

Hablé de esto con Santos Fontela, en Madrid.

—Se produjo, pienso yo, una confusión y un olvido. Por una parte ''Una mujer rebelde'' se estrenó más de quince años después de ''Enamorada'' y por la otra tenemos demasiados críticos mal informados y en posesión de malos

127

archivos. Si es que tienen archivos.

—A ti te gustó más la actuación de María que la de Paulette.

—Es cierto. Mucho más. Pienso que el papel estaba escrito para María y que Paulette se vio obligada a copiar a su colega.

Sin duda la hicieron ver varias veces el film original. Eso suele ocurrir en esos casos.

En cuanto al tema de la mujer domada por su enamorado lo dejaremos para más adelante, cuando volvamos los ojos al film "Canasta de cuentos mexicanos", en donde esta anécdota vuelve a ser tomada una vez más.

"Enamorada" recibió una serie considerable de premios:

Festival de Bruselas. 1947. Premio Internacional de Fotografía a Gabriel Figueroa.

El Ariel, un trofeo de la Academia Mexicana de Cinematografía, fue concedido, en 1947, a "Enamorada", la mejor película.

Ariel a María Félix, por su actuación estelar.

Ariel a Eduardo Arozamena por el mejor papel incidental masculino.

Ariel a Emilio Fernández por el mejor director.

Ariel a Gloria Schoemann, por su edición.

Ariel a José B. Carles, por el sonido.

La película fue, también, un éxito de taquilla, y un buen negocio. En este año México produjo setenta y cuatro films y significó el inicio de una escandalosa prosperidad para una nueva clase política y una clase media en formación apresurada.

Los artistas de cine pasarían a conformar algo más que una esperanza popular de llegar a la fama o de emular al héroe; serían figuras ornamentales del nuevo sistema que relegaría a los militares e iniciaría lo que ha dado en llamarse el civilismo.

El día 12 de septiembre se declara electo al Presidente de la República Miguel Alemán y se le atribuyen 1 786 901 votos. Su más cercano contendiente, Padilla, llega difícilmente al medio millón, y otros dos aspirantes obtienen cifras muy menores.

Entre las promesas que Alemán hizo en ese día estaba la de "castigar implacablemente a los funcionarios deshonestos". El paso del tiempo vendría a poner en duda esta intención.

LO QUE MAL COMIENZA
TERMINA ANTES DEL FINAL

13. *La diosa arrodillada*. 1947

El censor dijo: Si enseñas el
ombligo yo corto la escena.
NINÓN SEVILLA.

Ni la inteligente actividad profesional de un José Revueltas, un intelectual de izquierda capaz de autocrítica y renuncia, ni el hecho de haber reunido a la hora de escribir el guión a cinco personas, hizo posible la salvación de un film dirigido inexorablemente al fracaso.

Posiblemente este fracaso era irremediable desde el momento en que el personaje principal, interpretado por Arturo de Córdova, iba a comportarse durante todo el film como un pretencioso tonto, supuestamente culto y hábil.

El error absoluto que en cuanto a la línea psicológica soportaban todos los personajes desde su aparición y la poca consistencia de la anécdota, hicieron que esta diosa arrodillada pareciera muerta desde que fue concebida.

Por otra parte, Gavaldón adoptó la misma supuesta posición intelectual que llevó al absurdo a Bracho; María estaba condenada a mantener, a través de afirmaciones pretenciosas, una relación constante entre su propio mito y el personaje a interpretar.

Contemplando a la estatua de una pintoresca Diana arrodillada, decía:

—Así es como les gusta vernos a los hombres.

Y con ello anunciaba que no la veríamos arrodillarse jamás.

La historia resulta sorprendente: un millonario compra para su esposa, como regalo de aniversario de boda, una estatua de una mujer desnuda, que, parece ser, representa a la diosa Diana. La modelo que posó para la estatua fue, curiosamente, una antigua amante del marido.

Acaso por tener a la estatua en su propio jardín, el antiguo amor reverdece y el millonario quiere volver a reanudar sus relaciones con la modelo. Ésta se niega y continúa con su profesión de artista de cabaret. La esposa muere misteriosamente y después el millonario quiere matar a la modelo. A continuación todo se complica bastante, ya que parece que la esposa fue envenenada. El millonario es detenido y acusado de asesinato. Pero se descubre que todo fue un mal entendido. La modelo, mientras tanto, ha querido casarse con el viudo chantajeándolo, y pretende asegurarse su futuro acudiendo a la cárcel para anunciarle que ya todo se arregló.

129

Pero llega tarde; éste acaba de suicidarse.

Añadamos a esto que el millonario, en cierto momento, quiere matar a la modelo de la diosa arrodillada, pero no se decide. Curiosísimo enredo que partió de una lectura de un cuento de Ladislao Fodor, pero que se perdió en una enrevesada trama. María (inevitablemente la modelo) actúa en un cabaret de Panamá llamado "Paradiso" y aparece asombrando a una concurrencia palurda, entre la cual ella es un ser imposible. Causó una cierta sensación el hecho de que la estatua reprodujera, por lo visto, el cuerpo desnudo de María Félix, quien se había negado a desnudarse ante las cámaras. La estatua era muy mala, el cuerpo estaba bien.

José Revueltas hablaba de "La diosa arrodillada" con un fingido estremecimiento de pavor.

—¿Ha vuelto a leer el guión?

—No, no. De ninguna forma. Lo que procuro es olvidar el guión y la película.

—¿Por qué colaboró en ella?

—No sé, cosas que pasan. Yo dije muchas veces a Roberto Gavaldón que la historia era muy mala, pero él estaba muy seguro de que iba a funcionar. Además fuimos muchos los colaboradores y todos poníamos un poco aquí y otro poco allá.

—¿Asistió usted al rodaje?

—Creo que sí. No estoy muy seguro. Después de que habíamos terminado el guión, Tito Davison le volvió a meter mano y se volvieron a cambiar las cosas. Este tipo de desastres pasan en el cine; unos corrigen a otros y al final ya nadie recuerda qué es lo que escribió. Por otra parte los directores tienen sus propias ideas y piden que éstas aparezcan en el libreto. Edmundo Báez decía que algunos guionistas éramos como los sastres, que hacíamos el traje a la medida de ésta o la otra estrella. Yo pensaba que no éramos tanto sastres como remendones. Un día descubrí que ya no soportaba la situación, que me molestaba hasta la idea de escribir para el cine. Y comencé a dejarlo. Algunas veces, sin embargo, volvía, porque un compañero me llamaba para remendar una escena o establecer un diálogo. Además estaba la censura: era lo más estúpido del mundo. Una censura de idiotas, con la que no se podía discutir.

—¿Qué opina usted de María Félix?

—Creo que aquí no disiento de la opinión general. Lo que me impresiona es esa belleza suya, tan distante y tan fingida. Es una mezcla muy rara de lugar común, pasando por un espíritu rebelde que ella misma exagera. Es una rebeldía un poco de guardarropa que nada tiene en común, por ejemplo, con mi propia rebeldía. Pero si yo le hablara de las razones que motivan mi rebeldía, ella me contemplaría como un loco. De cualquier forma su presencia en cualquier película, incluso en "La diosa arrodillada" es inolvidable.

—¿Cómo definiría usted, entonces, ese film?

—Ni diosa, ni nada.

Pero lo que años después miraba con indiferencia José Revueltas, levantó, en su día, una polémica que dividió con claridad a los críticos y a los comentaristas en los dos grupos tradicionales. Fue como si muchos de ellos se hubieran visto obligados, de pronto, a adoptar una bandera: o conservador o progresista. Efraín Huerta, sin duda en el último grupo, se asombraba de que tantas gentes de letras tuvieran un criterio tan reducido que les llevaba a ver a la "Diosa arrodillada" como un insulto a la moral del país.

No faltaron quienes injuriaron públicamente a María, parapetados detrás de una decencia cuya floración resulta sospechosamente oportuna. Cuando ya los adjetivos se estaban agotando, una persona inventó lo único que faltaba por inventar: "ataques a la moral cristiana".

El Redondel afirmó: "Adolece de no pocos defectos (la película) entre los cuales hay que mencionar el atrevimiento de algunas de sus prolongadas escenas amorosas, una de las cuales ofende, francamente a la moral."

Se emplearon, en otras publicaciones, juicios tales como "indignante", "contraria a nuestra tradición", "agresiva hacia nuestras costumbres", etc.

Ninón Sevilla, fenomenal producto cubano que vino a dar al cine de México un ritmo sensual y dinámico, pensaba que este tipo de escándalos tenía una razón de ser:

"Yo nunca pude enseñar el ombligo en mis películas. Ahora nadie cree que yo nunca enseñé el ombligo. Pero así eran los censores. Entonces, cuando veía la gente algo en la pantalla que no era lo acostumbrado, pues se asustaban. Yo tenía fama de mujer escandalosa y ni al ombligo llegué."

Me cuenta, también:

"Es que las rumberas nunca hacíamos el amor. Lo que hacíamos era movernos un poquito. Y eso con problemas, porque venía un señor y te decía: 'Así no, Ninón, que nos cortan la escena'."

Uno de los típicos films de Ninón Sevilla ("Pecadora", de José Díaz Morales) se estrenó tres meses después del film de María.

"Yo tenía un papel pequeño, pero se trataba de que animara la película que trataba de cabareteras. Yo no sé cuántas películas de cabareteras se hicieron en esa época, pero siempre la cabaretera terminaba muy mal. Eso no nos importaba, lo que querían era que apareciéramos en escena, bailando."

—Entonces: ¿Por qué el escándalo con el film de María?

—Fácil; porque no había gente más moral que las rumberas, cabareteras y gente así. Éramos la moralidad y no mostrábamos las pantaletas por nada. Bueno; no nos dejaban que las mostráramos. Así que cuando en una película una señora y un señor hacen el amor, pues se cae el mundo. Por cierto que en "Pecadora", se cantaba en el cabaret "María Bonita". Así que también la Félix estaba en el asunto. Agustín Lara estaba con su música en todas las películas de cabaret, era irremediable. En ese mismo año hicimos "Señora tentación", que también era sobre una canción de Lara y también no tenía nada de pecaminoso. Yo creo que lo que más molestó es que fuera la "Doña", la que hiciera una cosa fuera de lo común. A ella se lo perdonaban menos.

Los católicos a ultranza rechazaron, efectivamente, el film como un insulto personal y se organizaron demostraciones contra la "Diosa". El film, mientras tanto, se enfrentaba a otras películas extranjeras de gran atractivo y sufría con

María contempla su propio desnudo en
La diosa arrodillada.

ello, hasta el punto de que la productora decidió sacarle partido a la polémica llegando a publicar desplegados en los que se incluían frases de la crítica a favor y en contra. El escándalo se aprovechaba para mantener en cartel a una "diosa" de la que tampoco podían escribir con entusiasmo quienes defendían el derecho de crear un cine abierto a todo tipo de ideas. En la primera semana de septiembre de 1947, mientras "La diosa arrodillada" ingresa a la taquilla 37 500 pesos, el film inglés "El violín mágico", presentado por J. Arthur Rank, conseguía 82 500 pesos.

Efraín señalaba: "Sigue la borrasca en derredor de 'La diosa arrodillada'. La cosa fue muy clara: desde mucho antes de su estreno, se iba creando una atmósfera 'en contra', que a la larga se convirtió en una psicosis colectiva en la que se vieron arrastrados todos, hasta los ponderados cronistas políticos. La psicosis en contra motivó mil equivocaciones y uno que otro acierto. Pero a las tres semanas de su debut en el cine 'Chapultepec' la mentada película se bate como las buenas contra 'Sin honor' y 'El violín mágico', los dos sonoros taquillazos extranjeros de fines de agosto y comienzos de septiembre."

Cuando aún se discutía la calidad moral del film surgió otro problema; José Revueltas fue acusado de cambiar totalmente el guión de la película, para dar "mayor importancia a una actriz". La acusación intentaba mostrar a Revueltas como un escritor a sueldo, capaz de trabajar más en beneficio de una estrella que a favor del propio film. En la revista *Cartel*, Revueltas publicó una airada respuesta:

"Quiero explicarle a usted, que uno de los principios al que no renunciaré jamás, mientras tenga vida, es aquel que se refiere a la defensa de las ideas que tomo como justas. Este principio es válido y lo hago válido con toda energía, no importa qué orden de mi actividad política, doctrinaria, artística o aun en mi vida privada, sin temor a las consecuencias."

También afirmaba que "me hiere en lo vivo la triste imagen en que usted me pinta como un escritor que se presta al juego de no sé qué 'protecciones artísticas' o favoritismos como los que puede hacer cualquier funcionario público, director de cine sin conciencia o cualquier periodista sin escrúpulos, de cuya agobiante y vergonzosa pluralidad estamos al tanto usted y yo como conocedores del medio mexicano."

La película, desde el punto de vista formal, estaba bien manejada; tenía desplazamientos de cámara oportunos y en ocasiones bellos, como cuando va mostrando a los dos protagonistas en una inmensa casona, en la que los muebles están cubiertos por sábanas. Cuando María y Arturo se besan, la cámara va tomando cinco posiciones distintas, rodeándolos en planos cortos y bien enlazados. Pero todo esto se perdía ante la absoluta falta de sencillez y verdad de los diálogos.

Una de las secuencias resulta verdaderamente digna de una tontología cinematográfica. Cuando María, la querida del doctor que supone ha matado a su esposa, va a la casa en la que vivía anteriormente la mujer muerta, se encuentra con un viejo mayordomo. El sirviente llora mientras enciende la chimenea y recuerda a su señora. Estamos ante un melodrama de una ingenuidad asombrosa interpretado con el más anticuado estilo. María tenía que enfrentarse a su amado con frases inauditas para una conversación amorosa:

—¡Qué dura batalla he tenido que librar para ganar tu corazón!

—He querido apagar un incendio con un mar de combustible.

—Al confesar has perdido la única fuerza que tenías para vencerme: tu silencio.

Cuando, al final del film, se descubre que el doctor no ha envenenado a su esposa, María corre a la cárcel y entra en ella como si penetrara en su hogar. Corre por pasillos, atraviesa rejas y al fin encuentra a su amado doctor. Le da la noticia de que ya es un ser libre y que pueden casarse, y el doctor, para asombro de todos, se desploma y se muere.

El catalán Fortunio Bonanova, quien estaba haciendo una buena carrera en Hollywood, hace un personaje igualmente increíble; un chulo de zarzuela española que se venga de María (porque ella no le entrega cien mil pesos) denunciando al doctor a la policía. Además el chulo acude al lugar en donde se toma la declaración al acusado y azuza al juez con extraños guiños y empujoncitos.

Fortunio Bonanova volvió a Hollywood y narró en una crónica que había sido amigo de Diego Rivera. Del film procuró no hablar. Hizo bien.

En cuanto a la estatua, motivo de tantas ardorosas discusiones y de tanta denuncia de obscenidad, digamos que aparecía en la historia como un símbolo del amor que por no poder olvidar, se coloca en la mitad del jardín, de tal forma que la propia esposa lo tenga presente como una pesadilla en mármol blanco. El simbolismo parecía llegar a sus extremos cuando el doctor se queda en su despacho y vemos a través de unas cristaleras la estatua adecuadamente iluminada; entonces se desata una furiosa tormenta y la estatua es azotada por vientos y lluvias. El doctor, ante esta situación tan alarmante, decide dormirse apoyando los codos en su mesa de trabajo.

Vista ahora, "La diosa arrodillada" no despierta sino sonrisas conmiserativas por sus constantes errores, dentro de los cuales está el vestuario de María, verdaderamente desafortunado.

Nunca ha sido la especialidad del cine mexicano mostrar cabarets de forma auténtica; por alguna razón siempre parecen falsos, con un público atento a la cámara que los fotografía. Parece como si directores y escenógrafos jamás hubieran estado en un verdadero cabaret. Todos estos repetidos errores se multiplicaron al mostrarnos el cabaret en donde María y Fortunio Bonanova trabajaban. Adornado con globos y con un público de prostitutas y supuestos marineros, resulta de una falsedad tal que llega al límite de una tan larga cadena de equivocaciones. En este cabaret, el doctor, supuestamente asesino, se emborracha tal y como se lo hubiera ordenado un director de melodrama teatral del pasado siglo.

Pero las bien merecidas críticas fueron sustituidas por otras que ahora nos parecen tan risibles como el propio film.

La vida privada de María es, también, motivo de airados comentarios; en agosto, Agustín Lara escribe una canción titulada "Amor" para que la cante su esposa.

Poco después la misma canción se titula "Revancha" y parece tener un significado distinto.

En el mes de septiembre, María afirma: "He dejado de amar a Agustín."

En el mes de octubre anuncian que se han divorciado.

En el mes de noviembre María dice a un periodista: "Nunca me volveré a casar. Pero si algún día lo hago, será dentro de veinte años y en el extranjero."

Mientras tanto en el cine "Rialto" se forman largas filas de ansiosos espectadores que han sido atraídos por otro escándalo: se proyecta la película "Éxtasis", de Gustav Machaty, filmada en 1939, y llegada con apreciable retraso. El público acude a ver cómo Heddy Lamar se baña desnuda en el río.

Los moralistas nacionales levantan de nuevo su airada voz y se adelantan a los acontecimientos; la Asociación Católica Mexicana, en el mes de noviembre, pide que "se corten las escenas inmorales del film 'Río Escondido' que se acaba de rodar y cuyo estreno se prepara".

Posiblemente éste sea uno de los muy raros casos en que los censores oficiosos se anticipan, no sólo al estreno del film, sino también a su montaje definitivo.

Cuando Heddy Lamar entra al río, un grupo de vecinos de Irapuato que estaban en el cine "Rialto" por razones no cinematográficas armaron un escándalo tan grande, que la sesión hubo de suspenderse.

Efraín Huerta dijo: "No pudieron soportar que Lamar entrara en el río."

Sin embargo los moralistas no tuvieron reproches para los asombrosos diálogos que María se veía obligada a decir: "Te entregas a mí, o me destruyes."

Tampoco se produjeron ataques contra la música, que tenía el mismo énfasis y obviedad que las frases supuestamente literarias que caían sobre la audiencia.

En un momento dado la esposa del doctor, dice: "Las mujeres siempre adivinan una amenaza." Poco después la esposa se muere. No supo adivinar.

En cuanto al trabajo del director se diría que muestra a dos tipos opuestos dentro de una sola persona; un conocedor de la artesanía y del oficio, que le permite encuadres adecuados y movimientos de cámara bien proyectados y un cursi desbocado que elige no sólo las peores frases, sino los peores vestidos para su estrella.

Volviendo a los escándalos que constantemente rodeaban a María, cabe recoger la opinión del crítico Enrique Rosado:

"Creo que ella es el producto más sensacional de la publicidad que ha producido el cine mexicano. Todo lo llevaba a cabo María con una habilidad y una picardía que cualquier cosa suya era ya motivo de crónica periodística o de noticia exclusiva. Su boda con Agustín Lara fue un prodigio de habilidad y conocimiento de la forma de comportarse de la prensa. Acudían a los periódicos a desmentir o a confirmar la boda, a dar largas al asunto. Fue una verdadera campaña de publicidad. Cuando en cierta ocasión los vendedores de periódicos pidieron a María que presidiera una de sus fiestas anuales, ella aceptó la invitación, pero no acudió. Entonces los 'papeleritos' decidieron no vocear aquel periódico o revista en los que apareciera la foto de la 'Doña'. Ella respondió invitando a un numeroso grupo de papeleros a un desayuno. El resultado final fue más publicidad. Sabía muy bien que dejándose ver muy poco aumentaba el misterio que la rodeaba. Sabía a dónde tenía que ir y a qué lugares no debía acudir. Todo lo que iba haciendo era motivo de asombro. Cuando filmaba exteriores lejos de la capital, todos nos enterábamos de que un avión llevaba un gran refrigerador con sus frutas preferidas. 'Porque ella no podía tomar frutas sino en muy buen estado.' Fernando Soler, aparte de todo esto, ayudó a la gloria de María cuando dijo que, a partir de 'La mujer sin alma', ella había demostrado ser una actriz talentosa. Yo creo que es con 'Enamorada' cuando la estrella se supera. Pero en cuanto a publicidad, pienso que ya lo sabía todo, desde su primer film.''

SI DIOS ESTÁ OCUPADO, BUSCA AL SEÑOR PRESIDENTE

14. *Río Escondido*. 1947

¡A la cárcel todos los que
cantan la pobreza bellamente!
LEÓN FELIPE.

Se inicia el año 1948 con el estreno de esta película que viene a ser un panfleto patriótico y un curioso ejemplo del confusionismo político del "Indio", incapaz de encontrar para México otra salida que no fuera la altísima protección presidencial; en momentos convertida en la misma Providencia.

El film cuenta la historia de una maestra rural que se enfrenta a un cacique que ha llevado su dictadura al extremo de usar la escuela como cuadra de sus caballos.

La maestra, "Rosaura Salazar", se pone de parte del pueblo y lo defiende durante una sequía tan absoluta que las gentes tienen que beber pulque y emborracharse.

La maestra decide pedir la protección más alta y va a ver al señor Presidente de la República.

La maestra se encuentra en Río Escondido siguiendo instrucciones personales del Presidente y se dispone a redactar un informe sobre lo que ocurre; los acontecimientos se desatan, el cacique la ataca y ella lo mata a tiros.

Pero Rosaura está muy enferma y queda ciega y luego muere.

El pueblo entero se hunde en la tristeza.

Emilio García Riera hace un análisis muy penetrante respecto a la significación del film en el momento que vive México. Escribe:

"Si María Félix había hecho en 'Enamorada' el papel de arte colonial, ahora interpretaba a la Patria misma, bella, arrogante y desbordante de amor por sus hijos. Su muerte, como la de Cristo, servía a la Resurrección del espíritu encarnado en quienes habían recibido su ejemplo, o sea, en todo el pueblo beneficiado por la instrucción pública. El paralelo entre 'Río Escondido' y la Pasión cristiana resulta rarísimo; Dios invisible (o sea, el Presidente, a quien no se ve sino de espaldas) encomienda a su hijo (María Félix, ángel de belleza y de bondad) que lleve la palabra a los mortales, o sea, el pueblo mexicano. Los Judas, los Herodes, y los Pilatos no impedirán que esa encarnación del Poder Divino entre los hombres (la Patria) cumpla su misión y dé de beber al sediento con la ayuda de sus amados discípulos. Agonizante, María Félix hará entender a un

137

enamorado terrenal (Fernando Fernández) que su reino no es de este mundo, y que él deberá adorarla en el altar de su corazón cívico y patriótico. Ni decir que todo ese simbolismo es deducible a posteriori y que los resortes psicológicos del 'Indio' Fernández (secretos en buena medida aun para él mismo) hacen muy interesante su caso. Quizá sin darse cuenta, el Indio hizo coincidir el dogma cristiano con las tendencias dogmáticas de una izquierda al mismo tiempo escéptica y creyente en la salvación''.

Carlos Monsiváis (1965) encuentra que la película está lejos de la meta que aparentemente se propone:

''Una vez más el 'Indio' cumplió su cometido: evadir el tema verdadero, distraer con el paisaje y con la visión de un pueblo como hay muchos. Y volvió a realizar otra película-ripio, volvió a concentrar tumultuosamente en esas rimas forzadas y gratutitas que son sus (*pannings*) por una muchedumbre inexpresiva, sus figuras que se oponen a un cielo desierto, sus magueyes pródigos.''

Estas actitudes de denuncia por parte de la crítica seria y por entonces joven de México, chocaron con un entusiasmo generalizado. La película salió al extranjero y fue recibida con entusiasmo en Moscú, en donde parecieron encontrar los valores políticos que en México pocos pudieron hallar. La actitud de la crítica rusa sorprendió a la crítica de la izquierda mexicana y acaso haya sido este film uno de los inicios de la desconfianza que perdura en los progresistas mexicanos hacia la actitud oficial de los soviéticos frente al cine. La divergencia se hizo aún más notable, porque el periódico oficial de México, *El Nacional*, publicó en el año 1955 la traducción de un artículo firmado por el ruso Grigori Roshal, que resultaba, por lo menos, asombroso.

Roshal es un director con una obra numerosa que ha participado en ocasiones al servicio del realismo socialista. Entre otras cosas Roshal decía que ''al recordar la película 'Río Escondido', quiero, ante todo, inclinar la cabeza, permanecer algunos instantes en silencio y honrar la memoria de la pequeña joven mexicana, modesta heroína de su país.''

Grigori Roshal, con este noble gesto, consiguió cosechar, también, una carcajada por parte de las nuevas promociones de cineastas mexicanos.

Los franceses, menos dados a este tipo de reverencias ante las heroínas modestas, adoptaron posiciones más críticas. André Camp, en el número 15 de la *Revue du cinéma*, no sólo se queja de la lentitud del film, sino de su belleza. Tiene, dice, ''mucha belleza, demasiada belleza'' y lamenta que la grandilocuencia elimine los sentimientos.

Sin embargo tiene para María elogios entusiastas:

''En 'Río Escondido' da pruebas de tener un temperamento dramático insospechado. El pintor Diego Rivera había dicho que María nos obligaba a olvidar que era una belleza. María se beneficia de una popularidad extraordinaria, homenaje a su hermosura, pero había estado condenada a interpretar personajes de mujeres insípidas y fatales, como ocurrió en la insoportable 'Diosa arrodillada', que tuvo el honor de usurpar la presencia de la producción mexicana en Cannes, el año anterior.'' En cuanto al academicismo estético del ''Indio'' no es posible ponerlo en duda. Una fotografía, incluida en la página 36 de la revis-

El drama. *Río escondido*, 1947. María muestra un "temperamento dramático insospechado".

Con *Río escondido* María gana el **Ariel** a la mejor interpretación del año. El villano es Carlos López Moctezuma.

ta que publica el artículo de Camp, resulta ilustrativa: los campesinos claman al cielo por agua, ya que Río Escondido está pasando por una aterradora sequía. La gente se muere de hambre, pero aún tiene tiempo de conformar todo un fresco con herencias griegas y cuidadosísimo balance. Al centro un indio harapiento sostiene una imagen sangrienta de Jesucristo, a su izquierda y derecha dos indios jóvenes sostienen largas cintas blancas, las mujeres, tres a cada lado, mantienen en alto enormes vasijas de barro y todos se instalan entre el pórtico de una iglesia cuya torre desbalancea este cuidadosísimo cuadro al situarse un poco a la derecha. Una estética tan severamente encuadrada, tan atenta al sentido plástico tradicional, parece chocar con el verdadero clamor de un pueblo sediento, atropellado por las jerarquías y olvidado, hasta el momento, por las autoridades, máximas o mínimas.

En 1983 tuve ocasión de hablar con André Camp y no sólo recordaba bien la película, sino su propio artículo, escrito treinta y cinco años atrás.

Me dijo: "'Río Escondido' tenía una gran fuerza visual, pero ello no ayudaba ni a la historia ni a la propia película."

Pienso que este juicio ilustra bien el defecto esencial de la pareja Fernández-Figueroa; hundidos en un esteticismo que acaso hubiera sido oportuno en otro tipo de films; pero que resultaba chocante ante la realidad mexicana.

Muchos críticos y escritores en México intentaron estudiar y exponer la contradictoria personalidad de Emilio "Indio" Fernández y algunos pagaron esta pretensión teniendo que huir de balas o puñetazos. Creo que fue Oswaldo Díaz Ruanova quien en julio de 1959, cuando aún Fernández no había caído en el descrédito de años después, va a describir el conflicto de este asombroso personaje del cine mexicano.

"En Emilio Fernández se reúnen la intención dramática y el más vivo, el más poderoso sentido plástico. Lástima grande que no depure sus emociones, ni filtre sus pasiones, ni acrisole la caudalosa vena sentimental que es el rasgo más firme de su cine. Y aunque su experiencia de la vida es muy rica, muy amplia, muy directa, no logra trascender el horizonte de sus limitaciones porque sólo interpreta la realidad de una manera subjetiva. De allí que viva repitiendo, monótamente, los personajes y los temas de sus primeras películas (. . .) Cine el suyo de asombrosa plasticidad. Tan excesivo a veces por la belleza de la forma, que el ángulo, el encuadre, el movimiento y la composición eclipsan totalmente el momento dramático."

En cuanto a María Félix ha de aceptarse que está bellísima y sorprendente; la actriz parece aceptar con placer su momentáneo alejamiento de la devoradora y se complace en mostrarse como una imagen pura y alejada de toda tentación. Permanece en ella ese orgullo manifiesto y aun cuando encarna a un personaje vencido por los enemigos y por su propia enfermedad, tiene el gesto de quien jamás va a ser humillada.

"Río Escondido", a estas alturas, ha dejado de ser polémica. Pero en todo caso, resulta un elemento invaluable para formar un criterio alrededor de la obra y la personalidad de Emilio Fernández y para establecer un juicio definitivo sobre la presencia de María Félix en el cine.

Una estrella que no ha tenido nunca el director que su apariencia y aun un temperamento mal manejado hubiera necesitado. El paso del tiempo parece, casi siempre, permitirnos una opinión curiosamente más favorable a sus verdaderos y casi nunca exhibidos valores y menos entusiasta ante su apariencia de mujer fatal.

Pero en aquellos años ni aun los comentaristas menos dados al entusiasmo podían reprimir sus desaforados elogios que, en ocasiones, se convertían en también desaforados denuestos. Cosa semejante ocurría con el Indio y con Figueroa, que estaban expuestos, también, al entusiasmo de los redactores con capacidad lírica.

Una prueba de cómo se ponían a hervir los panegiristas de ambos se ve en el llamado: *Libro de oro del cine mexicano* (1949), en donde se incluyen estas frases, ilustrando algunas fotografías del film que comentamos:

"Frente a la fuente seca, los cántaros vacíos, las mujeres del pueblo parecen guardar en el severo y estático continente de sus negras figuras, toda la desesperanzada impotencia de quienes nada pueden, pero la firmeza del que sabe que puede esperar. El cacique cortó el agua, pero tendrá que ceder". Esta advertencia final no conmovió, sin embargo, ni a los caciques de entonces ni a los de ahora, que siguen cortando el agua.

La demagogia que parecía fluir de las imágenes cinematográficas excitaba esta otra demagogia literaria y llevaba a ciertos espectadores ingenuos a una esperanza poco justificada. Que una maestra de escuela venciera al dueño de la región era más de lo que los seguidores inteligentes del "Indio" Fernández podían esperar de su ingenuidad patriótica.

Pero la película, según su director, intentaba no sólo estimular la esperanza, sino también afianzar la imagen presidencial como solución final de todos los conflictos. Es posible que el entusiasmo que, sin duda, despertó en gran parte del público, haya estado por la ilusión generalizada de que las siniestras reglas de la política al uso se transformaran a través de la participación mayoritaria de todas las maestras rurales. Historia de hadas en un mundo de belleza artificial y martirizada, dividió a espectadores y cautivó a más de un crítico poco penetrante.

Con ocasión del XXXV Aniversario del Cine Sonoro Mexicano, PECIME (Asociación de Periodistas Cinematográficos de México) hizo una selección de las diez mejores películas de los diez mejores directores del cine nacional. Emilio Fernández fue seleccionado por "Río Escondido".

Otros directores fueron:

Fernando de Fuentes por "El compadre Mendoza".

Julio Bracho por "Distinto amanecer".

Alejandro Galindo por "Campeón sin corona".

Luis Buñuel por "Los olvidados".

Rogelio A. González por "El esqueleto de la señora Morales".

Luis Alcoriza por "Tiburoneros".

El festival de Karlovy Vary concedió el Premio Internacional de Fotografía a Gabriel Figueroa (1948).

141

Ariel a la mejor película del año: 1949.
Ariel a María Félix por la mejor actuación del año.
Ariel a Carlos López Moctezuma por la mejor actuación del año.
Ariel a Jaime Jiménez Pons por la mejor actuación infantil.
Ariel a Emilio Fernández por el mejor director.
Proclamada como película de interés nacional.

LA IGLESIA, LA CAMPANA
Y EL PERDÓN

15. *Que Dios me perdone*. 1947

> Quiera la Virgen
> que el recuerdo de mis besos
> con amor bendiga.
> AGUSTÍN LARA.

Cuando en el mes de noviembre de 1948 se estrena en Madrid "Que Dios me perdone", un crítico acierta a señalar que la película contiene un "candoroso sensacionalismo a lo Hitchcock".

Otro tipo de sensacionalismo no tan candoroso es el que despiertan por el mismo tiempo los viajes de María por España acompañada del productor Cesáreo González.

La película pretendía convertir a la estrella en una espía de una cierta potencia extranjera que se enfrenta en México a una serie de consternantes episodios. Melodrama desquiciado que hubiera asombrado a Hitchcock, parece haber sido concebido para que María volviera al clima artificial e internacional con el cual oponerse al indigenismo galopante al que también se la sometía.

Este sistema pendular entre la raza mexicana y el elegante mundo exterior llevaría a María a pasar de "La diosa arrodillada" a "Río Escondido", de "Que Dios me perdone" a "Maclovia", de "Los héroes están fatigados" a "La escondida".

Cada una de estas dos temáticas tiraba hacia sí de María y el resultado era que cuando hacía de india parecía acabada de salir de un salón francés de maquillaje y cuando interpretaba una espía internacional sugería que había terminado un momento antes de comprar su vestuario.

Armando Valdez Peza, íntimo amigo de María, su confidente y el diseñador de casi toda la ropa que ella usaba en sus films y fuera de ellos, tenía también la idea de que una espía debía de usar un atuendo que la significara rápidamente por encima del común de las gentes. Una visión de esta película, atendiendo únicamente a los sombreros que la sonorense exhibe, nos da una idea de la importancia que Valdez Peza le daba al cubrecabezas de la vida íntima de una espía internacional. Ofreceré aquí una nómina no completa de los sombreros que se advierte al correr de la trama.

1. Sombrero de piel negra, en forma de gorra ancha, inclinado sobre la oreja derecha.

2. Sombrero enorme, de plumaje negro, recubierto de tules, en forma de paraguas inmenso.
3. Gorra de tela, rematada con larga pluma de ave.
4. Caperuza de piel blanca, ceñida a la cabeza.
5. Gorra de astrakán recubierta de tul moteado.

Y algunos otros más que se me escapan. Valdez Peza es el sombrerero más imaginativo del momento mexicano y quien entiende que una espía con la cabeza descubierta no obtendrá ninguna oportunidad de conseguir información importante.

He de aceptar, sin embargo, que el sombrero contiene todo un mensaje simbólico, que entraña un status social muy alto, una tendencia a la máxima elegancia y también un mensaje del refinamiento de la sociedad. Recuerdo que en un film de Tarzán, unos taimados exploradores blancos que pretenden que Jane vuelva a Nueva York, hacen que la muchacha se pruebe un sombrero en plena selva. Es un momento curiosamente conmovedor, ya que Jane, al contemplarse en el espejo, con el sombrero puesto, recibe el impacto de la nostalgia de la gran ciudad, de las grandes tiendas y de la elegancia perdida. Pero este desfallecimiento se rompe cuando Tarzán entra en escena, le quita el sombrero y lo contempla con un rostro de absoluta indiferencia. Al fin, debe pensar Tarzán, no sirve para nada.

A María el sombrero le sirve para mucho; es el remate natural, no tanto de su elegancia, como de su señorío. En la imposibilidad social de usar coronas, María recurre a los sombreros y los exhibe como una reina que ella está segura de ser.

Para Tarzán, un sombrero no es nada; para María un sombrero lo es todo. Y Valdez Peza, a quien se le deben algunas infortunadas vestimentas de la estrella, acertó a tener disponible un sombrero para cada ocasión de María.

Pido permiso para hablar de otro sombrero memorable en la historia del cine. Se trata de "Yellow Sky". ("Cielo amarillo" 1948. Director William A. Welan.) En ese film, el bandido regenerado (Gregory Peck) va a devolver el dinero que robó en un banco.

Una de las clientes, una señora apacible y asombrada, lleva puesto un sombrerito adornado con flores. El bandido le compra el sombrero por cuatro dólares y se lo lleva a su amada (Anne Baxter). Lo significativo es que Anne había venido haciendo el papel de "Mike", una muchacha capaz de golpear, disparar un rifle, curar una herida, enfrentarse a los indios apaches; vistiendo siempre pantalones y llevando constantemente a la cintura un revólver. El exbandido, que se ha enamorado de ella por su vigor y honestidad, le regala, en la última secuencia, el sombrerito, como un intento de convertirla en algo fuera de lugar en el desierto; una joven dama pequeño-burguesa y tan apacible y asombrada como la señora que estaba en el banco. El sombrero es, otra vez más, el símbolo de la respetabilidad y el conformismo social.

María sabe todo esto, porque cuando habla de una de sus furiosas acometidas contra sus enemigos dice:

—Ayer me solté el pelo.

Es decir, se quitó el sombrero que con tanto trabajo le diseñó Valdez Peza.

Pero volviendo a la película que en este capítulo nos ocupa, diré que la historia nos lleva hasta la isla de Janitzio en donde dos rivales, enamorados ambos de la "Doña", se pelean y mueren ahogados.

Ricardo López Méndez compuso una canción para "Que Dios me perdone", en la que se decía que en el sueño sólo se encuentra una mentira más.

Los académicos decidieron que ésta había sido, junto con "Río Escondido" y "Rosenda", de Julio Bracho, el trío de mejores films del año, y José Rodriguez Granada ganó el Ariel por su trabajo como escenógrafo en "Que Dios me perdone".

Un boletín de la productora intentaba resumir el argumento, tarea que para quien haya visto el film, se antoja imposible. El curioso documento afirmaba:

"Lena es una espía extranjera enferma de psicosis de guerra, lo que la lleva a perder el sentido cuando escucha el sonido de las sirenas que le hacen pensar en los bombardeos. Lena tuvo una hija que hubo de abandonar en un campo de concentración. Ahora la bellísima Lena llega a México, en donde actúan gentes sin escrúpulos que medran con la Guerra Mundial. Cuando Lena es chantajeada por una mujer, que le anuncia que su hija vive y sigue en el campo de concentración, la espía paga el silencio con una joya valiosa. Pero lo cierto es que la hija de Lena ya ha muerto. Se produce un conflicto emocional, ya que dos hombres desean a Lena. Durante un viaje a Janitzio el drama estalla y los dos pretendientes mueren ahogados, después de que ella colocó un narcótico en el vaso de uno de ellos. Un hombre salvará a Lena de su miserable vida: un doctor mexicano. Pero este trabajo de recuperación de la mujer no será fácil; ya que ella está al borde de un suicidio. Un día, sin embargo, suena la campana de una iglesia cercana y Lena se arrepiente de cuanto mal ha hecho. Entonces murmura: 'Que Dios me perdone'."

La sinopsis deja fuera una gran suma de incidentes y sorpresas fílmicas. Pero lo que a mí me importa se ha dicho: el personaje de María escucha un tañir de campanas, reconoce el sonido de la voz de Dios y pide clemencia.

Cuando, en el cine, María pierde todas las oportunidades, Dios sale al rescate. Siempre.

María Luisa López-Vallejo ("El cine mexicano y sus objetos religiosos predilectos", revista *Cine*, 1978), señala: "En la búsqueda del buen éxito o del bienestar, viviendo 'angustiosas' situaciones, los personajes pierden la capacidad de racionalización, mientras el argumento, en complicidad con el director, alaba la más primitiva de las manifestaciones religiosas. Campanas. . .

"Desde 1933, con 'El tigre de Yautepec', ya se adivinaba que el repiqueteo campanal no era casual. Desde el instante en que se menea un badajo, se produce el 'llamado' que hará voltear la cabeza de Lena (María Félix) pidiendo 'Que Dios me perdone'.

"El tañido de las campanas que se cuela en la narración del film, hace callar la música, sea clásica, instrumental o veracruzana. El tañido de las campanas, pues, equivale a recordar la existencia ausente de un Dios vigilante que vive en el campanario y que, a veces, lanza suaves gritos.

145

María marcha a deslumbrar españoles. 1947.

"En muchas cintas de Emilio Fernández, el cascabeleo, ese campanazo, posee una importancia melodramática definitiva y, generalmente, premonitoria. Si con 'María Candelaria' se inicia ese recuerdo narrativo del director, con 'Pueblerina' Fernández desata su singularizada visión de la realidad mexicana con una serie de consideraciones sobre el universo rural, que puede resumirse en la imagen constante de la violencia sutil, sorpresiva. El film en cuestión no muestra ni el bronce ni la copa invertida de sus campanas parroquiales. De ellas sólo se percibe el campanazo que hará acudir a los fieles al templo. Ya en él, la crueldad del realizador se detiene, se oculta, tímida, ante el respeto por lo sagrado."

Por mi parte diría que los argumentistas de los melodramas de María parecen siempre dispuestos a llevar al personaje hasta las más extremas actitudes contrarias a lo que la sociedad considera como un comportamiento adecuado. En estas circunstancias sólo les queda obligar al personaje a que se arrepienta católicamente o a quitarse la vida mediante cualquier disposición violenta.

Después de lo que la hemos visto hacer y de lo que el propio film nos hace suponer, a "Lena" no le queda otra salida que mirar angustiada hacia la iglesia y esperar que su comportamiento sea juzgado con benevolencia por Dios.

Cuando la prostituta llamada la "Bandida" (1962) llega al fondo de su perversión, los guionistas Rafael García Travesí y Roberto Rodríguez, acuden a la iglesia:

INTERIOR IGLESIA PUEBLERINA. NOCHE

"El templo a estas horas está desierto y casi a oscuras. Sólo el parpadear de las veladoras y una que otra velita iluminan dramáticamente las venerables esculturas de los santos y proyectan sus débiles destellos para quebrantar las tinieblas. . . Desde el campanario llega hasta el sagrado recinto el doloroso tañer de la campana que dobla al muerto. Una negra y solitaria figura avanza por el pasillo central hacia el altar de la Madre de Dios, y cae de rodillas ante ella. Es la enlutada 'Bandida', que con los ojos arrasados de lágrimas y arrepentimiento, implora con la voz preñada del dolor que tortura su alma.

BANDIDA: Madrecita. ¡No puedo más con mi carga! ¡Estoy vencida! Yo no quiero ser mala. Ayúdame a ser buena."

Como habrán visto también las campanas ayudan en esta secuencia ya que sirven, en todo momento, de fondo musical.

En "La Generala" (1966) el personaje que ahora interpreta María entra en una iglesia para volcar su arrepentimiento, pero allí está el "hombre" y esto transforma totalmente su actitud inicial. Los guionistas Juan Ibáñez y Arturo Rosenblueth van a encontrar una variante: el personaje no espera que el "hombre" la entienda; le basta con ser entendida por Dios.

147

Alejandro avanza por la iglesia en penumbra. Busca a Mariana; un gemido le indica en dónde se encuentra.

Mariana está hincada en un confesionario vacío, en actitud de plegaria. Sus manos se crispan impotentes. Alejandro se le aproxima con timidez, hasta caer de hinojos a su lado. Ella se vuelve hacia él. Lo mira sin verlo durante algunos instantes. Luego baja la vista y cual si estuviera avergonzada le dice, en un susurro:

MARIANA: Tengo miedo.

Alejandro le acaricia el rostro con ternura. Electrizada por este gesto, humillada por esta tierna complicidad, ella se yergue ante el hombre, que en su desconcierto permanece de rodillas, y le grita con furia:

MARIANA: ¡Igual que los animales!

Alejandro la mira, azorado y arrodillado.

Y entonces ella le acaricia el rostro con ternura y le pregunta, como si le hablara a un chiquillo asustado:

MARIANA: Tú tampoco me entiendes ¿verdad?

Alejandro permanece inmóvil, sin contradecirla.

María, por lo que se deduce de esta secuencia, tenía miedo de Dios, mientras que el asombrado Alejandro pensaba que el miedo se quitaba con caricias.

Esta escena parece llevar la misma dirección que otras muchas en las que el personaje interpretado por María intenta redimirse de su comportamiento denunciando todo placer carnal a gritos.

Algo en María aconsejaba, por lo que cabe deducir, a los escritores que la mostraran en un cierto momento como llevada hacia el placer erótico no tanto por sus propios instintos, como por una suerte de confabulación universal. Cuando "ella" advertía que de nuevo había pecado, lanzaba la culpa sobre el macho.

—¡Igual que los animales!

Y recibía como premio una sonrisa comprensiva de la divinidad llevada hasta la película gracias a los buenos oficios de los guionistas.

Los libretistas comenzaron muy pronto a "escribir para María Félix" y por lo tanto a procurar adivinarla y exponerla en la pantalla. A María esto no pareció inquietarla, aun cuando en ocasiones, como veremos, el retrato tenía intenciones que implicaban riesgos: "Zona sagrada", de Carlos Fuentes, por ejemplo.

La idea de que María llegaba al placer sexual a través de otros placeres iba tomando cuerpo.

Volviendo al sonido purificador de la campana en el cine nacional, recordemos una escena de "Enamorada" que parece tener este sentido. Un joven pide al general José Juan que libere al padre de su novia.

148

Acepta que el tal padre "no cree en la Revolución". Pero, añade, "Yo, sí". Después promete que si su futuro suegro es puesto en libertad lo llevará para su tierra.

Y como argumento supremo el enamorado afirma, "con empeñoso calor":

—¡Es por el amor de una mujer, mi general!

Ahora la cámara va hacia los ojos del general revolucionario, que "sufren una transformación gradual, como si esas palabras le hubieran causado un extraño sentir".

El general clava la mirada en el espacio y. . .

EXTERIOR CAMPANARIO DE LA IGLESIA. DÍA. CLOSE SHOT

> La torre del campanario está averiada. Las campanas repican, llamando a misa.

Todo hace suponer al espectador que la campana está llamando también a la piedad del revolucionario para el cual las palabras mujer y amor tienen un hondo significado liberador de otros compromisos.

Después veremos que los feligreses salen de misa y que entre ellos va María Félix. Al verla olvidamos las campanas.

La fama de Lara y de María, que se acrecentó con la boda, como si en vez de sumarse dos famas, se hubiera multiplicado, comienza a ser un serio inconveniente para la pareja. Después de la boda, se habían exhibido juntos en los toros y en otros espectáculos y su presencia despertaba comentarios a gritos de los espectadores menos inhibidos. Poco a poco estas intervenciones habían ido subiendo de tono y un día Agustín decide no volver a los toros. El hecho de que su vida privada y amorosa con la "Doña" se hubiera vuelto materia de regocijo para los espectadores taurinos daba la razón a Lara. La fama, tan buscada y tan conseguida, era ya un agravio personal.

En el mes de octubre de este año, Roberto Browning, se queja del comportamiento de las masas populares con el compositor y la estrella de cine.

"Tal parece que la gentileza mexicana está en franca decadencia. De ninguna otra manera se podía explicar que el autor de 'Mujer' sufra en cara propia, y en su propio hogar, ataques que parecen dictados por la más absoluta de las inconsciencias. Ya una vez la estulticia de la masa borracha y desaforada los corrió de 'El Toreo'. Ellos volvieron, cuando la pelea de Juan Zurita contra el negro Ike Williams. Entonces, en esa noche de box, un locutor le preguntó a Agustín Lara que por qué ya no había vuelto a su barrera de primera fila de sol, y el tlacotalpeño contestó: 'Tú sabes, manito, que María es una reina y yo no quiero que sufra agravios de ningún irresponsable'."

CADA VEZ QUE VEMOS
UN INDIO, NO LO ES

16. *Maclovia*. 1948

Eso dice la historia.
Pero, ¿cómo lo vamos
a saber nosotros?
SALVADOR NOVO.

Si se hubiera hecho una encuesta entre la población indígena para buscar a las dos mujeres representativas de su raza y de una clase social desprotegida y muchas veces olvidada, con toda seguridad dos personas no hubieran tenido ni un solo voto: ya que por sus características, forma de comportarse, educación y estilo, estarían totalmente alejadas de las indias mexicanas.

Sin embargo, cuando el cine nacional buscó a las dos máximas representantes de la mujer indígena, fue a encontrar justamente a esas dos mujeres: Dolores del Río y María Félix. Tal cosa no debiera extrañarnos a los aficionados al cine, ya que Hollywood sigue, también, la tendencia de elegir para representar ciertas razas a los seres físicamente más alejados del original.

Si fueran necesarios ejemplos, cabría señalar:

Marlon Brando hizo de japonés ("The Teahouse of the August Moon", 1956); Boris Karloff de chino (la serie de Mr. Wong) y Al Jolson (para no alargarnos) inició su carrera pintándose la cara de negro. Lo que sorprendería en este caso es que bajo la intención de convertir en indias a Dolores y a María se encontraba algo más que el juego de los disfraces y la fascinación por la estrella; existía un genuino afán de elevar la imagen de la indígena haciendo que su lugar lo ocupara otro tipo de belleza y de representación. La belleza de las mujeres indias de Michoacán no es ignorada por turistas y nacionales. Pero, una vez más, en lo que se suponía un film de exaltación de los valores indígenas, la representatividad caía en una mujer que instalada en París se aceptaría como producto natural de los Campos Elíseos.

Contemplando su apostura, que no puede humillar por mucho que lo intente al desempeñar el rol de india sometida, uno rechaza de inmediato que se trate de una natural de la isla de Janitzio; el estilo de la Félix no se oculta ni aun cuando se la disfrace.

Maclovia, así representada, es un hallazgo demasiado espectacular y el espectador comprende que no sólo los villanos de la isla, sino también los buenos, quieran hacerla suya.

Si el ingeniero Palacios, por ejemplo, hubiera llegada a la isla de Janitzio y encontrado a esta Maclovia, inmediatamente hubiera propuesto convertirla en estrella de cine.

Cuando María-Maclovia acude al lugar en donde las otras indígenas lavan su ropa, a la orilla del lago, su presencia se convierte en un reto de orgullosa apostura; es inútil que María pretenda reducir su estampa de mujer dominante y segura; es imposible que intente el engaño. María lleva dentro de sí a la pantera y ésta se denuncia en cada gesto, en la manera en que avanza descalza, en la forma en que mira a sus compañeras, incluso en los instantes en que procura parecer la india sometida.

María no se puede someter a sí misma y a Pedro Armendáriz le ocurre algo semejante; en "Maclovia" los dos están conteniéndose, porque si se dejaran arrastrar por sí mismos terminarían en un instante con el film. Quiero decir, que los villanos serían destruidos y dispersados en los primeros cien metros de la película.

El argumento, sin embargo, cuenta la historia de dos indígenas enamorados que para poder casarse tiene que comprar una lancha que cuesta treinta y cinco pesos. No sólo no los tienen, sino que han conseguido acumular un buen número de enemigos, entre ellos un sargento dado a violar doncellas.

Cuando consiguen la embarcación tienen que usarla para huir del pueblo en donde quieren lincharlos.

Al final José María y Maclovia reman hacia el futuro. No está claro que este futuro sea mucho mejor que el irritante presente, pero el espectador abandona la sala con una vaga esperanza de que todo saldrá, más o menos, bien.

"Maclovia" no es tanto una historia de amor, como un canto indigenista. Todos los buenos son aparentemente indígenas y todos los malos son aparentemente criollos.

De nuevo en el reparto se produce una cierta confusión, ya que Pedro es el resultado de diversas sangres y María es el feliz conjunto de una serie de genes eminentemente mestizos.

La película, como alegato a favor del indígena, resulta poco creíble, y la belleza formal parece hacernos, una vez más, en un film del "Indio", olvidar el supuesto mensaje final de la historia. También María traiciona la anécdota a la cual se pretende que sirva.

Al conformar el reparto, el productor Gregorio Wallerstein parece haber puesto una zancadilla al "Indio" y a la historia del excelente narrador Mauricio Magdaleno, quien había hecho uso de una línea argumental ya llevada por dos veces al cine. Sin embargo, y a pesar de que el film formalmente no puede ser aceptado como lo que pretende ser, hay secuencias de una gran dignidad y otras de un melodramatismo espectacular y apasionado.

El pueblo de Janitzio avanza para linchar a la pareja, y en ese momento el indigenismo tiene que concentrarse en los enamorados y afirmar que si el pueblo indígenas se comporta de forma tan poco adecuada, es debido a que ha sido engañado.

Película de engaños, vuelve, sin embargo, a ser interesante en contra del sentido común, pero a favor del espíritu del cine de estrellas.

Se va a rodar *Maclovia*. La foto del recuerdo: Pedro Armendáriz, Gabriel Figueroa, Emilio Fernández y María.

La indígena de Michoacán: *Maclovia*.

A María no le va bien la humildad. *Maclovia*.

Esperada con una curiosidad e, incluso, entusiasmo previo, la película "Maclovia" defraudó a casi todos. Efraín Huerta la pulverizó a través de una serie de frases malvadas:

"Flor nueva de películas viejas."

"Sobresaturada de magueyes y de nubes."

"Eréndira pasada por agua."

"Desbarajuste macloviano".

"El 'Indio' es un inspirado a lo bárbaro, que jamás se anda por las ramas y en 'Maclovia' el 'Indio' comenzó a alardear y a rebuscar."

Cinema Reporter dijo que "naturalmente nunca segundas partes fueron buenas, ni segundas ni terceras; es decir, no todo lo que sale de cerebros y manos de genios ha de ser genial. Y en 'Maclovia' el espectador, por poco entendido que sea, echa de ver la constante repetición de nubes, paisajes, colocación de imágenes y hasta flecos de asuntos manidos. Son magníficos los escenarios naturales; es bellísima la fotografía, acertada la dirección. . . Pero se abusa de la opacidad de la repetición, que llega a causar fastidio en el espectador."

María se salva gracias a su belleza y a sus instantes de pasión; pero México ya conocía el limitado juego de Emilio Fernández y parecía haberse aburrido de ver siempre las mismas cartas.

Los espectadores extranjeros, desconocedores de la temática y la estética de Fernández, podían aún gozar con los espectaculares encuadres de Gabriel Figueroa y con la magia del país; los naturales, ya satisfechos previamente con el despliegue de estos elementos en otros films, se aburrían en la misma medida en que harta un juego de manos visto repetidas veces.

Cabría imaginarse un diálogo entre el entusiasmado extranjero y el fastidiado mexicano, a la salida de la película.

Extranjero: ¡Qué bello es el México de "Maclovia"!

Nacional: México es más que Maclovia, más que el "Indio", e, incluso, más que Gabriel Figueroa.

Extranjero: ¡Qué noble es la defensa de los pobres indios!

Nacional: Lástima que los indios de "Maclovia" no sean indios.

Extranjero: Desde ahora para mí México estará siempre representado por una gran nube blanca y un maguey en contraluz.

Nacional: Eso me temía.

El éxito del film ante la crítica internacional parece apoyar lo que he venido escribiendo: en el Festival de Karlovy Vary, Checoslovaquia, ganó el Premio a la Mejor Fotografía y en el Festival de Bruselas se le concedió el premio de Honor, otorgado por el Comité Nacional de Trabajadores Cinematográficos de Bélgica, un galardón con acento izquierdista, que estaba dirigido, sobre todo, a honrar a los "técnicos mexicanos por la brillante realización de la película".

En Bruselas, sobre todo, se señaló que se trataba de una obra indigenista, cuando a mi juicio se trata de un film curiosamente externo al verdadero indígena. Yo diría que estamos ante un caso muy semejante al de la estatua, muy popular en México, dedicada al héroe azteca Cuauhtémoc, que se alza en el Paseo de la Reforma de la capital del país. Es un homenaje en piedra y metal

Una típica composición de Emilio Fernández, fotografiada por Gabriel Figueroa.

Frente a frente, dos bellezas distintas: María y Columba Domínguez.

que está curiosamente concebido con todos los sobrantes de la estética europea, a pesar de que se empleen símbolos indígenas y se representen escenas de la vida de Cuauhtémoc en placas de hierro y acero.

El monumento, bien mirado, es un halago a la civilización que se impuso y destruyó al guerrero conmemorado.

Mis relaciones con Salvador Novo estuvieron siempre teñidas de un malicioso distanciamiento, porque un día escribí sobre él en el mismo tono que él solía escribir sobre los demás. Pero recuerdo con agrado una reunión, en la que también estaba el dramaturgo Sergio Magaña, quien acababa de leer su tragedia "Moctezuma II".

Se discutía qué actriz podría hacer un papel principal de la obra: la Malinche. Alguien dijo que María Félix sería una intérprete ideal en el cine. Entonces Novo tomó la palabra:

"Si ustedes quieren que María sea la Malinche, entonces debe ser la traductora no de Cortés, sino de Moctezuma". Y añadió, haciendo un guiño malicioso:

—Pero lo importante es que María haga de traidora.

Parecía por entonces que cada vez que a la "Doña" confiaban un papel amable, contradecía la opinión general que se estaba formando muy seriamente. María seguía siendo la bellísima artista de cine, pero ya era, también, la mujer que representaba en sus melodramas terribles la "mujer mala". Un artículo, publicado en noviembre de 1947, y firmando solamente por las iniciales B.O., recogía con crueldad todas estas malignas suposiciones. Hacía a María responsble de lo que en la pantalla se nos iba mostrando.

"Es fría y calculadora. Para ella, sólo hay algo importante en la vida: una mujer que se llama María de los Ángeles Félix. Para ella sólo hay una preocupación constante e inmediata: los placeres de María de los Ángeles Félix. Me he preguntado si el cine le interesa por la ambición de realizar una obra que perdure. Y a veces llego a la conclusión de que el cine le interesa porque le proporciona los medios de satisfacer sus placeres. Le interesa, sobre todo, porque le proporciona el supremo de todos los placeres: el ser admirada por su belleza. Para María Félix el cine es el espejo del cuento infantil que le contesta: Nadie hay más bella que tú. Porque María Félix vive profundamente enamorada de María Félix."

CUANDO UN HOMBRE SE PORTA MAL, MARÍA SE PORTA PEOR

17. *Doña Diabla*. 1948

> Cortaré la cabeza de la mujer
> que usted ha amado y llenaré
> su boca con ajo y atravesaré
> su corazón con una estaca.
> DRÁCULA

El día 28 de enero de 1950, se estrena en los cines de la ciudad de México la película "Doña Diabla". La historia parte de una obra de teatro escrita por Luis Fernández Ardavín, autor español que ya había visto llevar otras piezas suyas al cine, dirigidas por su hermano Eusebio ("La florista de la reina", 1940; "La dama de armiño", 1946). En cuanto a "Doña Diabla", había sido un éxito en Madrid, interpretado el personaje por la actriz María Guerrero. Se trataba de un melodrama extremoso: una señora de la alta sociedad lleva una doble vida. Por una parte regenta una casa de prostitución de gran lujo y por la otra aparece como una gran dama católica y respetable.

En principio el tema de la doble vida hubiera podido ser motivo de un film importante y, por lo menos, lo fue en otras ocasiones: "Bella de día" ("Belle de jour", sobre una novela de Joseph Kessel), rodada en 1966 por Luis Buñuel o "La madona de las siete lunas" ("Madonna of the Seven Moons", 1944, dirigida por Arthur Crabtree). Pero en manos de Fernández Ardavín, moralista y católico apacible, toda esta trama se convierte en una historia sin fuerza ni atractivos.

El argumento pareció débil incluso al propio productor, y fue pidiendo modificaciones. El escritor Edmundo Báez, quien colaboró en el guión, llegó a contar que se eligió esta obra de teatro para María porque el título parecía muy apropiado para continuar con la saga de la mujer fatal. Cuando María supo que la historia giraba alrededor de una señora que regenteaba un burdel lujoso, puso el grito en el cine; ella pensaba que con regentearse a sí misma sería suficiente en cualquier film. Fue necesario cambiar partes esenciales del argumento y "Doña Diabla" pasaba del elegante burdel a una casa de modas y de la prostitución al chantaje. El productor Gregorio Wallerstein fue quien se encargó de convencer a María argumentando que con ligeros retoques la historia podría funcionar. Lo que le importaba, verdaderamente, era el título de la obra de teatro: es el título que se ajusta a su personalidad en el cine y que prolonga gran parte de la obra que usted ha interpretado. "Doña Diabla" puede hacer furor.

María aceptó, encandilada por un nuevo paso adelante en el camino de la devoradora.

Al final del trabajo de los adaptadores, de Fernández Ardavín no quedaba gran cosa; pero el título no había sido modificado.

En este film María se repite: después de grandes maldades ve cómo su hija se escapa con su propio amante, quien la abandona en castigo a su perversidad.

"Doña Diabla", sin embargo, no se resigna y mata al amante y con ello piensa que salvará a su hija. Después la mujer se entrega a la justicia y las paga todas juntas.

Wallerstein parecía confiar en que el público hubiera olvidado otras interpretaciones semejantes de María y acogiera con interés la vieja-nueva película.

Gregorio Wallerstein llamó, para escribir y dirigir la película, al chileno Tito Davison (Oscar Herman Davison) quien había iniciado su carrera en la Argentina con "Murió el sargento Laprida" (1937). Davison había pasado ya por todas las áreas del cine, trabajando como guionista, ayudante de dirección y crítico. En Hollywood trabajó para la Fox y en la Argentina colaboró con Luis César Amadori.

Hombre sencillo, se acerca al melodrama con una cierta ingenua sinceridad que resulta más convincente que el trabajo de otros directores con más pretensiones o más cultura. "Doña Diabla" es un film malo, pero que no lleva al absoluto desprecio como otros que le fueron dados a María.

Algunos comentaristas señalaron en favor de Davison un hecho curioso que parece haber sido bien observado: María en esta película caminaba de forma agradable y rítmica. La manera de caminar de la "Doña" había producido, anteriormente, múltiples comentarios poco amables, ya que ella, efectivamente, se movía con poca gracia. María resultaba más importante cuando estaba inmóvil.

El diario *Esto* fue el primero en señalar este nuevo aprendizaje de la estrella y en felicitarla por ello. El mismo periódico afirma que otro adelanto sensible es el manejo de la voz: "Muy bien en sus cambios de voz; enérgica, ruda y grosera a veces, y tierna, suave y dulce cuando está frente al amor de su vida."

Todos estos elogios parecían estar al margen de los discutibles valores de "Doña Diabla", pero la película no fue tomada en serio nunca.

Su costo no debió pasar de los cuatrocientos mil pesos, que era la cifra promedio para producir una película en el año de 1948. La subida de los presupuestos se había frenado en 1947, y los productores pasaron del promedio de 648 mil por film en 1945, a la cifra antes señalada.

El cine mexicano en aquellos momentos quería ahorrar y las películas rápidas comenzaban a ser una obsesión de la industria. Los comentaristas dirían que eran films "hechos al vapor".

Por entonces un guionista situado entre los no favorecidos cobraba cinco mil pesos por guión.

El año 1949 había ofrecido ochenta y siete salones de cine abiertos en la capital de la República; los más baratos cobraban ochenta y noventa centavos.

Los años cuarenta se cierran tras un telón que oculta multitud de serios

Wallerstein convenció a María de que el título *Doña Diabla*, convertiría al film en un gran éxito.

problemas para México, pero la buena y reciente sociedad piensa que ya nadie les puede quitar lo bailado.

Carlos Monsiváis va a resumir la década en algunas frases descriptivas y certeras:

"Los cuarentas es, casi por naturaleza, la década de la creencia compartida en la capital, entidad que la élite define enumerando inauguraciones pictóricas, comidas prolongadas en los restaurantes de moda (Prendes o Ambassadeurs), estrenos teatrales, cocteles literarios, parties en honor de celebridades extranjeras, bautizos en las residencias de ministros liberales, batallas entre decoradores *amateurs* por el uso más imaginativo de los tapices, impresiones fugaces de las grandes mansiones de Coyoacán y San Jerónimo, provincianismo de la ciudad sofisticada. La política es juego o adivinanza, y Nadie que sea Alguien toma en serio las diferencias."

Sometida a las torturas de esta variante del personaje para siempre encadenado a su historia fílmica, María recurre en "Doña Diabla" a un ejercicio ya muy practicado con éxito: el levantamiento de cejas.

El cine mexicano ha tenido, a lo largo de su vida, algunos de los mejores levantadores de cejas del mundo.

Las cejas de María produjeron un escrito de Luis Terán muy divertido:

"El levantamiento de cejas. Este deporte, tan usado en las películas nacionales, se ha convertido, al paso de los calendarios, en el recurso más fácil para la expresión facial de emociones entre las nuevas generaciones de actores. La maestra del difícil arte ha sido María Félix (otros lo usaron igualmente, aunque sin buenos resultados); esto se debe a que la Doña empleó la forma más efectiva, menos solemne y más divertida. ¿Quién no recuerda su famoso rostro en aquella escena de 'Enamorada', cuando tiene que decidir si se casa, deja a su padre o se va con la 'bola' para seguir a Pedro Armendáriz? La ceja en su más regocijante apogeo. En la Félix, dicho empleo, se entiende que en su trabajo, es sinónimo, también, de poder y fuerza por sobre todas las cosas: el salvoconducto para obtener la firmeza y la seguridad del acto de actuar" *(El Heraldo,* sección cultural, 1968).

Yo mismo caí en la tentación del examen de la ceja elevada. Hacia 1965, escribí: "Hay cejas, como las de Dolores del Río y María Félix, que aspiran con llegar al cielo; a la menor contrariedad se levantan enérgicas, decididas, y dan al rostro un aire de dignidad ofendida. Se supone en nuestro cine que una ceja que sube resume muy sabiamente toda la indignación interior que producen los desaciertos, las violencias, los insultos, e, incluso, la falta de educación del prójimo. Sin embargo hay cejas y cejas; las elevadísimas cejas de Dolores pueden dar un mensaje de asombro indignado mejor que ningunas otras. Las cejas de María adoptan la altitud exacta para destruir las aspiraciones de sus enamorados con poca fortuna. En Hollywood no tienen cejas así y jamás las tendrán; el arte de inmovilizar el rostro ha frenado todos los intentos en este sentido. El extraordinario fotógrafo Hermann Treuner estuvo en Hollywood en el año 1928 y publicó en Berlín un libro excepcional en el que se recogen doscientos setenta retratos de actores y actrices. Entre ellos están los más famosos: Chaplin,

160

Lon Chaney, Ronald Colman, etc. Hay cejijuntas, cejirredondas, cejidelgadas, pero no hay cejas enhiestas. Incluso Dolores del Río, de la que hizo una fotografía memorable, conserva las cejas en su sitio al igual que otra importante: Gloria Swanson. Una vez, en casa de María Félix, discutiendo un argumento, yo intercalé entre mis opiniones una interjección llena de colorido; a María tal cosa no le gustó y elevó de inmediato una ceja. Yo me apresuré a decir que pensaba que el gesto estaba reservado sólo para el cine. Ella tomó a broma mi observación y dijo: "Pues ya ve que no".

MARÍA DEVUELVE LA VISITA DE COLÓN

18. *Mare Nostrum*. 1948

> Después de haber jurado aborrecerte
> cuando tanto sufrí por olvidarte,
> he vuelto por mi mal a recordarte.
> Nació mi corazón para quererte.
>
> AGUSTÍN LARA.

El viaje parecía impostergable: su fama ya no podía contenerse en el cine nacional y un afán de europeizarse, de convertirse en la figura internacional que ansiaba ser, la lleva a aceptar un contrato en Madrid que bien pudiera convertirse en el inicio de una carrera en el Viejo Mundo.

Agustín Lara había anunciado ya lo que le esperaba en España: "Cuando vengas a Madrid, chulona mía. . ."

Efectivamente, fue recibida con entusiasmo y hasta con asombro. Según una nota periodística los madrileños "se quedaron alelados".

Los sistemas de rodaje en España son distintos y también los conceptos que del cine se tienen: Franco impone una censura mojigata que consigue superar la censura social de México y los temas fuertes han de ser envueltos en ambiguas señales. El nuevo director de María va a ser Rafael Gil; nacido en Madrid en 1913, fue documentalista durante la guerra civil en la legendaria división del "Campesino". Después es el hombre fuerte de la productora Cifesa cuando crea películas empolvadas por una suerte de reverencia hacia el pasado.

Director académico, se esfuerza en poner al día textos de Galdós o de Unamuno.

El crítico español Carlos Fernández Cuenca afirma que la obra de Gil puede dividirse en tres grandes grupos:

1. Comedias humanas. Desde 1941 hasta 1943.
2. Cine de época. De 1944 hasta 1947.
3. Dramas humanos. De 1948 hasta 1951.

El film de María se encontraría, atendiendo a esta clasificación, en el último paquete.

Rafael Gil dijo que "Mare Nostrum", tiene una cierta "audacia sexual, sobre todo en las escenas en que él trata de seducirla y transcurre en un acuarium, con ellos mirando a los pulpos pelearse. Algunos periódicos de provincia decían que era pecado ir a ver esta película".

El anuario del cine español del año 1955, resume así el argumento: "Ulises Ferragut, conoce a una bellísima mujer, Freyra, y enamorado de ella, se somete a sus decisiones. Freyra pertenece a una amplia organización de espionaje. Al descubrir que ama deveras a Ulises, comprende que le es imposible abandonar esta actividad. Los dos ya eligieron su destino."

La película de Gil era la segunda versión de la novela de Blasco Ibáñez. En el año de 1926, se estrenó la norteamericana "Mare Nostrum": dirigida por Rex Ingram y fotografiada por John F. Seitz. El papel de Ulises Ferragut lo interpretaba Antonio Moreno y el de Freyra Talberg, Alice Terry.

Por entonces Blasco era, a juicio de Hollywood, uno de los más famosos escritores había ya hecho "Los cuatro jinetes del Apocalipsis" (1921) y "Sangre y arena" (1923), ambas con Rodolfo Valentino. Tiempo después Blasco viajó a Nueva York, para cobrar un cheque por medio millón de dólares, cantidad que jamás se había pagado a novelista alguno por el derecho a adaptar sus obras.

La revista *National Board of Review Magazine*, de marzo-abril de 1926, publicó una extensa crítica, en la que, entre otras cosas, se decía:

"No es nada nuevo reportar que Rex Ingram ha producido una bella película: esto lo esperaban sus múltiples admiradores, y él persiste en no decepcionarlos. El elemento de belleza es siempre la base de la excepcionalidad de sus películas. Esta belleza es de ambas maneras; gráfica y física. (Una rica corriente de movimientos frente a un escenario cuidadosamente escogido de esplendor escénico.) Habiendo ido a las ciudades del Mediterráneo para crear el contexto de su último film, ha regresado con los rollos de una película, bella y deliciosa. Su versión cinematográfica del 'Mare Nostrum', de Blasco Ibáñez, llena fotográficamente el ojo y de nuevo nos satisface darnos cuenta que el señor Ingram conoce cómo dirigir la cámara hacia su material escénico."

Un tipo de belleza femenina parecía ligarse, en la mente de nuestros abuelos, con las actividades de espionaje. Esta belleza tendría que ser: exótica, misteriosa, elegante, distante, fascinadora, traidora.

Todos estos atributos parecen recaer en una figura histórica que ya ha entrado en la mitología cinematográfica: Mata Hari. De alguna forma a las mentalidades del cine mexicano, la belleza de María la llevaba hacia ese supuesto mundo de la fascinación traidora: México quería tener su Mata Hari y quería que María lo fuera.

Otra singular belleza había caído en las mismas redes de la producción: en 1932 Greta Garbo, también misteriosa y altiva, hizo "Mata Hari", y cuando los italianos, en 1954, buscan el personaje que pueda encarnar a Mata Hari, encuentran a otra exótica y sugestiva figura: Ludmilla Tcherina. Con estos antecedentes era irremediable que María se hiciera espía.

Hubiera sido curioso hacer una encuesta entre productores y directores mexicanos de cine y preguntarles:

—¿Qué es para usted María Félix?

Sin duda muchos, impresionados por esa belleza distante, hubieran respondido que traidora.

Solamente para un personaje tan sorprendente como Emilio Fernández, María, en vez de espía, era soldadera.

De acuerdo con las características que describen a la espía perfecta desde el punto de vista cinematográfico se podría establecer una nómina breve, pero sumamente reveladora.

1. Greta Garbo.
2. Marlene Dietrich.
3. Joan Crawford.

Y en cuanto al cine mexicano la nómina era aún mucho más reducida: o María o nadie.

Estamos en la época romántica del espionaje que más tarde destruiría John Le Carré con sus novelas; la técnica de la espía "al viejo estilo" pasaba irremediablemente por la cama y entre las sábanas se iba entregando placer a cambio de los planos de la fortaleza. Sin embargo, la belleza de la espía parecía ser su mayor enemigo, ya que la denunciaba y la hacía muy visible. Greta, Marlene, Joan y María, hubieran sido malas espías en el mundo no fílmico, porque en su misma belleza llevaban ya el estigma del espionaje.

—María: ¿Usted hubiera entregado su cuerpo a cambio de un secreto militar esencial para su patria?

—Otros dan la vida. ¿Qué es más importante?

—Visto así. . .

—Pues sí.

La película recibió en España varios premios: al mejor director, al mejor actor masculino (Fernando Rey) y también una mención especial a Suevia Films; sin embargo no gustó al gran público. En una crónica madrileña firmada por Enrique Riera se afirmaba: "es una película española más, que defraudará al público mexicano si se la presentan como una obra maestra".

Como María tenía que interpretar unas canciones, se llamó a Ana María González, otra mexicana: se trataba de que tuviera el mismo acento que la "Doña".

La crítica de México la recibió fríamente, se expuso como un grave error el hecho de que la historia, en el original litarario desarrollada en la guerra de 1914 a 1918, hubiera pasado a escenificarse en la última guerra mundial. "Esto es una mistificación profunda, atrevida e injustificada."

María, como siempre, recibió piropos en vez de una crítica seria.

"Esplendorosa; su voz es un arrullo."

Se estrenó frente a uno de los mayores éxitos que jamás haya tenido el cine español en México, "Locura de amor".

En los cuatro primeros días de su exhibición, ingresaron en el cine Orfeón más de 55 mil pesos, contra los 45 mil que capturaba "Locura de amor", ya con mucho tiempo en la cartelera.

El estreno fue el día de viernes santo y para el 19 de mayo ya se exhibía en el mismo cine la película "El dolor de los hijos".

Posiblemente el film no fue un buen negocio, ya que se habían invertido fuertes sumas y las cámaras habían rodado, con María y Rey, escenas en diversos lugares de Italia. María viajaba con un auténtico séquito, en el que incluía al comediógrafo Luis G. Basurto, al modista Armando Valdez Peza y a su propio hijo. En Roma el Papa recibió a María y en Nápoles, según las agencias de noticias, las autoridades pidieron a María que no saliera a la calle en horas de gran tránsito, ya que su belleza interrumpía la circulación.

Este viaje triunfal, que es recogido puntualmente por todos los diarios y revistas españolas, es empañado por la violenta sinceridad de Valdez Peza, quien escribe una serie de artículos que hieren el orgullo hispano. Entre otras cosas afirma que Valencia es una ciudad horrorosa y dice que Agustín Lara mejor se hubiera informado bien antes de dedicarle una canción. Otra de sus críticas va dirigida hacia las mujeres de España que "visten detestablemente". Asegura, también, que la moda que se sigue en la península es ridícula. Todas estas afirmaciones tajantes se reproducen en el periódico madrileño *Pueblo* y la respuesta es aún más desprovista de elegancia. Valdez Peza es denunciado como un ser social e intelectualmente nefasto y se exhiben sus preferencias sexuales como viciosas.

María decide cortar por lo sano, y se separa de su impresionante séquito de escritores, modistas, sirvientas e hijo, abandonando Italia en avión, y dejando que la comitiva siga su viaje en automóvil.

Por aquella época yo escribí una crónica sobre este viaje y comenté las intenciones de Agustín Lara que pretendía bañar a María Félix "con vinillo de jerez". A mi juicio este baño podía, de ser aprovechado por el cine, tener aún más significación y producir más escándalo que otros baños célebres. Recordaba "Saturday Night", de Cecil B. de Mille, cuando el director hizo bailar a varias parejas dentro de una alberca lo que acaso hubiera podido ser un tango (1922). Mencioné, el baño de "El signo de la Cruz", (1934), cuando Claudette Colbert entra en un estanque lleno de leche de burra. En esa secuencia se ve cómo un gatito, al borde de la piscina, lame la leche golosamente. Decía yo, entonces, que si María se bañara en vinillo de jerez, alrededor de la alberca tendríamos, ya no gatos, sino verdaderas legiones de entusiastas de María y del vino.

Este comentario burlón tuvo una respuesta seria por parte de un censor provinciano español, quien juzgó que la escena sugerida "podía ser posible en otro país en donde el vino y el respeto a la mujer no fueran bases esenciales de nuestra cultura".

De cualquier forma, en aquellos días era más que probable que se pudiera "alfombrar con claveles la Gran Vía" que mostrar a una señora en el baño. En esto las gentes de Franco no gastaban bromas.

El éxito de María entre los españoles venía dado, también, por una indudable popularidad de los films mexicanos en España. Durante el año 1948 se estrenaron en Madrid 157 films de los Estados Unidos y 44 mexicanos. México era el segundo país en cuanto a importación cinematográfica; lo seguían Italia (21 películas) y Francia (15 films). De la misma hornada son: las películas españolas "Locura de Amor", "Botón de ancla", "Don Quijote de la Mancha", "La calle sin sol", "Las aguas bajan negras" y "En un rincón de España".

Año 1948. *Mare Nostrum*.
María se internacionaliza. Con
ella, Fernando Rey.

El film se rodó en España e Italia.

Cuando la revista *Reseña*, en el año 1976, pregunta a cincuenta y cuatro críticos de cine españoles sobre los mejores films en toda la historia del país, el director Rafel Gil no aparece entre los primeros quince seleccionados. La mejor película, según ese escrutinio, era "El verdugo", de Berlanga, y la seguían "El espíritu de la colmena", de Erice; "Bienvenido Mister Marshall", también de Berlanga y "Furtivos", de Boraul.

En quinto lugar quedó "Viridiana", de Buñuel, y en el octavo "Tristana", también de Luis Buñuel.

En marzo de 1968, Luis Terán, en *El Heraldo*, sección cultural, recuerda regocijado este film:

"El superhuracán que la famosa señora de Sonora llevaba dentro no se podía contentar con sentarse sobre el Iztaccíhuatl, apoyar los codos en el Popo y dedicar su tiempo a las cuatro paredes latinoamericanas. Todo lo contrario; María Félix voló a Europa y se apoderó, primero, del cine español. Su primer film, "Mare Nostrum", interpretó a una especie de Mata Hari. Los momentos finales de la película enloquecieron a los espectadores: antes de que la espía sea fusilada, los carceleros le pregunta cuál es su última voluntad. María Félix responde: ¡Que me traigan mis joyas y mi espejo! Más tarde, los soldados están a punto de presentar armas, un militar trata de ponerle una venda en los ojos, pero ella no accede, va hacia la playa y dice: "Nada de eso, quiero ver el mar."

La reciente moda de las figuras españolas de narrar su intimidad a cambio de un importante contrato con una de las llamadas "revistas del corazón", ha permitido que se conozca una aventura de María, que fue escrita, con todo desparpajo, por su pareja amorosa y circunstancial.

Cuando la Doña llega al aeropuerto de Madrid, contratada por Cesáreo González, le presentan al torero Luis Miguel Dominguín, quien sólo tiene veintitrés años.

Luis Miguel Gonzáles Lucas, "Dominguín", había comenzado a torear a los quince años y era por entonces una figura mundialmente famosa. Personaje desafiante y provocativo, se encuentra con una "Doña" que finge ignorar de quién se trata. Dominguín había tomado actitudes muy violentas en contra de la torería mexicana y se le consideraba un enemigo de México. Poco después vuelven a verse y antes de darle la mano, Dominguín le preguntó a María:

—Ante todo quiero saber si nos conocemos o no nos conocemos.

Esa misma noche María lo invita a su hotel (según la versión del torero) y "pidió que le sirvieran caviar, pollo, champaña francés y otras cosas que para mí eran todavía de cine. Allí permanecimos durante muchas horas".

Y el torero acude a una imagen histórica para narrar este amor fulminante:

—Ella y yo revivimos en Madrid el romance de Hernán Cortés y la Malinche.

Después viajaron a París y María pagó todos los gastos, pero Luis Miguel, más tarde, le devolvió el dinero. El torero estaba muy impresionado ante la forma de comportarse de la mexicana, que llegaba a un cabaret, pedía una botella de champaña, probaba un sorbo y decidía marcharse a otro lugar.

—Todo aquello parecía un despilfarro.

Dominguín llega a México, a torear, por vez primera en diciembre de 1952.

167

El día 12 triunfa clamorosamente y devuelve los agasajos postineros de Maria, brindándole un toro.

Hay que suponer que la "Doña", tan cuidadosa de su vida personal, no adivinó jamás que esta aventura llegaría a narrarse en una revista para señoras ansiosas de detalles sórdidos y que su enamorado exhibiría los días de pasión como un triunfo personal, comparable al que conseguía por entonces en las plazas de toros.

En 1956, el crítico Carlos Fernández Cuenca publica en una separata sus trabajos sobre Rafael Gil y dice de "Mare Nostrum" que el film "resultó excelente, incluso cuando el director queda un tanto sometido a la actuación de la estrella".

Álvaro Custodio, en *Excélsior* (abril, 1949), dijo que "la labor de Rafael Gil es la de un verdadero técnico que sabe resolver problemas hasta ahora lejos de las posibilidades del cine español". No todas las reseñas, por lo tanto, son negativas.

Algo es algo, pensó sin duda María, que iniciaba su andadura española.

El autor, director y actor Luis G. Basurto, un hombre de gran estatura al que María llamó siempre "un alto en mi camino", recuerda su relación con la estrella a partir de este año.

—Yo no conocía a María Félix, pero coincidimos en un viaje a España, ella iba a hacer su película, y por alguna razón durante el vuelo se terminó la comida. Yo saqué una caja de dulces de Celaya, y los iba comiendo, cuando se acercó a mi Valdez Peza a decirme que María estaba hambrienta y que si le regalaba algunos dulces. Aquí comenzó nuestra amistad. Mi viaje a Madrid era para conseguir que doña Virginia Fábregas, que estaba en México, volviera a actuar en Madrid. María y yo nos hicimos amigos y la acompañé durante viajes y viví algunos de sus momentos más característicos. Una vez fuimos a la joyería Aldao, de Madrid; venía con nosotros Valdez Peza. Un joyero quiso enseñarle a María un collar extraordinario, pero que ya tenía vendido. Nos dijo que lo iba a comprar la esposa del general Franco para regalárselo a Eva Duarte de Perón. María se quedó asombrada. Era un collar con calabacillos de perlas, brillantes y esmeraldas. Algo sumamente caro y muy espectacular. María dijo que lo compraba de inmediato. El joyero insistió en que era para la señora de Franco. María se estaba encaprichando y no cejaba. De pronto me dijo que buscara un taxi y la esperara dentro del auto. Lo hice y la vi salir corriendo, con el estuche en la mano. Escapamos hasta el Hotel Palace y allí María se encerró en la habitación y se negó a tomar el teléfono, hasta que llegó Cesáreo González. El productor de cine estaba asustado y quería que ella devolviera la joya. María le dijo que él tenía que pagarla y que ella le devolvería el dinero trabajando en sus películas. Convenció a Cesáreo y éste llamó a Aldao y se pusieron de acuerdo. Sé que María pagó el collar totalmente; incluso entregó otro suyo, de brillantes, como parte del pago. Yo con estas cosas me divertía mucho. María fue siempre, y me consta, muy generosa. Al chofer que tenía en Madrid, un gran tipo llamado Félix, le regaló el auto que ella había comprado. Lo regaló al abandonar España. También hizo regalos a las sirvientas y a sus ayudantes en los estudios.

Por cierto que estoy seguro de que María no tuvo romances durante su estancia en España; se dedicó al trabajo y a divertirse con los amigos suyos, entre los que estaban Cesáreo, Fernando Rey, Mihura, Goyanes y algunos más. Ella insistía en hacerme custodio de un pequeño maletín al que llamaba el ''niño''. Dentro del ''niño'' iban sus joyas. Con el paso de los meses tuvo que ir comprando maletines mayores, porque el ''niño'' iba creciendo. Supongo que ahora el ''niño'' será un baúl. Viví con María otro momento muy singular. Junto con Amparo Rivelles, Valdez Peza y Cesáreo González, entrábamos en el cabaret Villa Fontana, de Madrid, cuando Ana María González comenzó a cantar un chotís. María, que había oído hablar de ''Madrid'', que sabía que Agustín Lara se lo había dedicado, pero que nunca lo había escuchado a una cantante, se quedó inmóvil. Me apretó con fuerza el brazo y parecía muy impresionada. Ana María González cantaba eso de ''cuando vengas a Madrid, chulona mía''. Todos estábamos, también, muy emocionados. Entonces María tuvo uno de sus gestos de energía, y comenzó a caminar la primera hacia la mesa que nos habían señalado. Fue un momento muy emotivo.

EL AÑO DE LA TEMPESTAD

19. *Una mujer cualquiera*. 1949

> Mis enemigos son muchos y malos;
> mis amigos pocos y buenos.
> MARÍA FÉLIX.

El año 1949 le estalla en las manos a María, una serie de acontecimientos (broncas, exaltaciones de su figura, críticas brutales), la mantiene en el centro del huracán.

Es el año en que muere la poetisa Rebeca Uribe, su íntima amiga. En el mes de marzo, los miembros de la Academia celebran en el cabaret El Patio la fiesta de entrega anual de los Arieles. Cuando el jurado anuncia que el premio para la mejor actriz ha sido concedido a María, se produce un escándalo enorme. Una de las candidatas al premio era la actriz Estela Pavón y justamente es ella la que sube al estrado a recoger la estatua en nombre de María.

Esto convierte la situación en candente; mientras ovacionan a Estela, silban y patean a la ausente María.

Estela Pavón va hacia las cámaras de los noticiarios y dice que "no sabe qué hacer con el premio de mi compañera".

Efraín Huerta lucha entre su amor por María y su amor por el cine y decide cargar toda la culpa a los académicos que no son tales, sino "academonios o academentes".

El "Indio" adopta una actitud elegante: "El público mexicano ha sido muy cruel con María."

Ella llega a México en abril y dice que encontró la estatua del Ariel en su casa. "Me alegré mucho al verla. Digan lo que digan."

La bien exhibida indiferencia de la estrella por quienes la critican se articula en una constante exhibición de su persona rodeada de gentes importantes. Se exhibe con Diego Rivera en cabarets y en fiestas íntimas y aparecen junto a Salvador Novo en estrenos teatrales.

Diego presenta una gran exposición de su obra, y entre los cuadros, que corresponden a muy diferentes épocas de su vida, se muestra el retrato de María. De nuevo estalla la polémica, ya que para algunos es lo peor que ha pintado. Huerta afirma que el rostro de la estrella resulta, en el lienzo, "publicitariamente espiritual", y dice que el cuadro bien lo hubiera podido patrocinar una fábrica de llantas de automóvil.

Diego responde: "El poder magnólico que María tiene despierta todos estos ataques. Quienes le envían cientos de cartas declarándole su amor, se vuelven agresivos, por impotencia. Es María un ser monstruosamente perfecto. Se necesita un gran esfuerzo de la naturaleza para lograr un ejemplar así."

El cuadro se convierte, por sí mismo, en otro escándalo más. Diego ha pintado a la sonorense vestida con un traje transparente, sin hombros y se advierte que las piernas están desnudas bajo el tul y que no lleva ropa interior. María protesta, porque los pezones son demasiado visibles y Diego ha de retocar el inmenso cuadro. Por regla general los retratos de Diego no son afortunados; éste es especialmente malo. La carne tiene una calidad de materia plástica y María se ha convertido en una figura para anunciar cosméticos.

Rivera ha escrito, según era su costumbre, una dedicatoria en la parte inferior derecha del lienzo: "Se pintó esta imagen en homenaje de admiración, de respeto y de amor a María de los Ángeles Félix, la que México dio al mundo para llenarlo de luz."

El retrato no satisface ni a la propia María, que termina por venderlo más tarde. Diego Rivera parecía haber puesto de acuerdo a todos en cuanto a su falta de acierto al retratar a la estrella. Pero esto no impide al pintor seguir admirando fervorosamente a María. Ella misma cuenta que una vez lo llamó por teléfono:

—¿Cómo te va, ateo?

Y Rivera respondió:

—Ya no soy ateo. Ahora tengo una diosa.

Los admiradores de María habían llegado ya a extremos de lirismo tal que convertirla en diosa no era nada que pudiera extrañar a la actriz. En un artículo firmado por Ricardo Cortés Tamayo se dice:

"Ella es la poesía. Los machos de sacristía, los fariseos por antonomasia, la atacan para calentamiento de su miedo. Pero tuvieron que acatarla bajo las enfebrecidas techumbres del gótico medioevo, insuficientes para oírla cantar."

A pesar de que el cantar de María "no va muy lejos", como afirmó el propio Lara, ya había quienes la escuchaban con voz de ángel.

El divorcio de la actriz y del músico sigue siendo motivo de nuevos comentarios. El narrador Edmundo Valadés piensa que la culpa del fracaso matrimonial la ha tenido, justamente, la gente, los que los rodean, los que los juzgan, los que los fiscalizan.

"La curiosidad pública va a seguirlos hasta orillarlos al divorcio. Una curiosidad pública que husmeaba sus vidas privadas y que se volverá contra ellos en sátiras mordaces, historias, rumores terribles, que son, también terribles tempestades." Y añade, consternado: "Lo que se dijo en este país de María cuando decidió divorciarse es impublicable."

En el mes de junio se presenta en el Festival Cinematográfico de Marianske, Checoslovaquia, el film "Maclovia" y todos cuantos lo habían criticado furiosamente, se vuelven a escandalizar. "Estamos enviando al extranjero lo peor." Y a pesar de todo esto, **María no sólo resiste, sino que se muestra más vigorosa aún.**

"Ella es la poesía".

El rumor la rodeó
en España.

Una corte de intelectuales la rodea y la protege de "los idiotas". Cuando una tarde María vuelve en su automóvil de Guadalajara, casi choca con una vaca tumbada en la carretera. Ella llama al poeta Renato Leduc y le dice que estuvo a punto de chocar "con una vaca sentada".

—Las vacas no se sientan, María.

—¡Eso lo dirá usted! La que yo vi estaba sentada y mirándome de frente.

Renato escribe un poema a "La vaca sentada".

SE EXPLICA A MARÍA
LA CONDICIÓN DE UNA VACA SENTADA

MARÍA: Las vacas sentadas
son vacas que hablan inglés
aunque usted las haya visto
—las ubres desparramadas—
mugiendo y dándose pisto en
Guadalajara. . . pues.

Explíqueme usted, María
si la vaca susodicha
cruzando estaba la pierna
honestamente, o tenía
ese impudor que delata
al casto perro-salchicha.

¿La vaca llevaba anteojos
montados en la nariz
y los belfos exhibía
más bien exangües que rojos. . .?
Pues en tal caso sería
una vaca institutriz.

Aunque se encuentre ocupada
la vaca sentada es
por definición, vacante.
Toda persona sentada
es sedente o sedante.
Según sea dama o sea res.

Mugiendo van por lo bajo
—ojo al parche y cuerno gacho—
Las vacas por la pradera.
Y cual peones a destajo
devoran la carretera
como andaluz el gazpacho.

Las vacas se dicen cosas
—chismes de establo y ordeña—

173

por las noches y en secreto.
Por tal razón, perezosas,
siéntanse a modo de reto
cuando les hace uno seña. . .

Por eso tal vez, María,
vio usted sentada a la vaca
O a lo mejor estaría
pues estaría haciendo caca.

El último verso le pareció a María una provocación, naturalmente. Había dejado María terminada ya en Madrid la película "Una mujer cualquiera", y también un clima agradable a su alrededor. Durante los días de la Navidad en que había tenido que trabajar en los estudios, tuvo gestos de compañerismo con todo el mundo y hasta hizo repartir diez mil pesetas entre los trabajadores del equipo, como regalo de Nochebuena. Los españoles reciben con frases amables la película: "Se ve nuestro Madrid, el Madrid que cantó Agustín Lara."

Y en México se advierte la renovada tendencia del público a identificarla con sus más siniestros personajes.

Edmundo Valadés señala: "El público intenta hacer de la María Félix real, de la que poco o nada se sabe, una mujer con la misma psicología, la misma maldad, con la misma vida de la que aparece en la pantalla."

Los productores temían, en España, que la censura cortara varias escenas pero no fue así. El director, Rafael Gil, confesó más tarde:

"Sinceramente mis relaciones con la censura no han sido nunca dramáticas. Se da el caso curioso de que los ataques más graves los he padecido por partes de las censuras no oficiales."

El argumento había sido escrito por un humorista español con gran prestigio: Miguel Mihura, quien habría, años después, de colaborar con Bardem y Berlanga en una película histórica: "¡Bienvenido mister Marshall!" (1952).

Mihura quedó satisfecho con el argumento desarrollado en "Una mujer cualquiera", y poco después la convirtió en obra de teatro, cosa no habitual, ya que el procedimiento suele ser el contrario.

La productora Suevia Films-Cesáreo González reparte una sinopsis del argumento:

"Una mujer abandonada por su marido y que no encuentra ayuda leal y desinteresada conoce a un joven que la mezcla, intencionadamente, en el asesinato de un hombre dedicado a los negocios ilícitos. La mujer, al darse cuenta, huye; pero pronto se entera de que la policía sigue su pista, pues el asesino cuidó de dejar por todas partes huellas que la acusan. La casualidad enfrenta a la mujer con el delincuente y éste, para evitar que lo denuncie, se finge enamorado y le propone huir juntos. Cuando ella descubre la maniobra lo mata y luego se entrega a la policía."

Algunos críticos se escandalizaron. José Luis Gómez Tello, en la revista madrileña *Primer plano*, señala:

"Es una película de concepción audaz entre nosotros, de esa audacia que va siendo habitual fuera."

El mismo crítico censura el hecho de que María hubiera impuesto cambios al guión para darle más brillo a su personaje y de alguna forma señala como responsable al modista Valdez Peza, ya que afirma que la "afición de la estrella mexicana a lucir trajes y sombreros despampanantes perjudica algunas escenas". Por lo que se sabe, María había conseguido del productor Cesáreo González el derecho a corregir los guiones de sus films. Y usaba este derecho sin escrúpulos. En cuanto al derroche de sombreros era, por entonces, la marca de fábrica de la "Doña."

Y MARÍA VISITÓ EL PAÍS DE SUEVIA

20. *La noche del sábado*. 1950

Hablaba para mí solo, milord.
Los artistas tenemos esa costumbre.
LEONARDO.

Cuando don Jacinto Benavente escribió "La noche del sábado", tenía conciencia de que gran parte de lo que sus personajes narraban en escena no podría ser visto por los espectadores. Éstos, a su vez, aceptaban que jamás podrían contemplar, por ejemplo, los siete elefantes bailarines, de los que se hablaba con elogio.

Pero al llevar al cine la historia teatral, cabría pedir que hasta los siete elefantes bailarines estuvieran presentes. Y lo cierto es que gran parte de las imágenes mencionadas volverían a quedar en la pura narración de los actores. El cine, en estos casos, se resiste de lo que en el teatro se consiente.

El personaje llamado Leonardo dice:

—Hablaba para mí solo, milord. Los artistas tenemos esa costumbre.

Los artistas que hubieran acudido al teatro acaso se sorprendieran en que en su nombre se hicieran estas declaraciones. Otro personaje, Lord Reymour, respondía: "Mala costumbre".

Y yo diría que peor costumbre es que en "La noche del sábado" todos los actores hablen para el espectador.

Don Jacinto, para no tener problemas patrióticos, se inventó un país llamado Suevia, en el cual los príncipes conviven con los titiriteros y los domadores de fieras.

En Suevia acaba de nacer un heredero y el Príncipe Florencio, que parecía destinado a ocupar el trono, ofrece una fiesta para celebrar el hecho de que un trono se le ha escapado de las manos. El príncipe afirma que con esto podrá seguir disfrutando de "su libertad".

Pero durante la fiesta el príncipe es asesinado y la bella Imperia lleva el cadáver hasta su casa y convence a la policía de que lo mejor es asegurar que se ha suicidado.

Imperia tiene una hija que vive con un chulo. La hija termina suicidándose.

En fin, los acontecimientos se suceden de forma bastante desordenada y hay tarantelas, hijas perdidas, personajes exóticos y llenos de misterio.

Sin duda al director Rafael Gil, este mundo benaventiano lo atrajo suficiente como para crear una película que hubiera podido ser cálida y pintoresca, pero que no lo fue.

El propio Rafael Gil se quejó más tarde.

"'La noche del sábado', creo que es una de mis películas más cuidadas, junto con 'El Gran Galeoto', pero no son de las más logradas. Resultaban frías."

La frialdad es un veneno para las noches del sábado, efectivamente.

Acaso al director le atrajo, también, la frase final de la obra:

Imperia: "Para realizar algo grande en la vida hay que destruir la realidad; apartar sus fantasmas que nos cierran el paso; seguir, como única realidad, el camino de nuestros sueños hacia lo ideal, donde vuelan las almas en su noche del sábado, unas hacia el mal, para perderse en él como espíritus de las tinieblas; otras hacia el bien, para vivir eternamente como espíritus de luz y de amor."

Imperia es un personaje estupendo para María; amor de reyes, madre de una hija escondida, aventurera que oculta asesinatos, relacionada con un circo en el que trabajan siete elefantes indios, y capaz de resumir su vida en este colorido relato:

"Mi padre tenía una barraca a orillas del río, medio hostería, medio teatro. Nos necesitaba a todos; por el día servíamos de modelos; por la noche bailábamos tarantelas en el barracón, y cantábamos canciones napolitanas. Leonardo tuvo que dar quinientas liras a mi padre para que me dejara ir a vivir con él."

Y todo esto dicho con un vestido deslumbrante y unas joyas que no pueden pasar, jamás, por falsas.

"La noche del sábado" es un curioso ejemplo de teatro manipulado y superficial, en el que las frases sorprenden y engañan a la audiencia; en este caso "La noche del sábado" sirvió por lo que tenía de espectáculo descrito entre líneas. Cuando don Jacinto prefirió denominar a la obra "novela escénica" sabía lo que se decía: en la novela estaba todo y en la escena un eco de la aventura.

Algunos de los personajes de Benavente tienen la obligación de comportarse como símbolos, así ocurre con el artista llamado Bernardo, quien un día quiso hacer una escultura grandiosa con un inmenso bloque de mármol y terminó destruyéndolo en pedazos y haciendo con cada uno de ellos una figurilla graciosa.

La obra tuvo un gran éxito en la época de su estreno en España, sobre todo por lo que siempre se esperaba del autor; diálogos brillantes e intencionados y un mundo sugestivo.

Vista ahora, el espéctaculo parece sobrecargado de parrafadas y sólo se salvan los personajes secundarios del circo, dibujados brevemente a través de diálogos directos y expresivos.

Se me dijo, en Madrid, que cuando Rafael Gil presentó el proyecto de esta película, algún aficionado a la censura le preguntó:

—En la obra del teatro el Príncipe afirma que arroja monedas a los mendigos en la morgue, para que éstos las busquen entre los cadáveres. Y algunas veces las monedas caían sobre las heridas abiertas de los muertos. Y ahí las buscaban los mendigos. ¿Todo eso se va a ver en la película?

Y parece ser que Rafael Gil respondió:

—Eso ni se va a contar.

Efectivamente el personaje de Imperia parecía ideal para María Félix, pero hubiera sido necesario transformar la obra de teatro y convertirla en una película valiente y enloquecida.

El país de Suevia, a donde enviaron ahora a María resultó prometer mucho y quedarse en la superficie.

Los críticos españoles señalaron, sobre todo, la "fastuosidad" de la producción.

"La noche del sábado" va a estrenarse cuando se abre una de las más obtusas épocas del franquismo. Román Gubern y Domenech Font titulan este capítulo del cine español como "la tenebrosa era de Arias Salgado" (1951-1962).

María, prudentemente, abandona España por Italia y se dispone a continuar con lo que alguien llamó "su educación europea".

De Arias Salgado, nombrado por Franco Ministro de Información y Turismo, cabe decir que entendía el cine como una forma de "conseguir almas para el cielo". Según el ministro, el séptimo cielo estaba despoblado de españoles antes de su vigorosa forma de censurar, cortar y transformar películas.

Fernando Vizcaíno Casas, nostálgico cronista de la época, señala con cautela lo que fue motivo de escándalo a media voz: "Nuevamente se habló de romance entre la Félix y Cesáreo González y yo no sé qué habría de verdad en ello. Porque en aquellos tiempos semejantes historias se contaban por lo bajini y jamás ocupaban las primeras páginas de las revistas. Pero ciertamente él llevó con decorosa discreción el rumor sin jamás desmentirlo del todo."

María, por su parte, nunca "lo aceptó del todo". Otra forma de "discreción decorosa".

MARÍA BAJA AL INFIERNO
DE COCTEAU

21. *La corona negra*. 1951

> Están llevando una historia mía al cine. La hacen, en
> África, un argentino, una mexicana, unos españoles y
> algunos franceses. Supongo que eso es el cine.
> JEAN COCTEAU.

Todo hace suponer que la participación de Jean Cocteau en esta película fue muy reducida. El crítico Emilio Saez de Soto supone que se limitó a narrar un argumento o, acaso, a entregar un par de cuartillas con una sinopsis. De otra forma no se explica que la historia de ''La corona negra'' no aparezca entre sus materiales literarios. Por lo pronto, el nombre de Cocteau daba un prestigio inicial al film. El poeta francés había dirigido en 1930 ''La sangre de un poeta'', su primera película, e iría a estrenar su último film en 1960: ''El testamento de Orfeo''. Moriría en 1963. Pensaba Jean Cocteau que la inspiración de un poeta nace del fondo misterioso y negro que es la noche que nos habita. ''Allí es donde se esconde lo poético.''

La revista madrileña *Primer Plano* resumió así el argumento: ''Es un relato policiaco localizado en Tánger, ciudad donde el ingeniero Andrés encuentra a una mujer misteriosa llamada Mara, que ha perdido la memoria. En su delirio esa desconocida va descubriendo, poco a poco, su pasado y el origen de una llave que conserva y que corresponde a un panteón en donde ocultó un cofre con brillantes.''

Para Saez de Soto, con el que hablé largamente de la película, estamos ante una obra misteriosa, sugestiva y muy bien ambientada.

—Yo soy de Tánger y me impresionó mucho la fuerza evocadora del film.

Estábamos de acuerdo ambos en que la película mantiene un curioso misterio y capacidad de sugestión que no sólo se debe a su anécdota, sino al ambiente creado por el director. De cualquier forma se diría que la obra se queda en una serie de instantes sorprendentes y que su creador no consigue redondearla y darle suficiente consistencia como para convertirla en una película memorable.

Frente a cierta indiferencia, conseguida sobre todo en el Festival de Venecia a donde fue enviada el año 1951, se elevaron los elogios de algunos críticos.

Pierre Boulanger, en su libro *Le cinéma colonial* (Seghers, 1975), afirma:

''Uno de los films más originales, teniendo por escenario a Tánger, es uno de los menos conocidos: 'La corona negra', 1952, del español Luis Saslavsky, en el cual el argumento ha sido escrito por Jean Cocteau. Esta vez no es cuestión de espías ni de traficantes, pero sí de una mujer que asesina a su marido millonario. Ella pierde la memoria y anda errante y medio loca por las calles de la kasbah, siendo recogida por un joven ingeniero. Su amante de otro tiempo la vuelve a encontrar, la secuestra y ella acaba por matar, durante una discusión, al único hombre que había amado. Todos los detalles del drama obsesionan a la heroína, pero sólo son conocidos del espectador de forma progresiva. Los retornos narrativos están llevados a cabo de forma tan bien hecha y con tanta precisión como los de "Jous se léve". Uno reconoce, sin gran esfuerzo, la fuerte personalidad de Cocteau en este género y la huella de los cuerpos sumidos, y los brazos que se balancean blandamente bajo un sol de fuego en un clima quizá demasiado señalado, en un canto venenoso y extraño. Es acertada la introducción de elementos inquietantes como son la bruja, el espejo roto, un repugnante baile de muertos que cargan coronas negras, el cementerio de luz blanca y cegadora, en donde una mujer vestida de duelo, se esfuerza por escapar de un personaje de pesadilla. 'La corona negra' mantiene una atmósfera angustiosa, con situaciones insólitas; es un film dotado de una fotografía memorable que provoca una fuerte impresión de luz y de calor. María Félix, Gassmann y el enano Pieral, se reparten los principales papeles."

Otros críticos parecieron menos convencidos o más desconcertados. Fernando Méndez-Leite, un historiador español, señala que los diálogos son de Miguel Mihura y que se trata de ". . .un tema de misterio y realismo. Detrás del cristal transparente de la vida se siente agitarse las potencias del más allá, del destino, de una justicia implacable de la muerte soberana e imprevisible. El sentido de la tragedia, que por ser de Cocteau, en forma destacada resalta con luz propia la atrevida realización. Intervienen elementos españoles, argentinos, mexicanos, italianos y franceses. Valentín Javier y Ballesteros, hábiles técnicos de la cámara, captan la difícil luz de Marruecos, donde transcurre la acción. La música de Quintero subraya las movidas secuencias del sombrío relato. María Félix, en el papel estelar, resulta demasiado hierática en la mayoría de sus intervenciones. (. . .) La escenografía de Alarcón asimila perfectamente los requisitos ambientales. Nada ha escatimado Saslavsky para lograr un film decoroso, atendiendo con el mayor entusiasmo a las difíciles tareas de la plasmación. Difícil labor de la que ha salido airoso."

Esta crónica, ambigua, da un ejemplo del desconcierto de algunos de los observadores; pero otros parecen haber visto una película diferente. El crítico Lo Duca, en *Cahiers du cinéma*, ataca furiosamente el film.

"La película española de Luis Saslavsky, 'Corona negra', sobre argumento de Jean Cocteau, con María Félix, Vittorio Gassmann, Pieral y el peor de los actores de la pantalla, Rossano Brazzi, está revestida de todo un abecedario surrealista elemental. Es un increíble melodrama que tendrá su público, no lo dudo, sin contar a los adolescentes que descubrirán los mitos ya usados y en donde la fe es capaz de inventar de nuevo el caballo."

—Lo Duca no tiene razón —me decía Emilio Saez de Soto—. Es una película excepcional y yo pienso que algún día se le hará justicia.

María a la sombra de Jean Cocteau.

Por su parte María conoció y trató a Jean Cocteau y no parecía demasiado impresionada por su fama y prestigio.

—Me dijo que yo era una loca que se creía María Félix. Pero ocurre que pocos días antes yo le había oído decir que Víctor Hugo era un loco que se creía Víctor Hugo. Se repite mucho Jean Cocteau. Se plagia a sí mismo. El otro día fui a la Plaza Royale, en donde vive. También vive ahí Colette, una viejecita encantadora. La verdad es que Jean me divierte. Además, todo tengo que decirlo, aprendo mucho.

Parece que Cocteau contemplaba a María "como a una estatua".

—Es tan bella, que hace daño.

En una ocasión dijo que le hubiera gustado dirigirla en un film. Ella jugaba con la idea, pero ese casi-proyecto no se convirtió en una idea clara, lamentablemente, ya que hubiera sido un espectáculo insólito y bello conjuntar al poeta con la Doña.

La película se estrenó en Madrid, en el mes de septiembre de 1951, al inicio de la temporada. No obtuvo un gran éxito, pero no pasó desapercibida. El director, Luis Saslavsky es un argentino considerado en su tierra como un esteticista y entusiasta de un "cine maduro, internacional y bello". Saslavsky había hecho en el año 1945 una película sobre un tema del matrimonio María Teresa de León y Rafael Alberti. "La dama duende" fue prohibida en España ya que se vio en ella un homenaje al exilio español de 1939.

La filmografía de Saslavsky es muy amplia; incluye un film argentino con Dolores del Río, sobre un tema de Oscar Wilde ("Historia de una mala mujer", basada en *El abanico de Lady Windermere*.) En el año 1950, como tantos otros, este director abandona la Argentina y se instala en España.

Con la película "La corona negra" se enfrenta a uno de sus más importantes proyectos.

Para María la experiencia fue buena, de nuevo se vio rodeada de actores famosos y conoció un ambiente fascinante: Marruecos. Como le ocurría constantemente, de esta película obtuvo nuevos materiales para su propia ornamentación. Turbantes, chilabas, collares entraron en su guardarropa y apoyaron su imagen de mujer cosmopolita; imagen tan ansiada.

También sus ideas e incluso su vocabulario ganó en imágenes sorprendentes. A partir de aquí hablará de sus fantasmas y del mundo oscuro, de los sueños tenaces y de los que duermen en los panteones pero no descansan. Jean Cocteau, al igual que sus otros amigos intelectuales, va a dejarle una herencia que ella no rechaza, sino que asimila.

Y mientras María lleva adelante su campaña de internacionalización, el cine en México da ya muestras de la crisis que va a afligirle muy pronto. En 1950 los ingresos por taquilla en todo el país fueron de 951 millones de pesos, pero el sesenta y cuatro por ciento de las exhibiciones totales corresponde a películas extranjeras. Los films mexicanos ocuparon el treinta y seis por ciento del tiempo en pantalla.

En los años siguientes las películas nacionales ganarían algo, pero en cambio la asistencia del público comenzaría a bajar muy sensiblemente. (En 1960, la proporción sería del sesenta y el cuarenta por ciento, respectivamente, pero de cuarenta millones de asistencia se bajaría a tres millones y medio.)

Por otra parte hasta 1956 se haría la mitad de la producción en color y sólo hasta 1966 se dejarían de hacer películas en blanco y negro.

En 1950 se estrenaron 228 películas norteamericanas, 23 francesas, 13 italianas, 7 españolas y 7 inglesas.

El cine mexicano produjo ese año 104 películas.

María parece conjuntar con su plan de internacionalización, un cierto afán de venganza y desquite. Atacada, regateados sus premios, sometida a censuras y opiniones menores, estará fuera del país desde 1948 hasta 1952, aun cuando volverá a casa en viajes algunas veces escandalosos. Pero sus próximas siete películas estarán hechas, a partir del año señalado, en España, Francia, Italia y Argentina.

¿Su ausencia redujo la capacidad de seducción del cine mexicano?

Esta pregunta aún puede seguir creando polémicas entre productores nacionales; a mi juicio su falta se notó de forma muy sensible. La "Doña" era no sólo un importante atractivo en taquilla, sino también un símbolo de prestigio para un cine falto de grandes figuras. Que María acudiera a colaborar con otras cinematografías, aun cuando fuera en calidad de coproducción aparente, restaba dinero al cine mexicano y también un fragmento de su ya muy limitada gloria.

Parece que estando en Madrid, durante una fiesta en aquel bar Chicote tan cantado por los cronistas del régimen español como por los turistas extranjeros, María brindó con una copa y algo de sarcasmo:

—¡Ya no me tienen! ¡Que se busquen otra!

Y lo cierto es que la "otra" nunca llegó a encontrarse.

LO PEOR DEL DESENFRENO
ES QUE SE PIERDE
LA CABEZA

22. *Mesalina*. 1951

Oye y perdona si al cantarte lloro;
porque, ángel o demonio, yo te adoro.
ANTONIO PLAZA.

Carmine Gallone, quien venía dirigiendo films desde 1914, fue el hombre llamado para la nueva experiencia de María en Italia. Gallone se había convertido, durante el periodo fascista, en un entusiasta panegirista del "cine imperial". Adecuando su sentido del espectáculo a la mayor gloria de la Italia de Mussolini, Gallone se fue enfrentando a todos los argumentos que podrían significar un canto a la retórica y nostalgia del imperio.

Gallone había hecho "Escipión el africano" (1937), adaptaciones de óperas italianas al cine: "Rigoletto" (1947), "La traviata" (1949). Después se especializaría en el personaje de "Don Camilo". Para hacer "Mesalina", tenía que partir del fantasma de un gran recuerdo: la versión muda de Enrico Guazzoni, de la cual, se afirma, copió íntegramente Fred Niblo su secuencia de la carrera de cuadrigas, para "Ben Hur".

María tenía frente a sí otro reto; la Mesalina de Guazzoni había sido interpretada por "una joven condesa italiana, encantadora y dulce, con una firmeza en la mirada que no tuvieron las vírgenes de Rafael, a las cuales se parece"(nota de la prensa francesa recogida por Roberto Paolella en su "Historia del cine"). La "condesa italiana" se llamaba Rina de Liguoro.

María pasaba ahora a encarnar a un personaje en el que la imaginación popular volcó todo género de oscuros símbolos; Mesalina, al fin y al cabo, era "la representación del desenfreno y el libertinaje". María cargaba el peso de su belleza y pasaba de una condena a otra.

La productora de Cesáreo González, quien participaba en el negocio, redactó y distribuyó un material literario sobre los personajes de este film a rodar en Roma. Todo hace pensar que María Félix recibió este documento en el que se decía, entre otras cosas:

"Valeria Mesalina vivió antes del nacimiento de Jesucristo. Fue la tercera esposa del Emperador Claudio, pero su comportamiento hería constantemente a su marido, quien terminó por hacerla matar. Tuvo Mesalina dos hijos, llamados Octavia y Británico. Dejándose llevar por los excesos, Mesalina adquirió amantes y fue un ejemplo de desenfreno para una sociedad que terminó por aborrecerla. Claudio sufrió con este matrimonio y el imperio fue objeto de burlas y de chistes. Un criado liberto, llamado Narciso, traicionó a Mesalina y dio lugar a que el emperador Claudio tuviera pruebas suficientes de su infidelidad. La ejecución de Mesalina fue acogida en Roma con alegría.''

No estoy en condiciones de saber lo que María Félix opinó en aquel momento de la nueva aventura a la que el cine la llevaba. Sin embargo estaba ya habituada a que sus heroínas terminaran de mala manera; en este sentido no debió acoger el documento de Cesáreo González con extrañeza. Sin embargo un matiz nuevo acaso la importunó: el hecho de que su muerte en pantalla regocijara a toda Roma: María, en 1951, es ya una profesional del cine, una mujer interesada en cerciorarse de cuáles son las virtudes de lo que se le propone. El documento madrileño estaba redactado con la prudencia de quienes conocen bien a los censores franquistas. María, sin embargo, tiene ya en su casa enciclopedias, libros de arte y de historia. Supo muy pronto que Mesalina se había casado a los 16 años con Claudio y que una de sus actividades preferidas era dar muerte a sus contrincantes amorosas y a los jóvenes que rechazaban sus amores. Supo, también, que ser una Mesalina equivalía a ser una prostituta desenfrenada.

María había estado huyendo de aparecer desnuda en la pantalla y ya había rechazado varios films que le obligaban mostrar lo que ella no quería exhibir. Mesalina iba a resultar una prueba, no sólo para los censores franquistas sino para el sentido cauteloso de la estrella.

Las presiones de Cesáreo González, el sentido censor de la propia María y el propio sentido conservador de Carmine Gallone, parecen haber terminado por quitar a Mesalina aquello por lo cual se hizo famosa y que la llevó en tantas ocasiones al cine.

La tentación que un personaje desbocado, una época fastuosa y colmada de anécdotas procaces y el prestigio de la historia apoyándolo todo, es demasiado fuerte como para que el cine y la literatura no caigan sobre Mesalina con entusiasmo. El personaje había servido ya a Víctor Hugo y fue a convertirse, en nuestro tiempo, en novela y luego en famosa serie de televisión (''Yo, Claudio''). El cine acogió en sus púdicos brazos a la impúdica en varias ocasiones.

"Mesalina". 1923. Dirigida por Enrico Guazzoni. Protagonizada por Rina de Liguoro. Guazzoni conforma una de las leyendas del cine italiano. Pionero de los grandes espectáculos, emplea a dos mil figurantes en "Agripina" (1910). En el año 1912 rueda "Quo Vadis?", que se convierte en uno de los éxitos más importantes del cine de todos los tiempos.

"Mesalina". 1960. Freddy Buache, en *Le cinéma italien* (París, 1979), describe así a esta película italiana. "El guión, de una puerilidad desconcertante, reducía los acontecimientos históricos a la psicología tonta de los folletones emolientes. Se inicia la película con la muerte de Calígula y hace entrar al espectador en una serie de aventuras salpicadas de orgías cautelosas y de masacres un

En Italia interrumpía el tránsito.

poco más movidas, porque Cottafavi ama el color rojo, los velos, las túnicas y también la sangre. Los especialistas en caídas, muertes y golpes, no se robaron el sueldo, precisamente. Sin duda los espectadores puntillosos se sorprenderían de que medio siglo antes del nacimiento de Jesucristo, pueblos enteros sean cristianos y canten el Ave María. Pero dejemos este aspecto del film a los teólogos. En cuanto al talento del cineasta yo diría que es incontestable en cuanto al oficio de costurero; las togas son impecables y los vestidos también.''

Añadiré a esto, que Vittorio Cottafavi ha sido un especialista del espectáculo basado en el prestigio de la historia y de los clásicos; ha recorrido desde Sófocles a Dostoievsky, con un indudable entusiasmo y éxito.

Mesalina. 1962. Se tituló ''Messilina against the son of Hercules''; fue rodada en Italia y no tengo de ella más noticias.

Para María Félix el film fue un trabajo afortunado.

—Me trajo suerte. Me llamaron para otras películas fuera de México y me convertí en una estrella en Europa. Además conocí a gente importante, viví una bella vida y aprendí mucho.

—¿Sabía usted que nueve años después de hacer usted el papel de Mesalina, lo interpretó la actriz inglesa Belinda Lee?

—Sí, lo supe.

—¿Sabe que ella se mató en San Bernardino, California, en un accidente de automóvil, muy pocos meses después de haber terminado el film?

—No, no lo sabía. Toco madera.

Y María exagerando el miedo, toca la mesa con dos dedos y luego se lleva las manos a su collar, en forma de serpiente, creado con brillantes y esmeraldas.

Carmine Gallone nació en Taggia, el día 18 de septiembre de 1886. Cuando dirigió a María, había cumplido ya sesenta y cinco años; pero no parecía cansarse nunca. Tenía una gran experiencia en tratar a estrellas con temperamento; por sus films habían pasado Isa Miranda, Lydia Borelli, Anabella, Alida Valli, Valentina Cortese, Elsa Marlini, Conchita Montenegro y, sobre todo, Anna Magnani.

María lo recuerda como un hombre dinámico, divertido, capaz de bromear con sus actores. De hablar alto y fuerte. Y un poco cínico.

El *Filmolexicon degli autori delle opere* (Roma) lo define como ''Una especie de De Mille en dimensión europea; menos riguroso y hábil que De Mille, más limitado en las ambiciones y en el éxito. Pero igualmente seguro de sí mismo y de las razones de su afortunada actividad artesanal.''

En cuanto al film, cabe decir que de nuevo María se ve obligada a aparecer como una mujer rubia, ya que Mesalina se disfraza de la cortesana Didisca para irse a gozar en un burdel. La mexicana aparece con un nuevo peinado; un flequillo que sorprende a sus admiradores. El personaje de Mesalina dice todo lo que hay que decir sobre sí mismo:

—Amo el placer.

—Ser parca no es mi destino.

—Te haré gritar de amor.

Y otros actores redondean su imagen con frases como: "Mesalina es una diosa del infierno."

Cuando un joven sirviente se acuesta con Mesalina y luego narra sus experiencias a sus compañeros de trabajo, la terrible mujer lo mata, después de haber probado el veneno con un perro. Mata Mesalina, también, a la dueña de un prostíbulo quien sospecha que la cortesana Didisca es la propia emperatriz, cosa que todos los espectadores saben desde el primer instante.

El film es, definitivamente, artificial y en ocasiones grotesco. Pertenece esta película a un curioso género del cine histórico ajeno a la historia; los figuristas, escritores y director se inventan la época a partir de la ignorancia y esperan que lo que ellos narran sustituya, con el tiempo, a la verdad histórica. Estas pretensiones, para asombro de los especialistas, suelen estar bien fundadas, ya que para el gran público la verdadera Roma nació en la mente de personas como De Mille y Gallone. Metida en este mundo de supuesta grandeza escénica, María se conforma con aparecer y ser presencia. Cuando se convierte en la prostituta rubia, lo hace con la seguridad de que el espectador no será tan bobo como los personajes del film y la reconocerán a pesar de la peluca. Por otra parte el film no está a la altura de la maldad del personaje, por las causas censoras que ya señalamos.

Yo vi este film, por vez primera, a través de la televisión y pensé que había sido muy cuidadosamente podado para no espantar a los clientes caseros. María me sacó del error.

—No; todos estaban muy preocupados de no llegar demasiado lejos.

—¿Y usted?

—Bueno, yo pensaba que hacer una película de una depravada sin mostrar sus depravaciones, es como hacer guiso de gallina sin gallina. Pero así es el cine.

Sobre el papel, sin embargo, la fama de una mujer antimidas, que todo lo que toca lo destruye, va en aumento a través de esta película, ya que la publicidad describe más a la Mesalina que fue y a la María que es, que a la Mesalina que se muestra y a la María que actúa.

Curioso juego de enredos y trampas.

LAS BELLAS NO NACIERON
PARA EL CAMPO

23. *Incantésimo trágico*. 1951

> Que no se mancille el tálamo nupcial.
> El sitio del sexo es el desbordamiento
> de los prostíbulos.
> CARLOS MONSIVÁIS.

Los productores italianos parecían aún más desconcertados ante María Félix que los españoles o mexicanos; en todo momento quisieron hacer un cine para la estrella, pero no sabían cómo situar adecuadamente a la estrella. Después de la aventura del cine histórico y grandilocuentes, ofrecen a Cesáreo González, ya convertido en el manejador de la "Doña", un film de ambiente campesino y misterioso.

Sobre el papel, la historia parecía sugestiva y hasta sorprendente; se hubiera podido hacer con ella un film costumbrista o una película de magia; tantas posibilidades y caminos parecía ofrecer. El resultado final fue lamentable.

Rodada y estrenada en Italia en 1951, este film representa la segunda salida de María en el cine de habla no española y el segundo paso para hacerse una figura importante en Europa. El mundo italiano la fascinaba y el lujo era ya su forma habitual de vivir. Para dirigir la historia, italianos y españoles eligen a Mario Sequi, un hombre que procedía primero del teatro y luego del cine documental.

En México se estrenó "Incantésimo trágico" con el título de "Hechizo trágico" y en Francia se tituló "Oliva", el nombre del personaje principal. El argumento resulta barroco, sorprendente y difícil de resumir en pocas líneas. Adelantaré aquí su esquema. En Siena, un patriarca campesino descubre un tesoro. Se trata de un cacique avaro, dueño de grandes extensiones de tierra poco productiva. Una mujer, "Oliva", entra en la familia al casarse con el hijo del cacique. El afán de lujo de "Oliva" llevará a la familia a la catástrofe y al viejo al doloroso trance de matar, incluso, a su hijo menor. Finalmente la tierra en donde apareció el tesoro, verá brotar agua y se hará fértil, pero lo que hubiera podido ser un melodrama desflecado y palpitante se convierte en una historia menor, artificiosa y sin talento. Al director le faltó fuerza para llevar a sus extremos la historia de "Oliva" y perdió gran parte de su tiempo en mostrar cosas y situaciones irrelevantes. El melodrama se queda en caricatura y la historia se pierde y se amansa. Una música llena de lugares comunes destruye por su parte los pocos momentos en que se hubiera podido levantar la acción. El guión no apoya con escenas adecuadas el drama de la mujer bellísima en un pueblo de campesinos, que se sabe capaz de ser admirada en un mundo elegante y que se ve obligada a ser la esposa de un "rey del azadón" sin temperamento ni esperanzas. Detrás de la película parece esconderse otro film importante, pero todo muere en un guión muy malo y en una dirección que no es capaz de mostrarnos a un solo personaje real y fuerte.

María Félix, rodeada de actores con prestigio en Europa, no puede hacer otra cosa que mostrar su belleza, y moverse con una dignidad que nada tiene en común con el supuesto carácter campesino de la historia.

El director, al final de la película, hace que María se contemple a sí misma como una figura refulgente, cargada de joyas y rodeada de un nimbo de luz.

"Incantésimo trágico" se inicia con una visión de campo abierto y estéril. Una voz masculina en off afirma:

—Sólo el viento conoce los secretos de esta vieja tierra de Toscana.

Una lápida deja ver la fecha, 1865. Estamos en un pueblo pequeño en fiestas. Se va a celebrar un baile tradicional durante el cual las mujeres eligen o aceptan a los que serán sus esposos. En el pueblo destaca una mujer bellísima llamada "Oliva" que vive dentro de una familia humilde. La primera visión de Oliva transcurre en su dormitorio, en donde se está vistiendo para ir al baile. Unas amigas suyas le muestran a un visitante que la madre atiende en la planta baja de la casa; lo observa desde un agujero del suelo. El visitante es un hombre mayor y al parecer muy rico. Quiere que en el baile Oliva y él se comprometan en matrimonio. Oliva, en camisa, observa después un desfile desde una ventana; la fiesta ha comenzado.

Sus primas le dicen que está a punto de llegar al pueblo Pietro (Rozzano Brazzi) y una de sus primas afirma que a Pietro en el pueblo lo llaman "el rey".

Oliva dice: ¡El rey del azadón!

Oliva demuestra su temperamento expulsando de su dormitorio a sus primas. Después llega al baile y lo atraviesa con un gesto soberbio. Cuando se inicia la danza de los novios, Oliva, en vez de dirigirse hacia el viejo rico, va a bailar con Pietro. En ese momento se comprometen ambos en matrimonio. Se celebra la boda en casa de Bastiano (Charles Vanel), el barbudo padre de Pietro, un hombre al que sólo preocupa el trabajo del campo. Bastiano, que salió a la ciudad cercana, para comprar un collar para Oliva, vuelve en medio de una fantástica tormenta. Entra en una iglesia destruida y bajo una lápida, a la luz de los relámpagos, encuentra un tesoro de joyas.

Al día siguiente Oliva y Pietro van a ver a una vieja abuela que vive en el campo ya que "vio tanto en el pasado que ya sabe ver el futuro". Allí Oliva encuentra al joven Berto (Massimo Serato), hermano de Pietro, quien le regala una liebre que acaba de cazar.

Durante el paseo, a caballo, el joven matrimonio entra en una vieja iglesia destruida. Oliva le pide a su marido que jamás la abandone y le pregunta:

—¿Sabrás perdonarme?

Él está preocupado porque necesita un arado mecánico y porque toda su ilu-

Con Rossano Brazi en *Hechizo trágico*. A sus personajes los trajes de novia les traían mala suerte.

sión es que la tierra produzca.

El viejo Bastiano va a ver a un misterioso orfebre y le vende una pequeña parte de las joyas; quiere comprar más tierras.

Oliva comienza a quejarse ante su esposo.

—Sólo piensas en las tierras, nadie me entiende.

Y pide que su marido la lleve a Siena, "en donde están las mujeres elegantes". Cuando Pietro se niega a llevarla a la capital, ella huye furiosa, se lastima una pierna y advierte cómo un personaje sórdido y desdentado mira su pierna lastimada con ojos lascivos. Después Oliva se contempla en un arroyo. Cuando Oliva llega a su dormitorio mira fijamente sus blancos zapatos puntiagudos, colocados junto a las botas cubiertas de barro de su hombre.

El orfebre, a quien el viejo Bastiano vendió un pendiente busca ahora el otro, porque "sólo teniendo el par éste adquiere valor". María se enamora de la joya y el hermano de su esposo la compra y se la regala en secreto. Ella la esconde.

Berto, el cuñado, está enamorado de Oliva y ya no puede ocultarlo. Una tarde Oliva descubre el lugar en donde su suegro ha escondido el tesoro; lo chantajea y le obliga a que le regale el otro arete y un fabuloso collar. Están en el dormitorio de ella y Oliva coquetea con el viejo; le muestra un hombro desnudo y Bastiano se lanza contra ella. Oliva ríe a carcajadas y lo rechaza. Un domingo Oliva se presenta en la misa del pueblo exhibiendo sus joyas. La familia se escandaliza. El marido quiere saber cómo las consiguió, y sale para Siena a preguntarle al orfebre. Oliva se confabula con su cuñado Berto y le dice en dónde el viejo Bastiano ha escondido el tesoro; ella se queda toda la noche en la vieja iglesia derruida esperando que su cuñado robe las joyas; después escaparán los dos. Pero el joven al sacar el tesoro deja caer un objeto, el viejo Bastiano se despierta, toma su escopeta y dispara sobre el intruso. Berto muere en el suelo, entre los brazos de su madre, pero aún tiene tiempo para pedir a su hermano Pietro que perdone a Oliva.

El marido sale en busca de su esposa, ella lo ve venir, sube a su caballo y escapa. Pero el caballo se encabrita y Oliva cae al suelo. Cuando llega junto a ella su esposo, está muriendo.

—Pietro, abrázame. Escucha, Pietro, es un milagro.

Efectivamente parece que el agua surge del lugar inhóspito.

Oliva, de pronto, cambia de conducta:

—Buscaba el paraíso y lo tenía aquí, en esta tierra tuya.

Oliva se muere en brazos del atribulado Pietro y una voz en off afirma que ha pasado un siglo desde que se produjo esta tragedia y que la tierra seca, se renueva ahora constantemente con el agua que ha brotado. "Es un milagro de amor." Aquí termina, para alivio de los asombrados espectadores y de quienes pudieran suponer que sólo matando a dos personas se consiguen regar unas hectáreas secas.

Espero que se me perdone el hecho de haber narrado de forma tan amplia esta anécdota; pero la tentación era mucha. No es fácil que un cronista pueda encontrar ante sí una línea argumental tan insólita. Y, sin embargo, sigo pensando que una parte del argumento es válida y que tratada de otra forma hubiera podido ser la base de una película interesante. Pero este juicio a toro pasado, no debe ser tenido muy en cuenta.

Pocos críticos encontraron valores en la época de su estreno, aun cuando no faltaron quienes se mostraron respetuosos con el film. Esto ocurrió con la nota ofrecida por revista madrileña *Primer Plano* (agosto 1952) en la que Gómez Tello, dice:

"El joven director Sequi, formado en la misma escuela de Germi y Luciano Emer, vuelve con 'Hechizo trágico' a la cuna del drama rural y a la época más significativa: la Toscana de 1865. Los guionistas han combinado el drama familiar del campesino y la esposa deslumbrada por el espejismo de la ciudad y sus galas con una hermosa Oliva, de su satánica leyenda de crímenes y sangre. El drama, que tenía una propicia explicación en la propia psicología de sus personajes, se mueve en una atmósfera irreal, que preside la figura de Oliva, a la que se envuelve en las alas de su maleficio, causando la desgracia de todos."

La última frase de esta nota nos remite a algo ya muy conocido por los seguidores de los films de María: "causando la desgracia de todos".

De nuevo el cine castiga a María Félix, por haber llevado a una honesta familia su fascinante belleza y altivez. La mujer entra como una maldición y destruye cuanto toca. Le belleza excesiva es un elemento que el diablo maneja a su antojo y ante el cual las buenas gentes encuentran dentro de sí todos los malos instintos. "Oliva", que se sabe bella, se sabe superior y quiere subir sobre la corte de idiotas que la rodean. Parece razonable que "Oliva", aun cuando no fuera bella, quisiera evadirse de un mundo de mezquindades; pero no es su ambición o sus sueños lo que la hace dañina, sino su hermosura. Si hubiera sido fea, se podría haber salido del pueblo sin más que unos ciertos gruñidos del marido enamorado de la tierra. Pero la belleza de "Oliva" es el pecado. Los estudiosos Giorgio Braga, Patrizia Caraguso y Emanuela Rensetti, publicaron en *Cineforum* (Italia, 1978) un estudio sobre el tratamiento que el cine italiano ha dado a la mujer (periodo 1960-1971).

Éstas son algunas cifras significativas.

La mujer como objeto: 90.9 por ciento de las propuestas en la pantalla.

Mujer viriloide: 4.2 por ciento.

Mujer problemática: 4.2 por ciento.

Mujer de perdición: 7.1 por ciento.

Era irremediable que la belleza de María la situara entre ese siete por ciento de mujeres que significan la perdición propia y ajena. Si al final de la película María continua viva, el diablo queda suelto.

Algo va a ir descubriendo María en Italia; por fuerza tiene que comparar su belleza y su forma de comportamiento en la pantalla, con las imágenes femeninas que están triunfando de manera arrolladora. Son mujeres que entienden su agresividad de otra forma, que se muestran más sueltas, más agrestes, más libres. Conoce en Roma a una buena parte de las estrellas del momento y ve sus films. Silvana Mangano es mundialmente famosa desde 1948, cuando muestra las piernas desnudas en un campo inundado, mientras recoge arroz ("Rizo amaro". De Santis.). Sofía Loren comienza a ser conocida a través de unas postales en las que exhibe unos escotes grandilocuentes. Anna Magnani hace ese mismo año de 1951 "Bellísima" (Luchino Visconti) y ya es popular Lucía Bosé. La imagen de la sensualidad es Silvana Pampanini y una escuadra de muchachas arrogantes y desprejuiciadas asaltan el cine italiano. Una tarde, en Roma, María confiesa a un periodista:

—En México tenemos que aprender mucho todavía. Y yo, también.

Parece que sus experiencias fuera de México deben prolongarse y acaso dude si le será conveniente cambiar de comportamiento. "Hacerse algo italiana."

Algunos amigos que la rodean temen que el fenómeno se produzca y María pierda "parte de su misterio". Parece que éste fue el tema de muchas conversaciones en aquellos días.

—El neorrealismo no es para ti. Lo tuyo es el misterio.

Pero, aparte de la experiencia en "Corona negra", el misterio tampoco se le ofrecía a la "Doña".

De alguna forma el trabajo que se veía obligada a realizar en el cine, o que acaso ella misma elegía, estaba contrapuesto a la vida real y ordinaria. María no podía ser una mujer común con los problemas comunes y emotivos que por entonces ya mostraba el cine europeo. Cargaba esa apostura que la hacía situarse por encima de todo y que, sin embargo, no le permitía alcanzar el gran papel dramático que la hubiera convertido en figura importante.

Cuando se hablaba de María, se buscaban historias anticuadas de mujeres lascivas o truculentos enredos colmados de toques melodramáticos. La realidad parecía estarle prohibida y ella parecía querer continuar de espaldas a la realidad. Sin embargo el cine del mundo estaba cambiando en esos momentos y nuevos conceptos y estéticas asomaban ya en Europa. En 1951 señala el nacimiento de la revista *Cahiers du cinéma*, en París, y de los ataques de Francois Truffaut al llamado "cine-literatura" francés. Rosellini rueda "Europa 51" y Orson Welles gana la Palma de Oro en Cannes con "Otelo". Muchos moldes van a ser rechazados y nuevas actitudes se pondrán de moda. La llamada "nueva ola" va a asomar pronto la oreja.

María da por cerrado su ciclo italiano y vuelve los ojos hacia la Argentina. Su cine es otro. Algo, sin embargo, puede mantenerla tranquila: cuando entra en un cabaret de Roma, hasta la orquesta deja de tocar.

EL AMOR DURA
LO QUE DURA EL FILM

24. *La pasión desnuda.* 1952

> No te dejes engañar, corazón
> por su querer, por su mentir
> no te vayas a olvidar
> que es mujer y al nacer
> del engaño hizo un sentir.
> SCIAMMARELLA.

María había dicho: "volveré a casa más famosa que cuando salí de casa". Y en busca de esa fama que el extranjero proyecta sobre el país propio y que es fama distinta, no doméstica ni sometida a las pequeñeces del vecino, salta ahora a la Argentina. Llega envuelta en una aureola de elegancia exultante; sonriendo amablemente a cuantos la reciben, pero señalando la distancia que existe entre la mujer más bella del mundo y los demás. Va a hacer una película con un galán sumamente popular en su país y al que se le conceden dotes de don Juan. María, como primera medida, atrapa al don Juan y anuncia su próxima boda con Carlos Thompson. Un redactor de notas sociales de Buenos Aires reduce todo esto a tres palabras con prehistoria: María llegó, vio y eligió.

Carlos Thompson había comenzado su carrera en el cine a mediados de los años cuarenta, pero tenía en la Argentina fama de actor afectado y falso hasta que en 1951 se estreno "La indeseable", para al año siguiente hacer un buen papel en "El túnel", de Klimosky, sobre una historia de Ernesto Sábato. Estos dos films cambian su imagen y lo convierten no sólo en una figura popular, sino respetada por la crítica.

Después de aparecer con María en "La pasión desnuda", hace otros films hasta que en 1953, siguiendo el camino de otras muchas figuras del cine argentino, abandona su país.

Cuando se estrena "La pasión desnuda" en Buenos Aires, se convierte, de inmediato en una de las tres grandes taquilleras de 1953; con ella "El conde de Montecristo" y "La mujer de las camelias". María, ya sumamente popular, pasa a ser figura decisiva en la vida social y en el negocio del cine.

Los amores de María con Carlos se convierten en noticia importante y parecen obligar a la "Doña" a tomar decisiones acaso no contempladas en un principio. Anuncia la boda y envía por su hijo para que sea testigo de tanta dicha. Efectivamente Enrique viaja a Buenos Aires, pero la boda se va aplazando y un día se deja de hablar de ella. María volverá a México para casarse con otra persona.

Los columnistas resumen el proyecto fallido con frases hechas: "El choque entre una mujer temperamental y un hombre con carácter"; "Carlos no pudo con María"; "Idilio destruido". En España se dijo que todo había sido un truco publicitario para lanzar la película; pero esto parece un exceso de susceptibilidad. También se dijo que "La pasión desnuda" a fuerza de haberle puesto elementos comerciales, se había quedado a la mitad del camino. Llevaba, según esta versión, demasiados clichés dentro de sí.

Gómez Tello, en la revista madrileña *Primer Plano*, en 1954, recoge esta teoría:

"La película que ha dirigido Luis César Amadori pudo ser un buen film, pero intervinieron los expertos comerciales y resultó una película mala. La historia puede terminar en dos o tres ocasiones a la mayor satisfacción del público, que ha visto transformada en actual la leyenda de la cortesana de Alejandría, de la que, por otra parte, no sale gran cosa. Se podría perdonar el tono folletinesco y la afectación de María Félix en algunas escenas, en gracia a la belleza de la protagonista."

Se había hablado largamente de que la historia estaba basada en la vida y muerte de Thais.

Que yo sepa, Thais fue una cortesana del siglo iv antes de Jesucristo, cuyos atractivos llevaron a Alejandro Magno hasta un amor entregado y absoluto. Instigado por ella, que pretendía una venganza personal, Alejandro quema Persópolis. Cuando Alejandro muere, Thais decide acogerse a una vida menos compleja y se casa con Tolomeo, del cual tiene tres hijos. María, obligada de nuevo a encarnar a una heroína llevada por la furia visceral, acepta el juego y se somete a las perversiones de la mítica cortesana. El hecho de que la historia ocurriera en nuevos días y la falta de presupuesto, impidieron a Luis César Amadori quemar Buenos Aires. El argumento, a juzgar por el historiador Domingo di Nubila, permitía a María un "papel abundante en matices y contrastes". La historia de la supuesta Thais ofrecía la posibilidad de ser "extraña y sugerente al comienzo; mundana y cruel más tarde y arrepentida y dolorida por último". María aceptó todo este catálogo de emociones y luchó a favor de las complejidades emocionales del mito Thais, cayendo en ocasiones en los trucos expresivos que había venido aprendiendo y conservando.

En cuanto a la tarea de desnudar la pasión, de nuevo el cine anuncia lo que no ha cumplido; la pasión de Thais-María aparece bien cubierta y lo que se deja al aire libre es sólo lo que ha de servir al melodrama.

La pasión, sin embargo, llevada al melodrama, yo diría que se desapasiona y se hace doméstica y en el mejor de los casos, superficial y efectista.

Mientras María anuncia amores, bodas y llama por testigo a su propio hijo, en la pantalla ha de reducir tan exuberantes conflictos a un comportamiento cuidadosamente sometido a sus propias limitaciones y a las limitaciones, también, del director.

En ese momento del cine hispanoamericano parece más importante lo que la estrella vive que lo que María interpreta; por mucho que detrás de la historia se esconda, una vez más, la figura prestigiosa de una prostituta de gran carácter. Los productores demostraban que abrían más el ojo que la boca y que elegían porciones que jamás podrían tragar. Thais, por mucho que se atrajera hacia nuestro tiempo, estaba muy lejos de presupuestos, talentos y morales al uso. Ir tan lejos, para tener que conformarse con tan poca cosa, es un error que se ha repetido aquí y allá.

—Hagamos una película sobre Thais, la cortesana que enamoró a Alejandro el Grande.

Y después:

—Pero en vez de quemar Persépolis, que enciendan un cigarro.

Ambiciones desamparadas de posibilidades irán creando un cine de quiero y no puedo; de quisiera pero no me dejaron. El día 18 de octubre de 1952, en su casa de Catipoato, ante el juez don Próspero Olivares Sosa, se casa María con el charro cantor Jorge Negrete.

La "Doña" ha conseguido que el país vuelva a estallar. El matrimonio va a reunir en una cama a las dos figuras más populares del país; también las más discutidas, admiradas, envidiadas, odiadas. Agustín Lara se comporta como un caballero y suspira: "Que sea feliz, muy feliz."

Jorge Negrete, en ese mismo año, había rodado en agosto la película "Dos tipos de cuidado" (Ismael Rodríguez) y en septiembre "Tal para cual" (Rogelio A. González). En ambos films hacía pareja con galanes cantantes famosos: Pedro Infante y Luis Aguilar. De alguna forma ambas películas se instalan dentro de una tradición del cine mexicano que muestra el héroe feliz con sus compinches, pero obligado, por el sexo y también por su propia fama, a enamorar a la más bella. Una misoginia apenas disimulada se manejaba en este género ranchero en el que, sin embargo, para cumplir con las normas, la mujer terminaba venciendo e imponiendo su voluntad. Siendo "más hombre que el hombre". En "Tal para cual", las protagonistas, que fueron engañadas por Negrete y Aguilar, terminan emborrachándose en una cantina, cumpliendo el rol tradicional del macho.

En "Dos tipos de cuidado", la pareja de machos cantores representan la leyenda parrandera, machista y cinematográfica de sí mismos. En esta película el cine glorifica a las figuras que el cine ha creado; pero acepta que al final los machos ceden y se casan. Todos los excesos apoyados en balazos, serenatas, canciones y bravatas, van a ser un juego casi infantil que las mujeres permiten durante un tiempo. Cuando ellas se enfadan, el poder masculino tiembla y cede. Por una vez las hembras entrarán en la cantina, para demostrar que no hay terreno vedado, ni tan siquiera ése, protegido durante años por la ley ("Prohibida la entrada a mujeres, vendedores y militares uniformados").

Todo esto, que se mostraba de manera cinematográfica desde hacía tiempo, va a ser llevado a la vida real con la boda de Negrete y María.

La unión es como el resumen vivo de tanto film supuestamente inventado; la mujer que fue humillada por el galán en los comienzos de su carrera va a meterlo en el redil.

197

Negrete, por entonces un líder fuertemente apoyado por la mayor parte de sus compañeros, cede ante la mujer que despreció en el primer film en el que trabajaron juntos. María hace declaraciones: "No es cierto que al casarse conmigo Jorge pierda parte de su personalidad".

Quiere decir que, a pesar de todo, Jorge seguirá siendo el macho. Pero la gente de la calle, ya sabe a qué atenerse.

Carlos Thompson y María en *La pasión desnuda*.
Anunciaron su matrimonio, pero se arrepintieron.

LA PROSTITUTA TAMBIÉN
ENRIQUECIÓ A LOS POETAS

25. *Camelia.* 1953

Margarita era poco profesional.
GROUCHO MARX.

Cada país tiene su prostituta ejemplar y Francia tiene la prostituta al servicio de todos los países. El clima, la economía, la moda y los gustos sexuales, van conformando a la prostituta y no es casualidad que en México tengamos a "Santa" y a su amigo el pianista ciego y que todos añoremos a "La dama de las camelias".

De alguna forma cada nación acudió en su día a una Dama de las Camelias más o menos ligada al original francés y nos dio la versión lastimosa de una meretriz en trance de renuncia y de muerte por enfermedad incurable.

Sin embargo México podía vanagloriarse de una tradición nacional vieja y prolífica. En el año de 1904, en la ciudad de México estaban registradas diez mil novecientas treinta y siete prostitutas y al año siguiente el número ascendió a más de once mil quinientas. Un documento oficial afirma que "la cantidad es excesiva, pues en París, Fregnier, encontró inscritas a cuatro mil mujeres y entonces París tenía una población cinco veces mayor que la de México". Acudir a la cortesana francesa, en este caso, parece un acto de malinchismo; nosotros teníamos, aquí suficientes elementos históricos y anecdóticos como para no salir fuera. Y todo esto, sin tener que recurrir a la "Santa" de comienzos de siglo.

Dos intereses (Filmex por México y Suevia Film por España) se unen para producir una nueva película con María Félix. Se elige como tema la prostituta, pero ha de rechazarse, de inmediato, el modelo más cercano: "Santa". La sonorense, opinan todos, jamás podrá hacer una "Santa" convincente; la prostituta mexicana, como es bien sabido, es víctima de su fragilidad y falta de carácter. "Santa" es apaleada por la vida y por sus propios clientes y recurre a un ciego, aún más atribulado, en busca de consuelo. Pedir a María que haga ese personaje, es cosa de locos y fuera de todo sentido.

Entonces los productores vuelven los ojos, irremediablemente, hacia París; a pesar de que allí haya menos prostitutas que en México, según la mencionada estadística.

Parece ser que durante una de las sesiones de trabajo, un colaborador, afirmó que si María hubiera sido "Santa", el burlador hubiera terminado corrido a

En *Camelia* el juego de cejas de María es ya magistral.

palos. Lo que importa es que María va encaminada de forma inexorable hacia "La dama de las camelias". La cuestión era encontrar una variante lo suficientemente atractiva, sin perder los valores comerciales y literarios del original. A poco que se estudie la filmografía de la sonorense, por otra parte, se advierte que Margarita estaba esperando a María desde hacía tiempo. Era un encuentro obligado, una toma de contacto sin escape posible, a pesar de que María tose con fuerza y "Margarita" tose lánguidamente, a pesar de que no hay tisis que pueda con Sonora, digámoslo así.

Pero el cine puede llegar a todo extremo y si bien "Santa" sería demasiado, "Margarita" bien podía ser abordada con un poco de maquillaje, variación al texto original y entusiasmo.

Una mirada retrospectiva hacia las Margaritas que el cine ha dado, nos convencerá, como luego veremos, de que la señora de Álamos es demasiado fuerte, enérgica, alta, incluso varonil, como para dejarse llevar dulcemente por una muerte tan plácida y adecuada a la historia.

Las "Margaritas" del cine se doblan suavemente ante la catástrofe final y la "Doña", ofrecía, por lo menos, resistencia. Acaso por ésto, o por una parte de estos argumentos, los productores y los guionistas comenzaron a transformar de forma sustancial la historia.

Pienso yo que el riesgo que entraña cambiar una parte de cierta anécdota fílmica es la obligación subsiguiente de continuar con las transformaciones.

Poco a poco la nueva historia se va separando del original y según frase de Groucho Marx, no es difícil que "Napoleón termine peleando en Australia".

Así es como esta "Camelia", en un momento dado, salta a una placita de toros y se enfrenta a una vaquilla ya grandecita. "La dama de las camelias" se hubiera horrorizado.

Siguiendo el proceso ya mencionado, al original novelesco se introducen en este film variantes que va sugiriendo el famoso productor mexicano Gregorio Wallerstein.

Esas variantes permiten la inclusión de un torero que interpreta Jorge Mistral y que dobla el Calesero, quien por cierto pone unas notas artísticas que no se encuentran en otras secuencias de la película.

Con "Camelia" María vuelve a filmar en México, en donde no había trabajado desde el año 1949.

Hace tiempo reduje el argumento del film a esta breve historia: Camelia es una actriz sumamente enferma que necesita aliviar sus intensos dolores con dosis periódicas de morfina. Rafael Torres es un torero español que viene a debutar en la plaza México y que tiene la mala ocurrencia de brindar un toro a Camelia. Ella responde a esto con otra ocurrencia aún peor, enviarle un cheque por mil pesos. El torero recibe otro disgusto; el toro le produce una profunda herida y va a parar al sanatorio. Pero el amor ya se ha incubado y cuando Rafael Torres se alivia, va a ver a Camelia al teatro en donde ella representa "La dama de las camelias". Después de una serie de malos entendidos, ambos deciden casarse y entonces aparece un hermano del torero para denunciar a Camelia como su amante tiempo atrás. El anunciado casamiento se desmorona y ella decide representar el personaje de "Margarita" una vez más. Cuando termina la representación en el Palacio de las Bellas Artes, Camelia se muere.

La figura histórica sobre la que se inspiró Alejandro Dumas, hijo, para crear el personaje de Margarita Gautier, se llamaba María Duplessis. Esta María, de vivir en nuestro tiempo, se sentiría sin duda aterrada ante la impresionante serie de films que su comportamiento privado estimuló.

Antes de que María Félix apareciera siendo tan singular Camelia, otras actrices pasaron por destino semejante. Ésta es una relación que no está completa, porque las Margaritas se nos deshojan entre las manos.

Año 1907.
Dinamarca. Dirigida por Viggo Larsen.
Margarita: Lauritza Olsen. Título: "Kamelliadamen".
Año 1909.
Italia. Dirigida por Ugo Falena.
Margarita: Vittoria Lepanto. Título: "La signora dalle Camelie".
Año 1911.
Francia. Dirigida por Henri Putcal.
Margarita: Sarah Bernhardt. Título: "La dame aux Camelias".
Año 1912.
Estados Unidos. Producida por Champion.
Margarita: Gertrude Shipman. Título: "Camille".
Año 1915.
Estados Unidos.
Margarita: Clara Kimball. Título: "Camille".
Año 1915.
Italia. Dirigida por Baldassarre Negroni.
Margarita: Hesperia. Título: "La signora dalle Camelie".
Año 1915.
Italia. Director: Gustavo Serena.
Margarita: Brancesca Bertini. Título: "La signora dalle Camelie".
Año 1917.
Estados Unidos.
Margarita: Theda Bara. Título: "Camille".
Año 1921.
Estados Unidos.
Margarita: Nazimova. Título: "Camille".
Año 1921.
México. Director: Carlos Sthal.
Margarita: Nely Fernández. Título: "La dama de las camelias".
Año 1927.
Estados Unidos.
Margarita: Norma Talmadge. Título: "Camille".
Año 1936.
Estados Unidos. Director: George Cukor. Producida por la M.G.M.
Margarita: Greta Garbo. Título: "Camille".

Lo que importa es el rostro: *Camelia*.

Año 1936.

Estados Unidos. Producida por Paramount.

Margarita: Leonore Ulric.

Año 1946.

México. Director: Gabriel Soria.

Margarita: Lina Montes. Título: "La Dama de las Camelias".

Como se advierte, María iba a convertirse en la tercera versión nacional del personaje de Dumas, que en vida se llamó María Duplessis y en el papel Margarita Gautier.

La belleza de la "Doña", no tenía comparación posible con sus dignas figuras precedentes, incluso la última parecía haber estado por debajo de la belleza que los autores del guión concedían al original francés.

Renato Leduc y Ramón Pérez, al redactar el argumento de 1946 parecen conceder esto de manera tímida. Veamos:

MEDIUM SHOT DE MARGARITA

> Está entrando sola al teatro. Viste ricamente. Su peinado es hermoso y luce unas bellas camelias. Margarita es más que hermosa; es atrayente y exótica. La cámara en dolly camina con ella, conforme pasa entre la gente. Los hombres la admiran abiertamente y las mujeres se sorprenden o se indignan, según su naturaleza.

Así describían a Lina Montes: "Más que hermosa". María no puede ser "más que hermosa", como bien se sabe.

El autor de la idea del film fue Gregorio Wallerstein, productor que usaba para esos menesteres el seudónimo de Mauricio Wall. Se trataba de mezclar, curiosamente, elementos de la "Carmen" de Próspero Merimée con la Margarita de Dumas, hijo.

El hecho de que el personaje de María muera haciendo "La dama de las camelias" parecía encontrar una variante a la leyenda de la cortesana infeliz; pero la imaginación del equipo de trabajo resultó limitada y confusa, y el film se queda también en confuso y limitado.

Para los taurómacos dos datos: la filmación en la Plaza México se llevó a cabo el día 23 de febrero de 1953. Fue Félix Briones, el matador, quien enseñó a Jorge Mistral a vestirse el traje de luces.

Para los economistas otros dos datos: María cobró cuatrocientos mil pesos. La película costó un millón setecientos mil. Cesáreo González llegó a México en marzo y dijo que el sueldo de la "Doña" era razonable.

—Yo pago mucho a quien me da beneficios. Poco a quien no los da. María es una estrella que se convierte en negocio.

ÉRAMOS MUY FELICES
Y LLEGÓ UN PERIODISTA

26. *Reportaje*. 1953

> En el cine, reunir a muchas estrellas
> no es crear, precisamente, el cielo.
> Sino el infierno.
> P.I.T.

La idea de hacer un film titulado "Reportaje" partió del entonces presidente de la Asociación de Críticos Cinematográficos de México, Jorge Vidal. La Asociación Mexicana de Actores apoyó la idea y pidió a sus agremiados que trabajaran en la película sin cobrar, ya que los beneficios estarían dedicados a comprar un edificio para los periodistas. Se crearon unas cartas de compromiso y prácticamente todas las grandes figuras del cine mexicano aceptaron actuar. Únicamente Emilio "Indio" Fernández exigió que se pagara su doble trabajo de guionista y director.

La película reunía una serie de pequeñas historias o anécdotas alrededor de unos periodistas especializados.

Para poder producir el film se creó una Compañía y la distribuidora Cinematográfica Televoz, del joven Miguel Alemán, adelantó dinero a cuenta de los beneficios de la distribución.

Con estos beneficios los periodistas compraron una casa en la calle Bruselas, que vendieron años después en más del doble de lo invertido. Pero el film no tuvo éxito. El "Indio" no supo manejar la complicada trama y además la película tuvo problemas con otros sindicatos. Más tarde se remató al mejor postor.

María Félix y Jorge Negrete, la pareja de moda, tenían un pequeño papel ya al final.

Se suponía que ambos vivían en el mismo hotel y mientras ella pretendía descansar, él ensayaba con un conjunto de mariachis. Indignada, golpeaba la puerta de su vecino y éste, al abrirla, se encontraba con una mujer con la cara recubierta de un maquillaje blanco. El cantante la "mandaba al demonio" y ella se iba furiosa. Al día siguiente Negrete descubría que su vecina era una beldad.

Curiosamente fueron los periodistas mexicanos quienes se sintieron más traicionados por el guión escrito por el propio Emilio Fernández y Mauricio Magdaleno. Se suponía que un gran editor prometía a sus reporteros diez mil pesos si le traían una gran noticia en exclusiva.

El semanario *El Fígaro* aseguraba: "El 'Indio' Fernández sabe tanto de periodismo como lo que usted o yo sabemos de chino.'' Otro problema surgió entre la colonia mexicana de libaneses, que se sintió degradada ante una de las secuencias interpretadas por Joaquín Pardavé y Pedro López Lagar. A pesar de que en el film estaba la plana mayor del cine nacional, e incluso algunas estrellas extranjeras, como Carmen Sevilla (la única ausencia notable es la de "Cantinflas''), la película sólo obtuvo una mención, a la hora de repartir premios, para Amanda de Llano, quien estuvo entre el terceto final para conseguir el premio a la mejor coactuación femenina del año. Convendría señalar que el film, sobre el papel, parecía acogerse a los beneficios de un estilo desarrollado por los franceses Julien Duvivier y René Clair.

De este último es "Tales of Manhattan" (1942), donde se cuenta la historia de un frac que es estrenado por un actor de moda y termina su existencia como espantapájaros en un campo cercano a una aldea de negros. El frac, al pasar de un dueño a otro, va permitiendo contar hasta seis historias distintas. Un sistema parecido, aun cuando sin estar vinculado por un elemento común, es el que usa Duvivier en "Carne y fantasía" (1943).

A pesar del ya bien probado mecanismo, que dio muchos éxitos al cine, "Reportaje" fracasó; la razón más convincente es, sin duda, la absoluta falta de condiciones de Emilio Fernández para hacer un cine cuya principal virtud parece ser la gracia, el suave humor, la picardía y el manejo de un sentido ligero del melodrama.

El "Indio" no podía sentirse cómodo ante su propio guión, que le era absolutamente ajeno y contrario.

Cuando la película toma un cierto vuelo, es en aquellas ocasiones en las que la gracia de los actores y su capacidad de divertirse trabajando, salva la situación difícil.

El periodista Enrique Rosado cuenta que la elección de Emilio Fernández como director vino dada por Televoz, productora y distribuidora de Miguel Alemán, Jr., la cual tenía un contrato pendiente con el "Indio" y de esta forma lo cumplía. El productor ejecutivo por parte de Pecime fue el periodista español Ramón Pérez Díaz. El propio Rosado me recordó que la idea original del film estaba basada en los populares "anuncios de ocasión" del periódico *El Universal*. Se suponía que serían los anuncios los que fueran dando el material para las pequeñas anécdotas.

—Todos los actores trabajaron de una forma absolutamente generosa, hasta el punto de que por vez primera aceptaron cantar en dúo Pedro Vargas y Libertad Lamarque. Una figura por entonces muy popular, Miroslava, hizo una tercera parte. La historia que representa María y Jorge fue escrita por Julio Alejandro. Él recuerda:

—Era una anécdota muy sencilla, que tenía como principal atractivo el hecho de que fuera representada por el matrimonio que se había convertido en el más popular del país. Se suponía que ambos, en el mismo edificio, estaban preparándose para una prueba que un productor les haría al día siguiente. Él cantaba y ella quería descansar para estar más bella. Pero los mariachis del cantante impedían que la aspirante a actriz pudiera dormir. Cuando ella reclamaba a

Jorge el escándalo, éste veía ante sí a una mujer con la cara cubierta por una pasta blanca. Pensaba que era una mujer fea y la despachaba impertinentemente. Ella se marchaba a su cuarto muy furiosa. Cuando, al día siguiente, se encontraban en las oficinas del productor, Jorge veía a María y se enamoraba de ella. Creo que la historia constituía algo así como la tercera parte del total del film. El resto eran pequeñas anécdotas con muy diferentes actores y actrices.

Con Jorge Negrete en *Reportaje*.

EL CINE DESPIDE MAL
A JORGE NEGRETE

27. *El rapto*. 1953

Ya no puedes partir, eres la tierra.
ERACLIO ZEPEDA.

El día cinco de diciembre de 1953, muere en un Hospital de Los Ángeles, California, Jorge Negrete. Una cirrosis hepática lo acaba. Cuatro meses después se estrena "El rapto", no sólo su último film sino, también, una película junto con su esposa María Félix.

Todo un escándalo estalla alrededor de su muerte y de sus pertenencias; es un mundo sórdido el que se desata y María se encuentra en el centro de esta bronca nacional. Ella adopta su actitud típica; a las agresiones responde con agresiones, se enfrenta a las convenciones conservadoras de la burguesía de forma altanera y en ocasiones caprichosa, en otras es un bello ejemplo de independencia al margen de la pequeña moral al uso.

Algunos detalles, como el hecho de que baje del avión con el cadáver de su esposo, como ya lo señalamos, vestida de pantalones, irrita sobremanera a la llamada "buena sociedad". Después pelea con furia por un cierto collar de esmeraldas que le había regalado el charro cantor, pero que no había podido pagar en su totalidad.

Un día las autoridades le impiden subir a un avión en el que pretendía viajar a París, hasta que demuestre que no lleva el tal collar consigo o que el collar, es, efectivamente, suyo.

En estas condiciones se estrena "El rapto".

Parece como si todos estuvieran cansados a la hora de rodar la película; en el rostro de Jorge se advierte ya la enfermedad e incluso su próxima muerte, el "Indio" acude a sus viejos resortes y a lugares comunes para mantener un cierto tono en el film; María se repite a sí misma.

Incluso la historia parece ser sólo el proyecto de otra que se filmará años después ("Canasta de cuentos mexicanos"). Hay algo aún más patético en este film; el hecho de que el famoso charro, paradigma de los valores del mexicano, aparezca como un imbécil al que un grupo de caciques pueblerinos pueden engañar con todo descaro.

Y como un valor ajeno a la propia película, pero manejado conscientemente, la idea de que ya ha llegado el momento en que alguien someta y dome a María.

La película, sin embargo, a pesar de los esfuerzos de todos, va a negar la realidad; María no va a ser sometida por una sociedad ya harta de una mujer caprichosa y agresora.

Mientras en el film María cede al amor de Jorge y se dobla; en la vida real, María sigue, después de la muerte de su esposo, manteniéndose firme; más firme y segura que nunca.

Y todo esto se encuentra en la conciencia del espectador que por la mañana lee en la primera página de los periódicos la lucha de María por las esmeraldas y en la noche acude a ver cómo un Jorge es capaz de dominarla.

La historia cinematográfica se plantea en un pueblo al cual vuelve un ranchero al que suponían muerto. Las autoridades han vendido sus propiedades a una joven y ella es ahora la dueña de lo que reclama el recién llegado. Los caciques, una serie de caricaturas sin fuerza ni gracia, demuestran al hombre que él está, "desde el punto de vista de la ley", muerto. Él dice que se encuentra vivo.

El público se irrita ante la paciencia y falta de carácter de quien debiera ya de haber usado argumentos más contundentes para enfrentarse al grupo de pillos.

Cuando Jorge y María se encuentran en la casa que ahora es de ella y antes de él, se produce una serie de incidentes que parecen tomados de "La fierecilla domada".

Jorge termina siendo aconsejado por un personaje que se casó con una "mujer brava" y la supo domesticar.

Al final, María cede ante el amor y se entrega, con todo y hacienda.

Jorge Negrete había venido manteniendo su curiosa fama de macho mexicano no sólo a través de sus desplantes en la vida real, sino también no aceptando papeles que pudieran poner en entredicho su vigorosa hombría. Con ello parecía querer oponerse a una serie de rumores que ponían en duda su vigor sexual. Luis Buñuel contaba cómo Negrete cuidaba sus parlamentos para impedir que no sólo él, como ser humano, sino los personajes representados, pudieran padecer algun desdoro.

Y, sin embargo, acepta este rol de hombre irresoluto y frágil.

Los críticos se encontraron, a la hora de comentar la película, ante una disyuntiva fastidiosa; Jorge era el héroe desaparecido, María la villana triunfadora, Emilio Fernández la gloria nacional y la película mala.

Pero, al mismo tiempo, todos estos elementos conforman un éxito de taquilla y el salón de la calle Luis Moya se llena todos los días.

Mientras tanto María ya está en París. Y se ha llevado consigo el collar que un día le regaló su marido y que no ha podido pagar totalmente, porque la muerte llegó antes que la última letra.

Una revisión de los titulares del periódico *Excélsior* dará una idea excelente del acontecimiento nacional que significó la desaparición del charro cantor.

Viernes 4 de diciembre de 1953. El Banco Internacional quiere embargar a la madre de Jorge Negrete por una deuda de cien mil pesos.

Sábado 5. Jorge Negrete ha pasado su quinta noche en estado de coma.

Domingo 6. Primera plana. Ocho columnas: Negrete murió rodeado de su madre, su esposa y un sacerdote. En seis días no llegó a recobrar el sentido. Murió a las 11:33. Una hora después salió María Félix del hospital.

Los cines de la capital pedirán a sus espectadores que guarden cinco minutos de silencio.

Lunes 7. Primera página. Tres columnas: Cien mil personas esperaron en vano la llegada del cadáver. (Se informa que el presidente Adolfo Ruiz Cortines habló personalmente con el presidente de la American Air Lines, C.R. Smith, para, en nombre de México, contratar un avión que sustituyera al "inadecuado" bimotor del ejército que se había enviado a Los Ángeles a recoger el cadáver.)

Martes 8. Tempestuoso recibimiento. Muerte por asfixia de una persona. La bandera nacional y la Virgen de Covadonga adornan la capilla. Dos narradores y tres cámaras de T.V. en el entierro. Se aplaza el estreno del film "El niño y la niebla". Mil cuatrocientos artistas capitalinos suspenden su trabajo el día siete en señal de duelo.

Miércoles 9. Ayer, a las seis de la tarde, bajó el telón. Una jovencita se suicida por Jorge Negrete. Doscientas mil personas no pudieron entrar ayer en el Panteón Jardín. La única hija de Jorge Negrete heredó 125 mil pesos, dijo su mamá Elisa Christy.

Domingo 13. María Félix no come, duerme mal y está decaída.

Efectivamente, en todas las fotografías aparece una María demacrada y agobiada por la pesadumbre a la que acompaña el gesto muy amoroso de su hijo Enrique.

Y mientras toda esta catástrofe emocional inunda al país, otra catástrofe amenaza al cine. El llamado "Plan Garduño", para salvar la industria, se opone a quienes en ese momento manejan con mano de hierro el cine nacional. El mismo lunes 7 aparece un desplegado en el que cuarenta y cuatro entidades cinematográficas mexicanas piden "el derrocamiento del colosal monopolio del cine del Jenkins, amo y señor de las finanzas del cine nacional". No sólo acusan al millonario que reside en Puebla, sino también "a sus cómplices": Gabriel Alarcón, Manuel Espinosa Iglesias, Emilio Azcárraga y Luis Castro.

El año 1954 se inicia con otro sainete singular: cuando María llega al aeropuerto, el día 9 de marzo, para tomar su avión hacia París, se encuentra con una pareja de policías que le impide la salida. Un grupo de amigos, entre ellos Diego Rivera, habían acudido a despedirla y también estaban allí periodistas y fotógrafos. Un juez ha retenido en México a María hasta que se demuestre de quién es, efectivamente, el famoso collar. María acepta que lo lleva consigo porque es suyo. Se lo han regalado. El hecho de que esté o no esté pagado, no le importa. Pero a la familia de Jorge sí le importa, ya que va a tener que continuar abonando unas letras por algo que María se lleva a Europa. María sin soltar el collar, se vuelve a su casa.

Días después sale con la suya y toma otro vuelo para la capital de Francia.

La estrella resume con sencillez todo el conflicto:

—Ya ni viajar tranquila la dejan a una.

La marcha de la "Doña" deja tras de sí un cierto rencor popular que los periodistas no recogen cabalmente en sus columnas; Jorge se ha convertido en una imagen adorada y sus canciones suenan constantemente en las emisoras, mientras que cromos a colores con su rostro cubren todos los puestos de periódicos. Es el gran ausente y ella es la que se va con el collar famoso, que no ha sido pagado. La muerte borra gran parte de las murmuraciones que alrededor del charro se habían tejido y lo que queda es su apostura y su muy proclamada mexicanidad. Una canción se hace símbolo y casi himno:

> México lindo y querido,
> si muero lejos de ti,
> que digan que estoy dormido
> y que me traigan aquí.

Pasan los meses y aún se llora en la casa y aún en la cantina al escuchar la voz que recuerda su desaparición: el país bajo el gobierno del presidente Ruiz Cortines ha entrado en una fase de austeridad; esto también ayuda.

Mientras tanto María Félix vuelve a su Europa y niega que tenga proyectos de ir a Hollywood. Su paraíso no está en California, decididamente.

En el México que deja atrás se acaba de producir una determinación que va a ser motivo de polémica cinematográfica durante años. El alcalde de la ciudad de México prohíbe que en los salones de cine se cobren más de cuatro pesos por boleto. Los productores e importadores de films, aseguran que la decisión impide hacer buenas películas e importar films caros. La actitud oficial se basa en "la necesidad de dar un entretenimiento barato al buen pueblo", y la orden no será revocada hasta el año 1965, cuando se inauguran las salas Manacar y Diana, a las que se les permite cobrar ocho pesos la entrada.

LA HISTORIA QUE ARRUINÓ
EL AMOR

28. *La bella Otero*. 1954

Mi ilusión, como cowboy, es pasar a caballo
por debajo del Arco de Triunfo, en París.
TOM MIX.

La María que llega a París es una estrella deslumbrante no sólo por su belleza, sino por sus alhajas.

—Lo primero que hice fue reunir en un pañuelo de paliacate todos mis brillantes y presentarme en Cartier. Pedí que me recibiera el principal y puse sobre el mostrador el paquete. Le dije que quería una joya distinta, diferente, que nadie tuviera.

Hay que suponer el asombro del hombre de Cartier al ver aquella fortuna envuelta en un pañuelo mexicano. Pero la gente de Cartier ha recibido, a lo largo de su historia, muy asombrosas peticiones, por ello diseñaron una joya única: una serpiente de brillantes, con ojos de esmeralda, que puede enrollarse en la muñeca o servir de collar.

María puntualiza: "Es, también, un objeto para colocar sobre una mesa."

Parece que fue la propia María la que eligió la figura de la serpiente; si esto es cierto, como ella misma asegura, tendremos un nuevo reto a la superstición y a los prejuicios populares.

Cuando María sale de Cartier con la serpiente alrededor del cuello, está riéndose, una vez más, del mundo.

En París, no sólo la esperaban los joyeros y nuevas aventuras amorosas, sino también una producción que iría a dirigir Richard Pottier.

Este director había nacido en Checoslovaquia con el nombre de Ernst Deutsch y comenzado a dirigir en 1929 en Alemania. Pasa a Francia en el año 1934 y en 1952 dirige su gran éxito: "Violetas imperiales", en donde actúa y canta Luis Mariano. El éxito le estimula para llevar a cabo un homenaje a la gran figura del espectáculo frívolo francés: La Bella Otero.

Es curiosa la desinformación que existe sobre el director Pottier, que, sin embargo, tiene una producción muy numerosa. La búsqueda de datos tiene mucho de investigación policiaca. Veamos:

Ni con este nombre ni con el de Ernst Deutsch aparece en:

La monumental *Enciclopedie du cinéma*, de Boussinot. Tampoco en la *Historia del cine mundial*, de Georges Sadoul. En el *Dictionnaire du cinéma*, de Editions Universitaires (París), se le menciona como el director de "Un oiseau rare" (1935), y esto porque el autor del guión fue Jacques Prevert. Y no se le mencionaba en el *Dictionnaire des cinéastes*,de Sadoul. Al fin, Charles Ford se acuerda de Pottier en tres párrafos de su *Historie du cinéma française*, señalando que hizo "Barry" en 1949, la historia de un perro de San Bernardo; película que ganó un premio en Francia.

El *Dictionnaire du cinéma*, en cuatro tomos, menciona a un Ernst Deutsch, nacido en Praga, Checoslovaquia, de nacionalidad austriaca, en el año 1890. Hombre que hizo teatro e interpretó varios films de 1916 hasta 1958.

La misma fuente nos dice que Richard Pottier, quien primero se llamaba Ernst Deutsch, nació en Hungría y debutó en Alemania como realizador en el año 1919. Se añade que su labor como director se inició en Francia en 1934 y señala alrededor de veinte películas suyas, entre ellas "La Bella Otero".

El libro *Germany*, de Félix Bucher (Nueva York) nos ilustra que Ernst fue un actor que nació en Praga en 1890 y murió en Berlín en 1969. Estudió en Praga (1914-1915), hizo teatro en Viena y Berlín.

En 1980 pasó a Londres y después a los Estados Unidos, para más tarde volver a Europa. Sin embargo, entre la larga serie de films que le atribuye al autor, no está "La Bella Otero". Y todo hace pensar que este personaje fue sólo actor y no director. Quiero decir, que hay dos hombres con el mismo nombre.

María Félix añadió un nuevo dato desconcertante al asegurar que "era un hombre con gran experiencia que había trabajado en Italia". El *Index de la Cinematographie française* de 1954 hace a Ernst francés. En fin, la *Enciclopedia Ilustrada del Cine* (Editorial Labor) afirma: "Pottier. Richard. Director francés cuyo verdadero nombre es Ernst Deustch (Budapest, Hungría). Estudió en Alemania y abandonó la carrera de medicina por el cine. Ayudante de Von Sternberg en 'El ángel azul' (1929), en el año 1931 emigró a Francia donde adoptó el seudónimo profesional de Pottier. Director desde 1934, cultivó todos los géneros y mantuvo un correcto nivel medio, sin alcanzar nunca un gran relieve."

Enterada de todo esto, María dijo: "Yo les puedo asegurar una cosa, el señor Pottier existe. Además me dijo que había hecho película titulada "El cantor de México".

Esto último ha sido comprobado.

Las noticias sobre Carolina Otero no están tan colmadas de contradicciones, pero son igualmente asombrosas. Parte la fama de Carolina del París de comienzos de siglo y se cimenta en una serie de escándalos. En un cierto momento se la conoce como "La sirena de los suicidios", porque algunos elegantes de la época se llegan a quitar la vida, despechados. En el París de alegría estruendosa, anterior a la Guerra Europea, se distinguen tres famosas vedettes: Liane de Pugry, Emiliene D'Alencon y Carolina Otero.

Cuando María se dispone a interpretar a esta mujer se entera de que aún vive en Niza, absolutamente empobrecida, después de haber derrochado en el Casino de Montecarlo toda una fortuna. Carolina vivirá otros doce años después del estreno en el que se narra su vida.

La bella Otero, en París.

El film recibe una acogida regular y la crítica es benevolente.

Como la voz de María no es la adecuada para las canciones que obligadamente había de interpretar, es doblada por la española Nati Mistral.

Por mi parte se me ocurre señalar que comparadas las fotografías de Carolina con la María que aparece en el film, cabe decir que la Bella Otero es menos bella que la Félix.

La sonorense llega a París a interpretar el papel de una española que triunfó hasta tal grado, que su nombre representa toda una época.

—¿Le gustaría repetir ese papel en su vida real?

—Los tiempos cambiaron. Ahora los tiempos no tienen nombre de mujer.

—¿Qué significa París para usted?

—Una meta.

—¿Cuántas metas se ha propuesto usted?

—Cuando llego a una meta, la olvido.

—¿Podría usted olvidarse de París?

—No.

Y María sale a pasear por las calles, "para que París siga siendo lo que siempre fue: lugar de mujeres bellas".

El paso del tiempo no parece apagar el fervor por la Bella Otero: a comienzos de 1984 se estrenó en la televisión francesa una serie titulada así. El papel principal estaba a cargo de Ángela Molina, una Bella Otero singularmente fascinante.

El reportero del diario *Excélsior*, Carlos Denegri, por entonces sumamente famoso, visita en París a María.

"Estaba parada ahí, como lo que era: la mujer más hermosa del mundo. Estaba sin afeites, envuelta en un vestido sencillo y con el pelo suelto. Cerca de la ventana de su salita, en el apartamento que ocupa en el 'George V', sobre la avenida del mismo nombre, en París. A su derecha, un piano. Cerca del piano un fonógrafo automático.

—México no me quiere, señor Denegri.

Lo decía con el acento que usa el enfermo de mucho tiempo para hablar de su enfermedad."

El periodista había leído en el diario *Le Figaro*, esa misma mañana, una nota en primera página, bajo la foto de María. La nota decía:

"María Félix, la bella artista mexicana, hija adoptiva de Francia, que en breve se trasladará a la Costa Azul, para conocer personalmente a la Bella Otero, cuya asombrosa vida interpretará en el cine. Deseamos a nuestra María, un viaje feliz a Cannes y un pronto regreso a la ciudad que tanto la quiere."

Cuando el reportero le pregunta cómo ha conseguido que una nota así aparezca en la primera página de un periódico tan importante, María responde:

—Mi agente de publicidad es muy inteligente. Soy yo.

Durante esa misma entrevista, publicada en *Revista de Revistas* (mayo 1954), ella dice algo sorprendente:

—Pienso volver a Valle de Bravo. Comprar una propiedad y tener un cuarto para los recuerdos y otro para los demonios.

Jean Cocteau hubiera envidiado la frase.

En el cuarto de los demonios, María pensaba "encerrarse a sufrir".

En el año 1983, pude ver en el Museo Metropolitano de Nueva York, un retrato de Carolina Otero, firmado por W.T. Dannat y fechado en 1897. Meses antes se habían publicado, en una revista madrileña, las últimas fotografías de Carolina tomadas en Montecarlo. Medio siglo separaba el uno de las otras.

En el óleo se veía a una joven de aspecto poco impresionante, de una belleza algo suave, no altiva. Las fotos eran las de una anciana. Pensé que en el cuarto de los demonios sólo se guarda el tiempo.

DONDE APARECE EL ELEFANTE
COLOR DE ROSA

29. *French-Cancan*. 1954

Toda película es una aventura, pero
una buena película es un milagro.
JEAN RENOIR.

—¿Qué impresión recibió al conocer a Jean Renoir?

—Pensé que era un elefante color de rosa.

Le comenté esta respuesta de María al crítico Jean Douchet.

—Me parece bien. Pienso que es una acertada imagen.

Douchet es un gran especialista en Renoir y uno de los críticos franceses a los que "French-Cancan" agradó mucho.

—¿Qué fue, María, lo que más le impresionó de Renoir?

—Su ternura, su delicadeza. Yo no quería hacer la película porque sólo tenía una parte y me parecía que no ayudaba a mi carrera. Pero en París me convencieron y nunca me arrepentí. Conocer a Jean y a su esposa fue algo importante para mí. Además aprendí mucho.

Por su parte Renoir quería hacer una película que "le acercara al público francés". Sentía que le era necesario establecer contacto con la gente de Francia, su país.

Dirigió "French-Cancan" cuando ya había cumplido los sesenta años y lo hizo con paciencia y atendiendo cada detalle. Parecía que estuviera pensando en los cuadros de su padre o de Utrillo, cuando ordenaba los decorados o elegía, junto con María, la suntuosa ropa que ésta iba a usar.

Algunos críticos se irían a quejar de que las escenas son demasiado largas y que la cámara parece adormecerse en ocasiones mientras ante ella trabajan los actores y los bailarines. Se decía, también, que Renoir estaba renunciando a algunos de sus más deslumbrantes conocimientos, para que el film transcurriera amorosamente.

Pero en la secuencia final rompería con este ritmo y nos dejaría a todos asombrados.

Un crítico llegó a decir: "Es una película que se duerme sobre sí misma." Obviamente no es cierto.

María observaba a Renoir trabajar y aun cuando ella no tuviera que estar ante las cámaras, acudía al estudio con una curiosa atención y persistencia.

—Yo me daba cuenta de que tenía oportunidad de acercarme al cine importante. No quería desaprovechar la ocasión. Tengo fama de ser intransigente y

217

pocos saben que soy capaz de pasarme horas estudiando algo que considero me puede enriquecer. Renoir era un maestro al que toda Francia admiraba y yo quería quedarme con sus secretos. Al fin que el cine también es mi oficio.

Renoir estaba, en este film, reuniendo paciente y amorosamente una serie de homenajes a su propio pasado parisino y a la pintura de su padre, Augusto, del cual tomó un cuadro la productora para convertirlo en el símbolo de la película. Hay en ella un suave humor y una constante referencia a una ciudad en donde había nacido y en donde se había enamorado y vivido. Es la obra de un hombre mayor, algo cansado, que se apoya en la melancolía y en el recuerdo, que goza usando los colores que usó su famoso padre y que se divierte con una anécdota sencilla y romántica.

Jean Renoir escribió un libro titulado *Mi vida y mis films*, en el que, entre multitud de anécdotas, da noticia de sus fórmulas de trabajo.

"Me acercaba, cada vez más, al sistema de tomas ideales que consiste en rodar una película como se escribe una novela. Los elementos que rodean al autor le inspiran. Los absorbe. Este método me ha permitido tener actores, decoradores, camarógrafos, técnicos en general y también obreros, trabajando en la realización de ideas que les importaban poco, pero para quienes la búsqueda de la ejecución se volvía apasionante por sí misma."

Habla, también, del color:

"La película en color plantea menos problemas fotográficos que la película en blanco y negro. Ya la pancromática había suavizado los contrastes; el color debía culminar esta tarea. En blanco y negro, e incluso con la pancromática, se corre el peligro de tener unos blancos como el yeso y unos negros como el betún. Ese peligro de llegar a los dos extremos es fácil de evitar con el color. El problema se limita a dispersar la luz necesaria para la emulsión y a escoger una porción de naturaleza lo bastante simple como para que parezca estar compuesta. La respuesta ideal al problema del color está en evitar completamente la naturaleza (la verdad exterior) y trabajar sólo en decorados. Lo que había de hacer en mis próximos films."

Efectivamente, en "French-Cancan" trabajarán dentro de los estudios. María Félix parece advertir todo esto con precisión.

—Renoir era como un pintor que usara el cine para llevar a cabo su trabajo. Y también.

—Parecía que todos podíamos hacer nuestro papel de manera muy libre. Pero no era así, Renoir estaba detrás de cada cosa.

Esta mujer paciente, trabajadora, observadora, no podía dejar atrás a la pendenciera y orgullosa estrella que se suponía habría de ser en todo momento. Su fama la persigue y la obliga.

Una crónica, publicada en México en agosto de 1981, fechada en París y firmada por Penélope Galveston, cuenta la historia sorprendente de cómo la "Doña" envió a la actriz Françoise Arnoul a un hospital. La anécdota se apoya en unas pretendidas frases de Renoir en sus memorias.

Conviene reproducir un fragmento, porque la cronista no duda un momento en que María pudiera ser una boxeadora eficaz.

"Dice Renoir en sus memorias: María Félix es una mujer con tanta personalidad que no deja ver a nadie junto a ella. Gabin se veía enano a su lado y Arnoul parecía un mosquito. Tuve que hacer dos películas en una. Mientras que Gabin y Arnoul eran filmados a la manera de Renoir (el pintor, padre del cineasta), a la Félix la filmé al estilo de Matisse. Arnoul se sentía mal de que María Félix la opacara de manera tan monstruosa, así que presa del coraje, en una escena, golpeó en un brazo a la Félix. Ésta la mandó al hospital con dos bofetadas (dadas con mucha gracia) que la lanzaron por los aires. Yo filmé la acción y dejé algo en la película. Fue muy divertida. Arnoul la demandó y los periódicos se ocuparon del caso. Félix contrademandó y ganó con naturalidad, pues es una ganadora de nacimiento."

Renoir, efectivamente, cuenta esta historia en su libro *Ma vie et mes films*, pero resulta menos truculenta:

"Francoise Arnoul lastimó involuntariamente a María Félix con su pulsera. La riña degeneró en una verdadera batalla. María, que estaba muy furiosa, lanzó una bofetada a Françoise que, por suerte, no la recibió. Pienso que le hubiera podido partir la cara. Françoise, por su parte, se defendía con arañazos y patadas, pero María la levantaba en el aire y yo temía que pudiera terminar con Françoise. Conseguí que la riña terminara antes de que tuviéramos la necesidad de pedir una ambulancia". El libro apareció en Francia en 1974 y la cronista parece haberse dejado llevar por la imaginación. En cuanto a María se reía del incidente.

—Cosas del cine. Se trabaja a presión.

Caracteriza el comportamiento profesional de María el hecho de que después de algún incidente no se retire malhumorada al camerino, sino que continúe trabajando.

Dolores, sangre, fastidios, nunca le han impedido continuar filmando una escena. Alcoriza y otros directores recuerdan cómo, lastimada por una caída o por un incidente, continuaba representando.

Durante la filmación de la película, un censor italiano llamado Lino Matassoni, dedicó gran parte de su tiempo a vigilar que los escotes de María no "entraran en una zona escandalosa." En nombre de los coproductores italianos mantuvo una vigilancia constante y obligó a rodar algunas escenas dos veces. De nuevo la moral venía a fastidiar a la "Doña".

En líneas generales la película tuvo mala crítica en Francia; el maestro, que había querido acercarse "al pueblo francés", se había alejado muy sensiblemente de sus admiradores, los teóricos del cine.

En España fue mejor recibida. Carlos Fernández Cuenca (en el libro *Jean Renoir*) escribe: "Luigi Chiarini, en su *Panorama del cinema contemporáneo* elogia con mucha tibieza esta película, para remachar dogmáticamente, que Renoir es un artista que ya no tiene nada que decir. Sin embargo, 'French-Cancan' dice muchas cosas. Dice, ante todo, y sobre todo, que su director, ya cumplidos los sesenta años, trata de hacer, y lo consigue, una obra nueva por completo en su ya larga carrera, mirando hacia adelante y no hacia atrás, preocupado constantemente por la sencillez expresiva, tratando de obtener superiores resultados

La esperaban las plumas y las fue a encontrar en la Ciudad Luz.

con recursos expresivos más simples. La historia es intensa y para satisfacer a los que sólo gozaban en la trayectoria de Renoir la violencia y el desgarramiento sarcástico, está la crueldad de 'Dangland' (Jean Gabin) con las mujeres, a las que finge amar con todo el 'riesgo implacable de la desilusión'.''

Al final del film, Renoir desarrolla un espectáculo dinámico y colorista, lleno de una feroz alegría. Es el gran cancan que todos los espectadores esperan, el que ya se sugiere en el propio título del film.

Renoir, por lo que se sabe, había visto previamente dos films en los que el cancan había sido mostrado como una danza "alocada y vertiginosa". Se trataba del baile que aparece en el film "La Atlántida", de G. W. Pabst, estrenada en junio de 1932, con Brigitte Helm y Pierre Blanchar. Entonces se dijo que la película era "fría y decorativa".

John Huston, en 1953, había creado otro gran baile en "Moulin Rouge", rodada en 1953 en París y en Londres. Huston había trabajado en Maxim's y en Deux Magots, los típicos lugares parisinos, y había gozado, visiblemente, convirtiendo en cine los cuadros de Toulouse Lautrec.

Con estos dos precedentes, Renoir parecía obligado a rematar su film con un espectáculo inusitado que consiguiera superar las obras de los dos excepcionales directores. Especialmente John Huston había cuidado los mismos aspectos que a Renoir le importaban, hasta el punto de que junto con su operador, Oswald Morris, creó una serie de filtros que permitieran una fotografía cercana a los colores de los impresionistas franceses.

Jean Renoir dedica el último rollo de su película a mostrar el gran baile; es su forma de acercarse al pueblo francés "del que me he separado últimamente".

En noventa y ocho planos de montaje, Renoir da su versión de la danza. Y crea un espectáculo tan alegre y vigoroso que el público sale del cine excitado y rejuvenecido. Renoir consigue lo que había venido planeando desde que se inicia el proyecto de "French-Cancan".

Para María, esta larguísima secuencia es "de aplauso".

No era tan larga, sin embargo, como el ballet final de "An american in Paris" (Minelli, 1951), que duraba dieciséis minutos y diez segundos y estaba, también, inspirada en París y en pintores franceses: Dufy, Renoir, Utrillo y otros. Con ello Gene Kelly ganó un óscar.

Cuando Renoir dedica sus memorias a "los autores que el público ha designado con el nombre de 'Nouvelle Vague', y cuyas preocupaciones son también las mías", está consolidando un respeto de ida y vuelta. Françoise Truffaut, uno de los directores más representativos de la nueva ola, va a dedicar al maestro un estudio memorable en su libro *Las películas de mi vida* (Barcelona, 1976). Escribe Truffaut:

"'French-Cancan' (1955) significa la vuelta de Renoir a los platos franceses. No voy a contarles el argumento. Recuerden únicamente que se trata de un episodio de la vida de un tal Danglard que fundó el Moulin Rouge e inventó el cancan. Danglard ha consagrado su vida al music-hall, descubre jóvenes valores, bailarinas o cantantes y las 'convierte' en vedettes. A veces, son sus amantes, por una temporada, pero siempre se vuelven exclusivistas, posesivas, celosas, caprichosas, insoportables. Danglard no se ata a ninguna, está desposado con el music-hall y para él sólo cuenta el triunfo de sus espectáculos. Ese amor exclusivo al oficio, que trata de inculcar a los jóvenes artistas que descubre y revela, es la única razón de su vida. Es fácil reconocer el parentesco de este tema con el de 'La carroza de oro'; la vocación por el espectáculo está por encima de las réplicas sentimentales. 'French-Cancan' es un homenaje al music-hall como 'La carroza de oro' lo es a la 'Comedia dell'arte'; pero ya he mostrado mis preferencias por esta película. Aunque sean ajenos a Jean Renoir, los fallos de 'French-Cancan' no son menos lamentables porque afectan en primer lugar al reparto. Si Giani Esposito, Philippe Clay, Pierre Olaf, Jacques Jouanneau, Max Dalvan, Valentine Tessier y Anik Morice están muy bien, Jean Gabin y María Félix, al contrario, no dan de sí el 'máximo'. Merece la pena señalar, también, las virtudes de la obra: 'French-Cancan' ha marcado una época en la historia de la utilización del color en el cine. Jean Renoir ha evitado hacer una película pictórica, y en este sentido, 'French-Cancan' es el anti 'Moulin Rouge', en el que John Huston se dedicó a hacer mezclas de los colores obtenidos con filtros de gelatina. En nuestra película sólo hay colores puros. Cada plano de 'French-Cancan' es un grabado popular, un 'dibujo de Epinal' en movimiento. ¡Ah, qué negros más bellos, qué marrones más bellos, qué beiges más bellos! El french cancan final es un verdadero 'no va más', un largo pasaje brillante que concita invariablemente el aplauso de la sala. Aunque 'French-Cancan' no tenga en la obra de Renoir la importancia de 'La regle de jeu' o de 'La carroza', no cabe duda de que es una película brillante, muy cuidada, con la fuerza de Renoir, su buen humor y su juventud.''

No todos son tan generosos con el excepcional director. En *Premier Plan*, se dijo:

'' 'French-Cancan' marca el comienzo del derrumbamiento. Renoir tiene sesenta años, la edad de retirarse. Ha tenido un oficio que desgasta a los hombres. Como Fritz Lang, como Ford o como Pabst, al eternizarse en los estudios pierde el sentido del cine; sólo le queda el oficio.''

Y André Bazin, en su libro *Jean Renoir*:

''En realidad no es más que un niño (. . .) Ha llegado precisamente a esa edad en la que la madurez de la conciencia gusta de nutrirse de los primeros recuerdos. 'French-Cancan' significa una vuelta a sus orígenes, el más bello homenaje ante la tumba de Augusto Renoir.''

A juzgar por el entusiasmo de María al recordar este trabajo, ella puso en el cine, como muy pocas veces, una esperanza grande. Sus amigos los intelectuales mexicanos le habían hablado con pasión de Renoir y de su cine; se acercaba al voluminoso y entrañable maestro con una mezcla de orgullo personal, por haber conseguido llegar tan alto, y una humildad de aprendiz. El cine francés tenía en México un alto prestigio, no sólo a través de un cine club pionero y bien manejado, el del Instituto Francés de América Latina, sino ofrecido en dos salas comerciales que estrenaron buen número de películas en estos años.

Como ejemplo de la penetración del cine francés en México, señalaremos que en el año 1953 se estrenaron 21 películas de ese país; en 1954 el número subió a

33 films y al año siguiente a 39. Jean Renoir no era un desconocido, sino un admirado por la gente que María admiraba.

—Es como un gran elefante color de rosa.

A María la imagen le agrada, la repite muy feliz.

—¿Sabe usted, María, que un día Renoir dijo que él era sólo un ciudadano del cinematógrafo? Eso fue tanto como abandonar todo nacionalismo. Él dijo: "los dos años que viví en la India me ayudaron a librarme de los últimos restos de mi nacionalismo." Eso dijo.

—Bueno, él no necesitará del nacionalismo. Yo, sí.

Los números 22, 23 y 24 de la revista *Premier Plan* constituyen un libro dedicado a Jean Renoir.

—¿Sabía usted, María que en ese tomo de cuatrocientas páginas prácticamente se olvidan de usted? A la hora de mencionar el reparto de la película colocan su nombre alrededor del veinteavo lugar.

María recupera su bien manejada altivez.

—Yo tenía el tercer papel, después de Jean Gabin y de Françoise Arnoul.

La tranquilizamos: De cualquier forma, en *Premier Plan* están por debajo de usted Patachou y Edith Piaf.

Ella ríe: ¡Algo es algo!

Para los redactores de este documento "French-Cancan" marca el comienzo de la decadencia de Renoir. Salvan ciertos momentos dignos de "un gran colorista", como son aquellos en los que María aparece con una ropa suntuosa o los decorados que se inspiran en Utrillo.

Antes y después de hacer la película, María dedica su tiempo a caminar por París, a acudir a cenas en los grandes restaurantes, a comprar en joyerías y boutiques. París es ya su ciudad y su mexicanismo beligerante va a ser compartido con sus días afrancesados. Al fin, que está repitiendo un largo periodo de su propia patria, cuando grandes barrios de la ciudad de México se alzaban como un homenaje a la gracia y el lujo parisién y la Colonia Roma era como un París chiquito para pasar el rato. El encanto que París ha proyectado sobre los mexicanos tenía la doble significación de alejarse de la siempre pesada y dolorosa presencia de España y la búsqueda de una elegancia que exhibida en México resultaba una afrenta al indio olvidado.

Por otra parte, en París el duelo que su belleza llevaba a cabo constantemente con otras mujeres era aún más excitante; deslumbrar en los Campos Elíseos es más difícil que asombrar en el Paseo de la Reforma. Vencer en esta batalla por la admiración y el asombro, resultaba en París una muy superior victoria. María sin duda gozaba apareciendo en la calle y dejándose mirar. Exhibiéndose con gracia, impudicia y altivez.

Cuando alguien la señala como la viuda alegre, ella responde que ella no es alegre por ser viuda y que su máxima alegría es el vivir.

DOS POLÍTICAS, DOS IDIOMAS, DOS MUNDOS

30. *Les héros sont fatigués.* 1955

> La mayoría de las gentes que comercian con el cine, no
> van al cine, no les gusta el cine, no saben nada de cine.
> Consagran su vida a la venta de un producto que esen-
> cialmente no les agrada.
>
> JOSEPH LOSEY.

Difícilmente se puede reunir en un film, como intérpretes, a dos seres tan alejados entre sí como Yves Montand y María. No sólo les separaban gustos y afectos, sino, esencialmente, su actitud frente a la vida y la política. Mientras para
María la política era cosa de intereses de grupos, de ambiciones personales, para Yves era su vida. Montand había tenido, junto con su compañera Simone
Signoret, una beligerante actitud ligada al partido comunista francés. María
conocía a algunos comunistas mexicanos, que eran para ella seres ingenuos, ilu-
sionados, sin gran sentido de la realidad. Recordaba en ese sentido a su amigo
Diego Rivera, que le parecía un ser fantástico, mentiroso y genial.

Acaso el único punto de contacto con Yves hubiera podido ser el amor por
México. Montand tenía una gran ilusión por conocer el país, y cuando al año siguiente Simone Signoret llega a México para hacer con Buñuel ''La muerte en
este jardín'', parece haber encontrado todo cuanto ella y Montand habían estado imaginando.

''Dudo que alguien no se enamore de México, y no me refiero a los paisajes,
sino a la gente. Parezco una mujer folklórica cuando hablo así. No me importa:
el folklore tiene cosas buenas cuando expresa su sentido real; es decir, cuando
se refiere a la palabra 'pueblo'. Yo lo diré en castellano: 'pueblo'.''

Al año siguiente la fe de la pareja en el comunismo y la fidelidad a Moscú
sufre un dramático tropiezo. Los rusos invaden, en el mes de octubre, Budapest. En su libro de memorias *La nostalgie n'est plus ce quélle était*, Simone
refleja el momento:

''En cuanto a Montand y a mí, noviembre fue el mes más triste, más aburrido, más cruel y más instructivo de nuestros veintiséis años de vida en común.
Budapest estalló en la escena de las últimas horas del mes de octubre. Budapest
ardía en el mundo entero. . .''

Éstas y otras angustias no podían entrar en el mundo de María porque incluso los amigos que la hubieran podido adentrar en la política y los problemas sociales estaban atendiendo a otro tipo de enseñanzas.

Los héroes están fatigados. La mirada de María.

Yves Montand, el héroe
fatigado.

. . . pero no lo suficientemente fatigado.

A pesar de que Yves es sensiblemente más joven que la "Doña" hacen una buena pareja cinematográfica y esto decide a los productores. No era fácil encontrar respuesta al tipo, la altura y el gesto de María. Yves tenía, entonces, treinta y cuatro años. Montand nació en un pueblo italiano y su familia emigró a Francia, en donde trabajó en los muelles de Marsella. Comenzó a cantar a partir de un concurso de aficionados y fue protegido por Edith Piaf, actuando junto a ella en el "Moulin Rouge". Pronto se convirtió en uno de los cantantes más famosos de Europa. Con "El salario del miedo" (Clouzot, 1954) Montand consigue otro tipo de fama: la cinematográfica. Su trabajo es aplaudido por toda la crítica. María había visto esta película dos veces y se sentía orgullosa de trabajar junto a él. Por su parte Montand declaró:

"La mexicana tiene el rostro más asombroso de cuantos he visto en mi vida."

Ella respondió al piropo con otra gentileza: "Creo que es un privilegio trabajar junto a ese señor."

El encargado de que ambos hicieran un buen trabajo fue el director Yves Ciampi, nacido en París en febrero de 1921 y debutante en el cine en 1945 con la película "Les compagnons de la glorie", un documental al que habían precedido algunos otros cortometrajes relacionados con su carrera: la medicina. La crítica francesa solía señalar en sus películas un lirismo fácil y una tendencia al exotismo, que acaso haya sido una de las razones que le llevó, en el año 1956, a casarse con una actriz japonesa. El argumento estaba basado en el hecho de que dos aviadores que habían peleado en bandos contrarios, el alemán y el francés, se encontraban después de la guerra y decidían, en África, llevar a cabo un robo de brillantes para después retirarse a una vida cómoda.

El film se exhibe en París del 22 de octubre al 11 de noviembre de 1955. En el número 53 de *Cahiers de cinéma* se dice que se trata de "una suerte de teatro filmado en el que, sin embargo, hay buenas escenas; sobre todo en las que actúa Kurt Jurgens, el monstruo sagrado".

En México se estrena en el cine de Las Américas, el mes de noviembre de 1956. En su primera semana, de jueves a domingo, recauda más de 91 mil pesos, enfrentándose a otro film taquillero: "En manos del destino"; en el mismo tiempo el film "Alejandro el Magno" recaudó más de 89 mil pesos.

"Los héroes están fatigados" fue catalogada en la revista mencionada con el sistema de estrellas y puntos negros, en el que un punto negro significa detestable, una estrella film mediocre y cuatro estrellas equivale a obra maestra.

Opinaron nueve críticos que calificaron, dos de ellos, dándole un punto negro. Cinco críticos anotándole una estrella. Y dos críticos le señalaron dos estrellas. Estos dos últimos fueron personas bien conocidas en el mundo del cine: Ado Kyrou y George Sadoul. Françoise Truffaut y Andre Bazin, otras dos personalidades, calificaron a "Los héroes están fatigados", con una sola estrella.

María guarda un curioso recuerdo de este film: durante una escena violenta en la que Montand tenía que abofetearla, uno de los pendientes de la estrella se engancha en un anillo de Yves y desgarra la carne detrás de la oreja. La señal ha quedado para siempre.

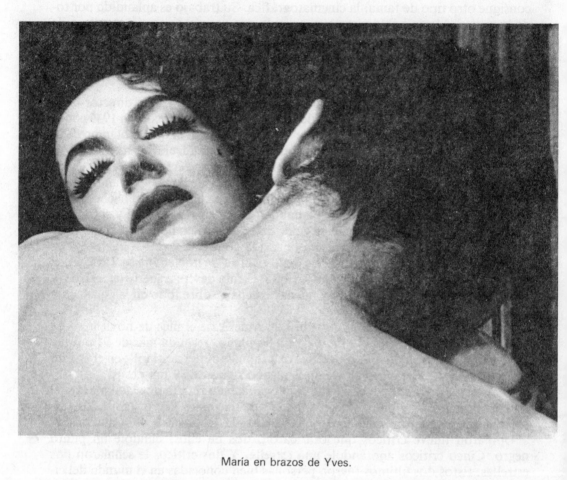

María en brazos de Yves.

Por su parte Charles Ford, en su *Histoire du cinema française contemporain* (París, 1977) dice que la interpretación de los cuatro principales protagonistas es "de una calidad superior".

Afirma también que Ciampi, el director, se manifiesta como una realidad en el cine francés a partir de su tercer film. "Ciampi pretende, con 'Los héroes están fatigados' hacer una gran película". Para ello va en busca de elementos exóticos y de personajes sugestivos. El reportaje de Christiene Garnier, sobre el que se crea el guión, llamó profundamente la atención del director, que vio en la historia los elementos capaces de conformar una película de gran éxito y también de valores humanos."

En líneas generales los espectadores parecen salir del cine, después de ver esta película, envueltos no tanto en la magia de la historia, como en el embrujo de los dos protagonistas. Se dijo que María estaba muy atenta a su propia belleza y que parecía no importarle sino esto. Acaso el problema tiene su justa expresión en una frase, que por esas fechas la "Doña" dijo a un periodista:

—¿Qué quiere usted? Yo no puedo ser fea.

Los especialistas en la búsqueda del detalle erótico en el cine encontraron en "Los héroes están fatigados" una buena cantidad de fotogramas sugestivos. La inmensa espalda desnuda de María, ella y él en la cama aparentemente desnudos, abrazándose sin ropa, etc., etc. Podría suponerse que la película contenía un material muy sugestivo en este aspecto. Pienso que las fotos vistas fuera del film, lo son más.

De cualquier manera estos desnudos parciales vienen a decirnos que María, a los cuarenta y un años de edad, soporta muy bien la mirada de la cámara.

CON COMPLACENCIA, SIN ABURRIMIENTO

31. *La escondida*. 1955

> Algún día los cineastas mexicanos habrán de ofrecer un homenaje a ciertos artesanos que han colaborado en los mejores films instalando un elemento estéticamente esencial. Hablo de los sombreros.
>
> P.I.T.

María vuelve a su tierra; la experiencia francesa la ha transformado de forma muy sensible; no sólo su guardarropa ha sufrido la influencia parisina, sino también su comportamiento. Mantiene un duelo "con los periodistas de segunda" y éstos buscan sus respuestas hirientes que considerarán un insulto y, al mismo tiempo, un éxito profesional.

La "Doña" tiene veintiuna películas y una fortuna; tiene también una experiencia amorosa importante y una fama que no necesita a Hollywood. Un amigo común me cuenta que María ha dicho: "Si todas las mexicanas pudieran, todas serían como yo."

Es decir, la ilusión de todas las mujeres de México sería la de ser una sola mujer: la "Doña". Gabriel Careaga en *Mitos y fantasías de la clase media en México*, advierte:

"El amor en sí es un mito divinizante; estar enamorado del amor es idealizar y adorar. En este sentido, todo amor es una fermentación mítica. Los héroes de los films asumen y magnifican el mito del amor. Lo depuran de las escorias de la vida cotidiana y lo desarrollan. Enamoradas que reinan en la pantalla, fijan sobre ellos la magia del amor, invisten a sus intérpretes con virtudes mitológicas divinizantes; son ellos para amar y ser amados, y atraen hacia ellos ese inmenso salto ficticio que es la participación del espectador en el film. Entonces hay una unidad entre el objeto, la estrella mitificada y el espectador gris con aspiraciones de trascender su mediocridad. Es, para decirlo de una forma sucinta, la proyección de lo que en realidad quisiera ser."

Según esto, acaso María, en ese momento, no esté tan alejada del profundo anhelo de la mujer de México, como pudiera parecer a través de una frase pretenciosa.

Un país de Marías Félix que se vengan del machismo, instalan su propio reinado, no ya en la opacidad del hogar en el que dominan, sino en la calle, en la fiesta. María ha tomado la bandera de la mujer sufrida, que a los cuarenta años ya es solamente madre y no esposa, y se ha convertido en el símbolo soñado en la oscuridad del cine.

Querer ser María Félix es no solamente invadir la pantalla, sino vengarse de una vida que a los cuarenta años se ha dejado de vivir con goce, para convertirse en la madre dominadora, que en los hijos tiene su premio y también su coartada.

Cuando comento todo esto con Agustín Lara, el músico finge consternación y dice:

—Pobres de nosotros.

—¿Cómo sería un México en el que todos fueran Agustines Lara?

—No me quite el sueño.

—¿Y un México en el que todas las mujeres fueran iguales a María?

—Yo emigraría.

Y parece decir que México, con un solo Agustín y una sola María, tiene suficiente.

Mientras se prepara la versión de esta película que va a ser presentada en el Festival de Cannes, en México se produce una ola de rumores que ligan sentimentalmente al pintor Diego Rivera con la "Doña".

Éste había pegado, desde hacía ya un tiempo, una gran fotografía de la actriz sobre una lámpara que brillaba todas las noches en su estudio. De esta forma, había dicho, "María le enviaba su luz en sus momentos de soledad".

Rivera había estado jugando con la fantasía de un amor entre los dos y ella se había negado a desmentir la historia. Parecía un juego gentil y malicioso entre la mujer más bella del país y el hombre más feo.

Diego, sin embargo, tenía algo que decir al respecto:

—María y los feos, hacen juego.

Ésta era una amable indicación de que, al fin y al cabo, también un feo, Agustín Lara, había tenido su oportunidad.

El día 22 de abril, el periodista Luis Suárez quiso tener noticia clara de los amores tan pregonados. Por entonces Diego cumplía sesenta y nueve años y era ya un hombre muy ducho en sostener pintorescos encuentros con periodistas y reporteros. Diego pidió que Luis Suárez le hiciera la pregunta por escrito y le prometió que le respondería por escrito también. El documento, redactado a mano por ambos, en una sola hoja de papel, aparece en el libro *Confesiones de Diego Rivera*. "Maestro Diego Rivera: Hasta la revista *Mañana* ha llegado, con visos de certeza, la noticia de que usted va a contraer matrimonio con María Félix. ¿Quiere usted confirmar esta versión, si es cierta?"

Responde el pintor:

"Nada podría ser mejor para mí, sino que fuera cierto; desgraciadamente ésta es la primera noticia que tengo sobre el asunto. Muerta Frida, nadie hay en el mundo que yo admire, respete y quiera con adoración más que a María. Creo que nadie puede quererla más que yo. Nadie. Desearía, para ella, ser capaz de ayudar a que se realizara cualquier cosa, la que fuera, que pudiera complacerla o servirla. En mi opinión sólo podría aspirar a ella el hombre más inteligente, más guapo y más joven y más rico del mundo, que la quisiera tanto como yo.

232

La película de Gavaldón anunciada en Italia.

Lástima que me falten las cuatro primeras condiciones, aunque nadie podría rivalizar conmigo en la quinta de ellas. Firmado: Diego Rivera.''

Frida Kahlo murió en 1954, después de un matrimonio tormentoso y dramático con Diego. Ambos, según confesiones propias, habían ''practicado el engaño''. Frida, una mujer en buena parte destruida por un accidente ocurrido en su juventud, pintó con obsesión su propia desgracia. Cuando estaba a punto de morir, Frida pidió a María que se casara con Diego.

Parecía que intentaba dejarlo como una especie de herencia sentimental. La nieta de Rivera, Ruth, me contó que María se indignó y abandonó durante un tiempo al matrimonio de artistas. Es posible que ella misma sintiera que era ofrecida como un objeto sustitutivo.

La película ''La escondida'' fue presentada en el Festival de Cannes, el día 8 de mayo de 1956; dentro de una larga crónica firmada por F. Hoda y F. Gaffary, la revista francesa ''Positif'' le dedica muy pocas líneas:

'''La escondida', de Roberto Gavaldón, pertenece al género de melodramas históricos que se ven con complacencia y sin aburrimiento. Hay secuencias exaltantes. La fotografía de Figueroa es admirable y la anécdota exalta la Revolución contra el ejército regular.''

Fue el mismo año que México presentó en Cannes la película ''Torero'', de la que los mismos cronistas dicen que Carlos Velo consiguió ''un documento extraordinario y veraz sobre las corridas de toros y el miedo de los toreros. Sin embargo se trata de un film para los cineclubes''.

La misma revista *Positif* publicó en su número 25-26 del mes de mayo del año siguiente, una nota sobre ''La escondida'', de la que saco estas frases:

''Las dos estrellas más cotizadas en el extranjero (María Félix y Pedro Armendáriz), un fotógrafo de los más hábiles (Alex Philips), un realizador experimentado y seguro (Roberto Gavaldón), el color, importantes medios materiales, un gran periodo de la historia nacional (La Revolución de 1910) y todo lo necesario; ésta es la fórmula perfecta para hacer un gran film de prestigio. Pero en México el arte oficial se vuelve popular y vivo.''

La revista francesa *Cinemonde* dedicó varias páginas a narrar la historia de ''La escondida''. La descripción de la protagonista ''Gabriela'' (María Félix) puede sernos interesante:

''Gabriela no había comprendido, jamás, cómo se asocian entre sí los hombres. Máximo, Guadalupe y naturalmente Felipe, que casi era su jefe, decían palabras fuertes, tales como justicia, derechos humanos, revolución. Todo esto no tenía sentido para Gabriela. Ella detestaba a los ricos y los envidiaba. Pero detestaba igualmente a los pobres. A éstos los menospreciaba también. Los pobres eran groseros e ignorantes. Los hombres apestan a sudor y a alcohol. Las mujeres están embrutecidas por la miseria. ¡Todo ese terrible mundo de las vecindades, con gentes apiladas! Pero en la 'casa grande' hay tapices, muebles bonitos, bellas criaturas vestidas con trajes de seda, que bailan en las tardes a la luz de los candelabros. Gabriela soñaba con ser, algún día, una dama. ¿Acaso no era ella más bella que el resto de las invitadas de don Esteban? Todos los hombres, no sólo peones, sino también los soldados, los boticarios, los mismos

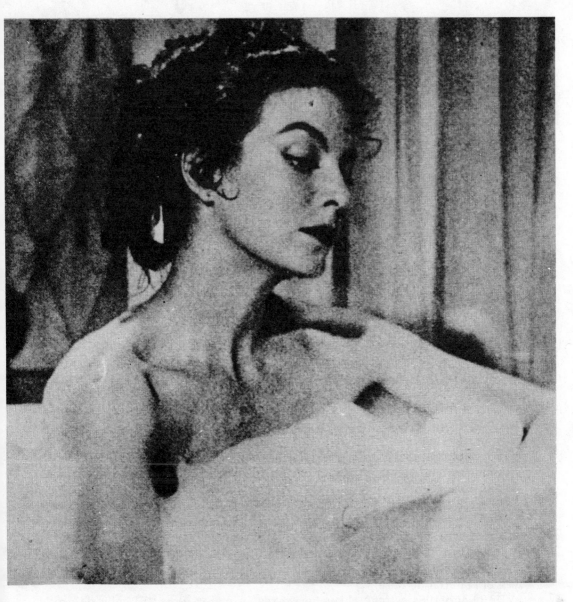

María entra en la tradición del baño de espuma.
La escondida.

oficiales que venían al Vergel, se volvían para verla a su paso. Cuando ella va a la estación a vender agua fresca a los viajeros, el jefe del tren la deja subir a los vagones y las otras muchachas la insultan, celosas, cuando regresa. Algunas veces la golpean. ¡Cómo detestaba Gabriela ese pueblo y esas miserables gentes entre las cuales ella había nacido! Menos Felipe (Pedro Armendáriz), porque él era fuerte y el más guapo de los hombres de toda la región, hasta Tlaxcala. Cada vez que Felipe la miraba, sentía el fuego de sus ojos negros y un calor le secaba la garganta y la hacía teñirse de púrpura las mejillas. Ella lo amaba.''

Obviamente se trata de una muy especial interpretación del film a través de los intereses de un periodista dispuesto a convertir la película en una novela psicológica.

Pero hay algo de acertado en este retrato de un personaje que vuelve a fundirse con su intérprete. La fuerza de la estrella impregna a Gabriela y llega hasta el redactor. Gabriela, como tantos otros de los personajes que le fueron dados a María, quiere dejar de ser lo que es, y subir hasta lo más alto de la pirámide social:

—Gabriela soñaba con ser, algún día, una dama.

El día 10 de marzo de 1955, una agencia de noticias envía a sus asociados un primer cable sobre una catástrofe que afectará a la Doña muy profundamente:

''Ricardo Pasquel, el magnate, acaba de morir en trágico accidente. Gran aficionado al cine, fue ferviente enamorado de María Félix. Juntos conmovieron a la opinión pública, despertando un volcán de murmullos.'' Aparte de murmullos, esa relación entre la bella y el rico tuvo su muy pintoresco anecdotario. Personaje sorprendente, Pasquel enamoraba a María a través de medios tan insólitos como volar en una avioneta, a muy bajo nivel, sobre su casa, o adornarse con las más costosas y estrafalarias prendas y joyas.

Su muerte pone en boca de todos historias que acaso no sean ciertas, pero que parecen retratarle; por ejemplo, el proyecto de bañar a la ''Doña'' con champaña en una piscina familiar o la de celebrar una corrida de toros para ella sola.

Roberto Gavaldón, el director de esta película, es el típico creador con prestigio oficial; hombre trabajador y constante, parece haber congelado sus mejores ideas en el momento de realizarlas. Le falta sencillez y también inspiración en aquellos instantes en que el film pudiera tomar vuelo y en muchas de sus secuencias se advierte cómo trasciende una falsedad y artificiosidad que destruyen el material de base.

En el año 1964 estrenó el que acaso sea su mejor film: ''El gallo de oro'', sobre un argumento de Juan Rulfo, llevado al cine por Carlos Fuentes, Gabriel García Márquez y el propio director. Parecía encontrarse ante la posibilidad de una obra maestra (y el hecho es que la película ganó varios premios) pero le fue imposible elevarse sobre sus propias limitaciones y no será considerada jamás como esa excelencia que era legítimo esperar, dado el reparto, los escritores y el presupuesto.

Posiblemente Gavaldón pueda representar ese tipo de directores que menos ayudarían a la ''Doña'', ya que llevándola hacia una intervención plasticista y

236

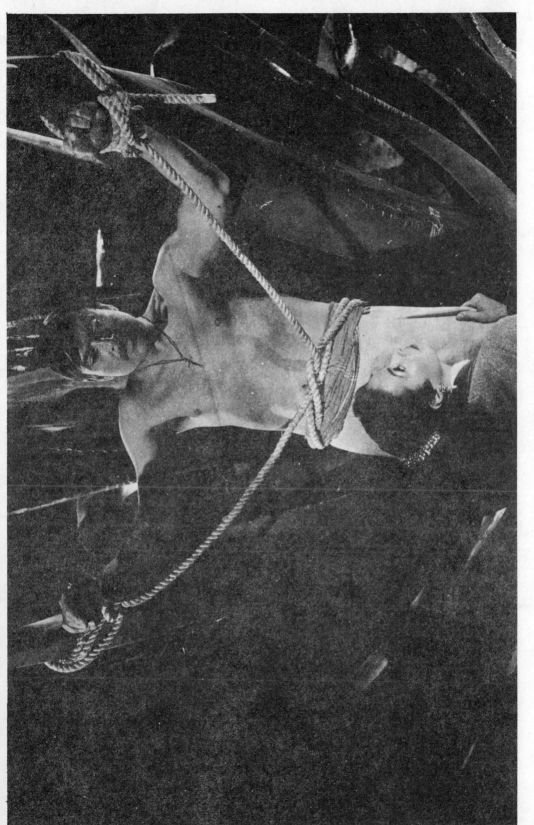

Arrodillado ante el macho. Estampa clásica del cine nacional. *La escondida*.

fría del personaje apoyaban sus defectos y no proponían salidas dúctiles a la estrella.

En cuanto a la versión francesa de que el arte oficial mexicano tiene siempre un tono populista y emotivo, pienso que es cierto. Posiblemente porque algunos artistas (los muralistas, por ejemplo) consiguieron superar las pretensiones de quienes los contratan y porque, en otras ocasiones, como puede ser en este film, el pueblo conseguía asomarse por los resquicios que el director de cine olvidaba cerrar con su inmovilismo estético.

Es posible, por otra parte, que "La escondida" sea una de las películas que mayor deuda tiene con Eisenstein, del cual toma bastante más que su plasticismo y sentido del encuadre.

Esta influencia se advierte, sobre todo, en dos o tres momentos claves, especialmente en la secuencia en que Pedro Armendáriz es atado a un maguey, desnudo de medio cuerpo para arriba. Los conocedores del material de "Tormenta sobre México" (1933) encuentran un eco muy claro en el trabajo de Gavaldón que acaso tenga en estos instantes, uno de sus mejores momentos.

Aun cuando "La escondida" pasó por el Festival de Cannes sin una crítica favorable, tal y como se esperaba en México, tuvo después de su estreno defensores y aun entusiastas. Francisco Pina elogió mucho los diálogos que dijo eran "sobrios, correctos y sumamente eficaces", y también el empleo de las canciones de Cuco Sánchez.

En cuanto al personaje que interpreta María, digamos que está dentro del infortunio que el destino depara a todas las cortesanas que ella tiene que vivir en el cine. "La escondida" ha de esconderse porque es una "mala mujer" y su destino queda marcado desde el inicio de la historia. Cuando una bala la mata, de certero tiro en la cabeza, sabemos no sólo que la Revolución ha triunfado, sino también la moral al uso.

LO MÁS NACIONALISTA SUELE
SER INTERNACIONAL

32. *Canasta de cuentos mexicanos*. 1955

> En el cine algunas veces el paisaje ayuda, en otras
> ocasiones el paisaje lo es todo. En este último caso si el
> film no es un documental turístico, se convierte el paisaje
> en un traidor.
>
> P.I.T.

El título de este film es bastante discutible, ya que el cuento principal, "La tigresa", de los que conforman la película, ha sido tomado por el autor, Bruno Traven de una vieja historia española, posiblemente de procedencia oriental y que ha pasado por todo el mundo hasta llegar a México.

El libro de B. Traven *Canasta de cuentos mexicanos* contiene diez narraciones de las cuales fueron elegidas tres. El tercer cuento de esta serie se titula *La tigresa* y fue anunciado como una historia "muy mexicana y original".

No era ninguna de ambas cosas.

El autor todo lo que hizo fue tomar del libro *El conde Lucanor*, escrito hacia 1335 por don Juan Manuel, nacido en la villa de Escalona, la narración número 35 titulada *De lo que aconteció a un mancebo que casó con una mujer muy fuerte y muy brava*. Esta historia llamó profundamente la atención y sin duda era conocida por William Shakespeare, quien sobre el mismo tema escribió *La fierecilla domada*, hacia el año 1593.

En nuestros días, el dramaturgo Alejandro Casona volvió sobre el tema para componer *El entremés del mancebo que casó con mujer brava*.

La originalidad de B. Traven consistió en situar la acción en México y con tan ligeros cambios, como el hecho de que el protagonista mata un loro en vez de un gato.

Julio Bracho parece haber elegido este cuento, a causa de la descripción que B. Traven hace de la "mujer brava", que tiene puntos de contacto con la leyenda de María Félix. Traven retrata así a su protagonista:

1. "Amaba los caballos y era una experta amazona siempre dispuesta a jugar carreras o a competir con cualquiera que se atreviera a retarla."

2. "Por su extraordinaria belleza y aún más por su considerable fortuna, era muy codiciada por los jóvenes de la localidad."

3. "Pasó todos los exámenes con honores. Esto la hizo más suficiente e insoportable."

4. "Contradecía a todo el mundo y por supuesto ella siempre tenía razón."

5. "Si alguien le demostraba que estaba equivocada, tenía un ataque de furia."

6. "No parecía necesitar a un hombre. Ya que había estado en un convento, en donde 'aparte de inglés, se aprenden muchas cosas prácticas y útiles'."

La leyenda de María Félix parecía convenir a la "Tigresa" y la "Tigresa" encajar en el comportamiento social de María.

En cuanto al personaje masculino es un ranchero de Michoacán, sencillo y sin grandes méritos, que después de casarse con "Luisa Bravo", recuerda que "su profesor de gramática le había leído un cuento escrito en 1320, que tenía algo que ver con una mujer indomable que insistía en mandar sólo ella".

El ranchero lleva el cuento a la práctica y consigue domar a "Luisa Bravo" —"la Tigresa"—, María Félix.

El sistema de doma de la furiosísima mujer, consistió en pedir a los animales domésticos que le rodean, le sirvan como criados y como éstos no saben el doloroso arte de servir, los va matando.

Cuando el ranchero michoacano pide a su esposa, recién casada, que le sirva, ella, ante el peligro de perder la vida como les pasó a los animales, se vuelve dócil. Quiero decir que sirve por miedo; como suele ocurrir desde muy antiguo.

En este libro se habla de cómo la tentación de domesticar a María fue razón profunda de varios guionistas y directores; digamos ahora que el caso no es único del cine mexicano, sino que otra de las mujeres más conflictivas, personales y desinhibidas del cine de Hollywood, recibió el mismo tratamiento. Me refiero a Elizabeth Taylor, quien hizo "La fierecilla domada" ("La bistetica domata", de Franco Zeffirelli, 1967) frente al domador Richard Burton.

Sabida la personalidad de Lyz y su relación con un autoritario como Burton, era irremediable terminar en Shakespeare, ofreciendo al segundo la posibilidad de meter en el redil a la díscola y altiva Lyz.

Petruchio (personaje que interpreta en el cine Richard Burton) dice: "Hasta que esté bien amaestrada, será preciso que no coma. La última noche no durmió y ésta no dormirá tampoco. Esto se hace con los milanos hasta que aprenden a conocer la voz del dueño y a comer en la mano." Sin comer y sin beber, la fierecilla se rinde.

Ambos tratamientos resultaban atractivos para una audiencia compuesta por espectadores masculinos que contemplan la independencia femenina como un agravio y por mujeres que, desde su constante humillación, veían los gestos de independencia y agresividad de María y de Lyz Taylor con no disimulado encono. Era, por otra parte, el tributo que ambas habían de pagar a un espectáculo que las había convertido en diosas.

Aún podríamos ir más hacia atrás en la historia del cine, para encontrar cómo otras mujeres independientes y autoritarias fueron ofrecidas a la venganza del público, en papeles de fierecillas domadas. Así ocurrió con Mary Pickford, la que consiguió, apoyada por su madre, la fama de ser la mejor regateadora de contratos y capaz de fundar, junto con otros, su propia productora para, finalmente, llevar la vida que le apetecía, incluso en contra de las opiniones del estudio que la tenía bajo contrato.

Mary Pickford hace "La fierecilla domada" ("The taming of the shrew") en el año 1929 e inaugura la serie de mujeres independientes que aceptan ser domesticadas en la pantalla, pero sólo en la pantalla.

Acaso convenga, como anécdota al margen, señalar que en este film aparecía un curioso crédito: "Escrita por William Shakespeare con diálogos adicionales de Sam Taylor" (este último, el director). Después de esto no parece tan reprobable el hecho de que Traven haya creado ciertos elementos "adicionales" a la historia del Conde Lucanor.

Traven y Sam Taylor pertenecen, por lo señalado, a ese mundo de seres que entran por la literatura del prójimo sin grandes problemas de conciencia. Y los unos vengan a los otros.

Para Julio Bracho hacer esta película era superar un cierto trauma que le produjo el proyecto fallido de llevar al cine la novela "Puente en la selva", también de B. Traven.

La personalidad del escritor era por entonces un misterio que todos los reporteros buscaban descifrar. Representaba a Traven la señora Esperanza López Mateos, y algunos suponían que ella era la autora de las novelas, casi todas famosas, de Traven. Bracho, sin embargo, había llegado a la conclusión de que el escritor era un señor Croven, que había estado a su lado "día y noche", mientras él adaptaba "Puente en la selva".

De nuevo el señor Croven y Bracho se reúnen para escribir los tres guiones de "Canasta de cuentos mexicanos".

—Fue muy importante para mí esta película, porque el proyecto del 'Puente' había fracasado y me había dejado un mal sabor de boca. Por otra parte Croven resultó ser una persona encantadora y competente.

En los créditos del film, sin embargo, se señala como adaptador al excelente cuentista mexicano Juan de la Cabada y el "señor Croven" no aparece. Juan de la Cabada participó en la terna para elegir la mejor adaptación del año; pero el Ariel lo ganó Alberto Gout, por "Adán y Eva".

La principal preocupación del director fue, en este film, la de retratar de la forma más sugestiva posible los paisajes, ruinas prehispánicas y pueblos mexicanos. Se esperaba que la película saliera al exterior, apoyada en la fama de Traven y en el reparto, que incluía varias grandes figuras mexicanas y algunos extranjeros. Sin embargo "Canasta de cuentos mexicanos" no obtuvo el favor que se esperaba y sus entusiamos turísticos quedaron para uso local.

María volvió a interpretar el papel de la mujer independiente a la cual el amor obliga a una cierta humillación y a un comportamiento dentro del esquema a que la sociedad obliga.

No parecían importarle a la "Doña" estas concesiones cinematográficas, mientras pudiera seguir haciendo lo que le "diera su real gana" en su vida privada.

EL MEJOR INDIO ES AQUEL
QUE SE FINGE INDIO

33. *Tizoc*. 1956

Que nada empañe
tu cielo pagano,
que mi alma riegue
flores en tu altar
y que las podas
de este amor profano
sean el mejor licor
para olvidar.

AGUSTÍN LARA

Al iniciarse esta película se suponía que el título de la misma sería "La Virgen de Tizoc", y éste es un detalle, como veremos, bastante revelador de las intenciones de productores, guionistas y director.

Se cuenta en "Tizoc" la complicada historia de un indio de la sierra de Oaxaca que se enamora de una mujer que llega al pueblo huyendo de un desengaño amoroso. El indio, Tizoc, es un especialista en cazar animales usando una resortera con la que lanza piedras verdaderamente mortales. Tizoc tiene enemigos por causa de su destreza, que quieren, incluso, matarlo. Un día entra en la iglesia del pueblo y descubre que la Virgen que allí se venera es sumamente parecida a la recién llegada. Aprovecha la ocasión para cantar a la virgen o a la amada; acaso a las dos. Por causa de un mal entendido, "Tizoc" llega a creer que la turista le ha prometido casarse con él. (Ella le regaló un pañuelo y éste es el símbolo, según el film, con el que las mujeres de esta sierra conceden sus favores.) El novio de la citadina llega a reconstruir su amor y alguien le dice a "Tizoc" que ha visto al recién llegado besándose con su enamorada. Tizoc roba a la mujer y la lleva a una cueva. Son perseguidos y María es muerta de un flechazo. Tizoc le arranca la flecha y se mata con ella.

Puestos a reconstruir la sociedad mexicana, era ya irremediable que los guionistas nacionales se inventaran un indio ejemplar: lo asombroso es que este indio haya penetrado de alguna forma en la conciencia mexicana y se le haya tomado en serio durante un cierto tiempo. "Tizoc" es algo más que un invento, sin embargo, es una pesadilla.

Pedro Infante se enfrenta con el personaje más opuesto a sus condiciones de actor y a su temperamento. Recurre a toda una serie de dengues y guiños supuestamente ingenuos para darnos el perfil de un hombre aún no envenenado por la civilización. Frente a él, María Félix parece una mujer colmada de experiencia y de sabiduría, obligada por los textos, a disimular este hecho. Ni Infante puede ser "Tizoc" ni María puede ser esa mujer que se va a una cueva con el indio infantiloide. Nada se puede creer en la película y hasta termina el espectador avisado por desconfiar de Oaxaca entera.

La crítica de su tiempo, sin embargo, no fue especialmente sarcástica con este film, incluso se produjeron comentarios apasionantemente favorables.

El crítico catalán, Juan Tomás, que escribía con el seudónimo de "Optimus", en el diario *Esto*, dijo:

"Nada tiene de falsa, porque es en el fondo muy humana, y si el alma de su protagonista es inocente y pura, como la de un niño, no por eso es posible calificar la cinta de pueril, porque anidan también en ella muchas pasiones, que contrastan precisamente, con la pureza del indio." Jorge Ayala Blanco ("La aventura del cine mexicano") tiene una observación muy acertada; compara a este indio de Oaxaca con el indio charrúa "Tabaré".

Si acaso no puede hablarse de plagio, sí por lo menos se pueden señalar sus curiosas coincidencias.

La obra en verso de Juan Zorrilla de San Martín es una bienintencionada pieza que intenta ensalzar al indio. Manejando la teoría de que todos los hombres somos hermanos, termina por no entender al hermano indio y por traicionarlo a fuerza de buenas intenciones.

Tabaré es un charrúa que se enamora de la hija de un conquistador blanco. La historia sirvió, en el año 1919, para hacer una película mexicana que fue anunciada como "de gran arte".

"Tabaré", al igual que "Tizoc", va a tener un mal fin. Ambos relacionan a la dama con la Virgen que les trajo el conquistador y el fraile.

> ¡Morir! ¡La virgen del ensueño dulce!
> ¿Quién llegará a tocarla?
> El indio entre sus brazos ahogaría
> al negro yacaré de las barrancas.
> Aún entonces la virgen de los sueños
> se moverá gallarda:
> Todas las flores se abrirán para ella
> y cantarán por ella las calandrias.

"Tabaré" rescata a su amada de los brazos de otro indio calenturiento y es descubierto en el trance de transportar a la mujer española. Un oficial castellano lo mata.

"Tizoc" se mata a sí mismo.

Ambos pagan cara la culpa de haberse enamorado de forma no conveniente.

Los guionistas que acudieron a la idea de mostrar a la Virgen con el rostro de María, o María con rostro virginal acaso hayan iniciado en "Tizoc" una tendencia que en el año 1979 se convirtió en un divertido escándalo.

El cantante y compositor popular Juan Gabriel grabó un disco hacia el mes de enero, en el que incluía un canto a María Félix. Entre otras cosas, se decía en ese disco lo siguiente:

"Eres la más bella de todas las Marías."

"Llevas a Dios en tu corazón."

"Tienes los ojos de la madre de Dios."

Este tipo de piropos religiosos no suelen ser habituales en el mundo folklórico mexicano y se desarrolló una violenta reacción que dio con el disco en cuarentena.

María y el joven compositor se encontraron en una fiesta a raíz del incidente.

María: "A la Virgen la imaginamos rubia, morena o negra. . ."

Juan Gabriel: "No existen fotografías de la Virgen."

Según Shanik Berman (diario *Esto*) "algunos acusaron a Juan Gabriel de ateo, majadero, inoportuno y de estar a punto de ser excomulgado".

El Reportero Cor, en *El Universal,* escribió: "Los tiempos de Lara fueron tiempos de pasiones mortales. María, a su lado, es igual de majestuosa, pero mundana. Juan Gabriel la siente lejos y entonces la compara con la Virgen."

Después acepta que María "tiene una imagen celestial".

Sin duda que para algunos la presencia distante, esplendorosa y digna de María Félix pudiera acercarla a una Virgen María. Sin embargo, pienso yo, la bondad y la dulzura espiritual que la Iglesia Católica ha proclamado como características de la madre de Jesús, habrían de ser sustituidas por los atributos antes mencionados.

Esta nueva María celestial divirtió mucho a María, quien dijo que "se sentía muy halagada por la nueva canción".

De todo esto cabe pensar que acaso la Iglesia Católica haya perdido unos siglos de esfuerzo en México al proclamar una Virgen María humilde, amorosa y bondadosa. Características que ni aún la propia Félix aceptaría como predominantes en su carácter. O acaso es posible que cuando los mexicanos del pueblo piensen en la Virgen, estén pensando no tanto en la que Roma promueve, como en una cierta diosa cercana al severo dios azteca llamado Huitzilopochtli.

El desconcierto que esta María virginal ofrecida en "Tizoc" ha removido en muchas personas, llegó hasta París, en donde el film se estrenó con el título de "Quand Gronde la Cólere".

El crítico J. J. Camelin, en *La saison cinematographique* de 1959 escribe sarcásticamente:

"De María Félix diré que piensa que aún es capaz de interpretar a jóvenes vírgenes. La imagen, con su objetividad muy poco galante, confirma de manera despiadada lo que esa perseverancia tiene de ceguera."

Pero lo cierto es que la dualidad María-Virgen ya estaba en marcha y que los piropos a María parecían teñirse muchas veces con una reverencia celestial, tal y como suele suceder en las canciones sevillanas a la Virgen María, observada como mujer preciosa. Unos versos publicados en 1955, y firmados por el doctor Galileo Cruz Robles, pudieran ejemplarizar esta actitud tan curiosamente generalizada, entre los adoradores de la "Doña".

Decir la verdad anhelo
y en vista de que María
atesora tantas galas,
a todos nos causa celo,
pues sólo le faltan alas
¡Para ir a reinar al cielo!

Este tipo de poemas, escritos por entusiastas admiradores, se reproducían en las revistas de los años cincuenta con gran frecuencia. Podría pensarse que María se encontraba tan lejos del admirador mexicano, que se la instalaba en el cielo; acaso, también, que su belleza no era del mundo mexicano, y por ello se le colocaban alas. Pero cabría buscar una razón más en esa curiosa atracción de la ''Doña'', que no parte tanto de sus atractivos eróticos, como de su porte. Impresiona tanto el aire de María, que en vez de llevar al hombre de la calle a imaginarla desnuda en una cama, la coloca en un altar, en donde sin tener que llevar adelante el riesgo de un contacto sexual, se la puede seguir admirando. . . desde lejos.

Fechado en el mes de abril de 1956, el libreto original de la película se titula ''Amor Indio o la Virgen de Tizoc''. Los autores procuran dar a la historia un curioso tono que cabalga entre la poesía y el realismo antropológico.

El resultado es, por lo menos, sorprendente.

Los personajes indígenas hablan empleando en ocasiones frases completas en el idioma autóctono.

Otras veces la mezcla procura imitar el habla habitual de la sierra de Oaxaca, poniendo a los actores en muy serios compromisos.

Cuando una indígena llamada ''Machitza'' se dirige a la iglesia para pedir que los santos le ayuden a conseguir el amor de ''Tizoc'', dice:

—Señor San Josecito. ¡Cuídalo mucho! Priotégelo con tu resguardo y haz la lucha porque lo quera mi tata. Yo lo quero casorio con Tizoc y todos querer muerte par'el.

El padre de la muchacha, acude a rezar a otro santo, para conseguir todo lo contrario de lo que su hija pretende.

''Cosijopi'': ¿Por qué no lo matas a ''Tizoc'' ¿Por qué no li haces caso a este viejo ''Cosijopi''? Yo ti traigo tus flores y vengo de rodías pa qui mi hagas el milagro de acabar con ese maldito y tú nomás ti haces el sordo.

Y ''Tizoc'', víctima de estas dos contradictorias peticiones celestiales, se va a cantar a una iglesia.

El guión señala:

INTERIOR ERMITA. DÍA

Frente al altar de la Virgen María, ''Tizoc'' entona una ingenua canción en alabanza, mitad en zapoteco, mitad en español. El rostro de la imagen debe tener un parecido absoluto con el de la heroína de la historia. Mientras canta, va a los otros pequeños altares y les quita los cirios para llevarlos al de la Virgen a quien dedica su canto. En el altar se ven varios ramos de flores silvestres. "Tizoc" saca de su morral un cuadrito con un cromo que representa a la misma Virgen y tomando agua de la pila le hace una cruz al cromo.

Fray Bernardo, el ermitaño, que viste ropas de franciscano, entra en la capillita y sonríe bonachón al observar lo que está haciendo el indito.

"Tizoc" termina su canción frente al altar. Fray Bernardo lo ha seguido y le da a besar la mano.

FRAY BERNARDO: —Dios te bendiga, hijo. ¿Cómo te ha ido?

TIZOC: —Con los animales, bien. Con las gentes mal.

Poco después el guión señala la llegada al pueblo de María y conviene copiar la forma como es presentada la estrella al público.

INTERIOR CARRUAJE. DÍA

El vehículo va ocupado por Enrique, sesentón distinguido y María, bellísima mujer de porte altivo, voluntarioso y dominante. Los detalles de su vestuario indican que estamos a fines del siglo pasado. Una nube de polvo entra al carruaje que se bambolea al pasar un hoyanco. María se lleva el pañuelo a la boca. El viejo, tratando de disimular su mal humor, dice irónico:

ENRIQUE: —Qué viaje tan agradable ¿verdad?

MARÍA (Despectiva): —Podía haber sido peor.

ENRIQUE: —Entonces. . . ¿No te has arrepentido?

MARÍA: —¡Yo nunca me arrepiento de lo que hago!

Hasta aquí el guión de cine. Ya que la frase "Yo nunca me arrepiento de lo que hago", ha sido tomada por los guionistas de la propia boca de la intérprete. Yo mismo escuché decir eso a María varias veces:

—¡Yo nunca me arrepiento de lo que hago!

Si la naturaleza imita al arte, los guionistas imitaban a María constantemente. Sigamos con la historia:

El señor Enrique, momentos después, mata a una hembra de venado con cría y "Tizoc" llega, ve lo que ha hecho y lo insulta en zapoteco y en español. Están a punto de matarse, cuando la heroína interviene.

Poco después los guionistas intentan justificar el hecho de que una dama elegante, citadina y refinada, haya elegido, para olvidar un frustrado amor, un pueblo de la sierra zapoteca, en vez de viajar a París, Roma o Nueva York.

Mientras María va a conocer "lugares pintorescos", el padre de la novia despechada se dedica a visitar sus aserraderos. Se aprovecha este entusiasmo turístico de la dama para darnos algunas noticias de Oaxaca, a través de las cuales nos enteramos de que existen catorce regiones y que se hablan más de veinte dialectos: zapoteco, chontal, quicateco, papaluco, bijano, netzichu. . . y

246

para asombro de María y de todos los espectadores, vemos cómo los diferentes indios de las muy distintas agrupaciones se entienden a silbidos. Con toda seguridad esto es cierto, pero en la película está ofrecido de forma tan pintoresca que no sólo María ríe, sino también quienes ocupan las butacas en el cine.

En todo esto hay una especie de ingenuidad y patriotismo elemental y bien intencionado; como esos cromos de santos en los que la buena intención y el halago entra en lo relamido y allí se recrea.

Puestos a mostrar un bello lugar de México, se dispone que el film, por un momento, abandone la historia de los dos personajes y se lance por los caminos de la palinodia y las de paisajes, gentes, razas.

Pero estamos en un mundo en el que la malicia de los creadores del film no deja de estar presente; así que la candidez de algunas secuencias acaso maneje por detrás los intereses de halagar a ciertos patrocinadores no señalados.

Lo que ha de quedarnos claro es que se ha abandonado el mínimo rigor y que ya todo es posible, como veremos.

Cuando "Tizoc" descubre por vez primera a María, corre a preguntarle al ermitaño si la Virgen del Cielo puede bajar a la tierra. El ermitaño le dice que la Virgen está en todas partes.

María muestra después a un capataz el retrato que ella le hizo a su padre, Enrique, y lo vemos con medio cuerpo de animal. Después ella nos ilustra diciendo que en las personas lo importante no es lo que se ve, sino lo que ocultan. Parece decirnos que su padre oculta dentro de sí un bicho terrible.

Después "Tizoc" mata al caballo de Enrique, cuando estaba a punto de desbarrancarse con su dueño encima. Salva así la vida del padre de María.

Al final "Tizoc" se suicida ante el cadáver de María y se escucha la voz del indio "Tizoc" que aclara:

"Y cuando mueren los enamorados si meten en l'alma de los pajaritos pa sigui cantando su cariño a Tata Dios."

La lectura del guión despierta en el lector una suerte de indignación frente a la manera en que se idealiza al indio, convirtiéndolo en un personaje de novela rosa, en un ser absolutamente increíble. En cuanto al personaje de María está pensado para que se identifique con la leyenda de la propia estrella.

Apoya la teoría de un "casi plagio", que señaló el crítico Jorge Ayala Blanco, la comparación entre las muertes de Tizoc y la de Tabaré, tomamos la primera del cinedrama y la segunda de un folleto distribuido por Película de Gran Arte, Mexico-Film (1919).

"Tabaré": Uno de los soldados, en medio de la selva, descubre a Tabaré que lleva en hombros a Blanca.

—¡Un indio! ¡El indio!
¡Por el bosque! ¡Vedlo!

"¿Dónde?" Grita Gonzalo,
los encendidos ojos revolviendo.

—¡Atraviesa aquel llano!
—¡Llega al soto!
—¿Lo veis? ¡Es él!

—¡Es Blanca, vive el cielo!

Gonzalo da un brinco en medio de su gente y llega hasta "Tabaré", le desprende a su hermana de los brazos y sin oír explicaciones le hunde la espada en el corazón y le priva de la vida.

"*Tizoc.*" A cierta distancia aparece "Cosijopi" entre la maleza. Vemos avanzar a "Tizoc" trayendo a María en sus brazos. "Cosijopi" apunta con su flecha y lanza el dardo. María recibe el dardo en el costado izquierdo. "Tizoc" se arrodilla junto a ella, que moribunda, apenas tiene alientos para exclamar: "¡Tizoc!" "Tizoc" arranca el dardo que dio muerte a su amada y con fiera decisión se lo clava en el pecho. "Tizoc" se desploma junto a María.

"*Tabaré.*" (Secuencia final) El espíritu de Tabaré se desprende de su cuerpo y se interna en la selva, pasa por el campamento y llega al sepulcro de su madre.

> Ya Tabaré a los hombres
> ese postrer ensueño
> no contará jamás. Está callado,
> callado para siempre, como el tiempo,
> como su raza, como el desierto,
> como tumba que el muerto ha abandonado
> ¡Boca sin lengua, eternidad sin cielo!

"*Tizoc.*" (Secuencia final) Dos pajarillos vuelan frente a la cámara que los conserva en cuadro, y mientras vuelan hacia las nubes, se escuchan cantos de zenzontles y la voz de Tizoc: ". . . Y cuando mueren los enamorados, si meten en l'alma de los pajaritos pa siguí cantando su cariño a Ta ta Dios."

La música de fondo, in crescendo, subraya el FIN.

Pero no solamente muere el indio imaginario. Cuando estaban terminando de montar "Tizoc", Pedro Infante se mató en un accidente aéreo. La película fue enviada al Festival de Berlín, y allí el jurado concedió a Pedro Infante el premio a la mejor actuación. Otro de los candidatos era, ese año, Henry Fonda. Cuando desde el escenario Antonio Matouk, el productor, aclaró que el protagonista de "Tizoc" había muerto un mes antes, el público se puso en pie y guardó, en forma espontánea, un minuto de silencio. María tiene de Pedro un recuerdo afectuoso, teñido por un reconocimiento de sus fallas:

—Era un hombre con una preparación elemental. Pensaba que lo suyo era comportarse como un macho mexicano. Él se había encargado de anunciar su propia fama y le costaba trabajo tratar a las mujeres de igual a igual. No teníamos nada en común.

En cuanto a "Tabaré", he de decir que después de la primera versión, la cual cito en este capítulo, se volvió a repetir la historia en el año 1946. "Tabaré", drama histórico dirigido por Luis Lezama y estrenado el día 23 de enero de 1948, en el cine Savoy de la ciudad de México. Rafael Baledón hacía un "Tabaré" desprovisto de todo aire indígena, pero lleno de altivez.

"Tizoc", a pesar de las opiniones actuales de gran parte de los comentaristas del cine mexicano, ganó premios.

248

Hollywood. Premio de los Corresponsales Extranjeros, Globo de Oro, a la película. 1958.

Festival de Berlín. Premio de Mejor Actuación Masculina a Pedro Infante por "Tizoc". 1957.

En el mes de diciembre de 1956, se celebran los primeros 25 años del cine mexicano. María acude a los actos conmemorativos y es figura principal y aplaudida.

Un columnista señala: "El tiempo pasa por el cine, pero no por María."

El día 20 de este mismo mes de diciembre se casa con el hombre de negocios francés Alex Berger. Él tiene cuarenta y seis años y María cuarenta y dos. Nacido en Rumania y nacionalizado, es muy conocido en los medios sociales de Francia y de México. Alex había ya estado casado en otra ocasión y del matrimonio tuvo una hija, que vive en París.

Algunos comentaristas sospechan que más que el posible atractivo del hombre de negocios, impresionaron a María los propios negocios de Alex. Ella aceptó que una nueva y muy diferente prosperidad había tocado a su puerta; el mundo de la elegancia, de las carreras de caballos en París, de las fiestas esplendorosas. Pero negó que se hubiera casado por interés.

En mayo de 1966, recibe al escritor Vicente Leñero para hablar de esto:

"Alex me tiene mucha paciencia. Yo soy una mujer difícil; tengo mi carácter, mi genio. Ah sí, qué difíciles somos las mujeres y qué difícil debe ser para el hombre aguantar nuestros caprichos y nuestros malos ratos. Pero yo también le tengo paciencia a él, no se crea que no. Por ejemplo, me molesta el olor del puro, y lo más fácil sería poner mala cara; pero yo me digo: María, es mejor que lo fume aquí, en su casa, a que vaya a fumarlo a otra parte. Claro. ¿No tengo razón? Muchas mujeres no lo entienden y pobrecitas. Hay que saber ceder. Por eso mi hijo y yo dejamos nuestra casa de Catipoato a pesar de todo lo que nos gustaba. Siempre he pensado que quien da el par da la ley. Cuando me casé con Alex, se atrevieron a decir, sí, sí, lo dijeron, figúrese usted nomás, dijeron que yo me había casado por su dinero, por interés. Me dio mucha rabia y furiosa me encerré en mi cuarto para hablar conmigo misma, como me recomendó un amigo hindú al que yo quería muchísimo. Él ya murió, pero conservo sus cartas y no olvido sus consejos valiosísimos. Cuando te sientas mal, me decía mi amigo hindú, enciérrate en tu cuarto y habla contigo misma en voz alta. Y así lo hago, frente al espejo. Aquella vez, furiosa, me preguntaba: María, ¿es cierto que te casaste por interés? Nadie podía oirme, me lo preguntaba con toda sinceridad, porque luego puede haber sentimientos escondidos dentro de uno. Y me veía y me veía en el espejo pensando en todo lo que soy y como soy. Pero vaya, si no estoy fea, soy guapa, muy guapa, tengo cartel, fama, no estoy bizca, ni tuerta, tengo mi sitio, gano buen dinero, ¡como voy a haberme casado por interés! Soy un gran partido para cualquiera. ¡Claro que sí! ¡Pero si pensándolo bien soy un partidazo! ¿A poco no? ¿No le parece que soy un gran partido? ¡Están locos! ¡Qué me voy a haber casado por interés ni que nada!"

Leñero observa que en su casa abundan las porcelanas, los cuadros y los retratos de su hijo Enrique y de Alex. Los retratos de Alex, el marido, están repartidos por todas las habitaciones.

LAS MANCHAS DE LA HONRA
SE LAVAN EN EL AGUA
DEL MAR

34. *Flor de mayo*. 1957

> El hecho de que le engañara con King Kong, es lo que
> hacía insufribles aquellos cuernos.
>
> P.I.T.

Los señores Luis Nueda y Antonio Espina, en su gordo e impresionante trabajo titulado *Mil libros,* ofrecen una sinopsis de "Flor de mayo" que se inicia con estos párrafos:

"La siñá Tona, viuda del pescador valenciano Pascual, convirtió en vivienda y pintoresca taberna, la barca en que ocurrió la tragedia que la privó del marido, fijándola en la arena de la playa del Cañabal y consiguiendo, con los productos de su modesta industria, sacar adelante a los dos hijos que le quedaron, Pascualet y Tonet. El primero, a quien todos llamaban Petor por su corpulencia y aspecto clerical, era trabajador y honrado; y muy joven, contra el gusto de su madre, se hizo marinero y pescador. Tonet era un pilluelo guapo y fachendoso, que no servía para nada útil."

Digamos nosotros, para seguir la novela de Vicente Blasco Ibáñez, que los dos hermanos se casan y uno de ellos, Pascual, contrabandea y compra una barca a la que bautiza con el nombre de "Flor de mayo", que era la marca de un tabaco.

Un día el infeliz de Pascual se entera de que su hijo no es suyo, sino de su hermano Tonet.

Furioso, Pascual hace que entren en "Flor de mayo" el niño de ocho años que creía suyo y su propio hermano.

Es mal tiempo para navegar porque está a punto de desatarse una tormenta; efectivamente la barca naufraga y Pascual aprovecha el hundimiento para apuñalar a su hermano y poner a su supuesto hijo un salvavidas que lo hará llegar a tierra. Los dos hermanos mueren.

Veamos, ahora, en que fue convertida esta historia valenciana.

Un extranjero llamado Jim (Palance) llega al puerto de Topolobampo y busca a un viejo amigo suyo, el marino Pepe (Pedro Armendáriz), para proponerle un negocio. Asegura que ha inventado un aparato que descubre la presencia de los criaderos de camarones en el fondo del mar. Los pescadores locales se oponen a que se pesque con este sistema, pero Pepe acepta las ideas de su amigo, sin advertir que el recién llegado lo que quiere es crear un sistema de contrabando.

Con Jack Palance en *Flor de mayo*.

Un nuevo personaje norteamericano (Paul Stewart) le dice a Pepe que su hijo es el resultado de un encuentro amoroso entre su amigo Jim y su esposa (María Félix).

Efectivamente, vemos cómo Jim y la mujer se enamoraron en una época en la que Pepe estaba en la cárcel a causa de un lío desatado por Jim.

Cuando Pepe llega al lugar en donde nació su hijito, comprueba que, efectivamente, ha sido procreado por su amigo. A partir de este momento Pepe comienza a alejarse de su hijo.

La esposa decide confesar a Jim que el niño es suyo y ambos acuerdan escapar; mientras tanto Pepe decide matar a su traidor amigo, pero un sacerdote le convence de que ésa es una mala acción y que preferible es perdonar.

La esposa, por su parte, toma una decisión inesperada: no se va con Jim y por el contrario se queda a la espera del perdón de su marido.

La presencia como adaptadora de Libertad Blasco Ibáñez (hija del novelista), no pudo impedir que la obra original se transformara de manera tan sorprendente. Incluso la pérdida del melodramático final, con temporal y muerte, parecía contraria a las conveniencias de un film que pretendía, también, situarse en el melodrama.

El equipo de actores era uno de los mejores que ha conseguido reunir el cine mexicano; Paul Stewart es una excelente aportación y también lo es Jorge Martínez de Hoyos.

Para interpretar al norteamericano contrabandista se contrata al imponente actor Jack Palance, quien acaba de cumplir los treinta y ocho años. Palance comenzó siendo boxeador y tiene huellas visibles de su viejo oficio; hasta el año 1955 había hecho siempre papeles de hombre cruel y antipático. Después comenzó a ofrecer una imagen más agradable en una serie de películas en las que tuvo participaciones que le ofrecían como un tipo romántico y conflictivo.

Algunos testigos recuerdan que la filmación fue difícil por causa del doble idioma empleado, pero más tarde Roberto Gavaldón aseguró que las cosas habían resultado bastante sencillas.

"Algunas veces he filmado cintas en dos versiones, inglés y español, un ejemplo es 'Flor de mayo', con María Félix, Jack Palance y Pedro Armendáriz. Se requiere de actores bilingües para hacer la escena en español o en inglés primero, y luego, con el mismo emplazamiento y alumbrado, se vuelve a filmar. Se tienen dos negativos separados. No es el caso, como en Europa, cuando se hace una película en un solo idioma y luego se doblan todos los que no hablen, por ejemplo, francés. Pedro Armendáriz y Jack Palance hablaban inglés, pero María sólo aprendió su diálogo y fue su propia voz la que se quedó en la película. Hablaba un inglés con acento de una mujer latina; de una mexicana."

Esta película tiene una historia oscura en el fondo, que el productor Contreras Torres denunció a través de un libro polémico (*Libro negro del cine mexicano*). Aseguraba Contreras que él había sido el primer dueño de los derechos sobre la novela, pero que no pudo producir la historia en España, porque el gobierno español le indicó, "muy diplomáticamente", que tendría problemas con la censura. Después denunciaba una serie de manipulaciones poco normales y terminaba afirmando que el film, que había sido presupuestado en unos tres millones de pesos mexicanos, costó finalmente casi el triple.

La producción duró año y medio y, según el mismo crítico, terminó siendo algo "sin horizontes, sin categoría, sin belleza".

Una visión reciente del film pone en duda la supuesta necesidad de transformar el argumento; por lo pronto cabe afirmar seriamente, que era más interesante y más melodramática la historia desarrollada por Blasco Ibáñez y que si todo cambió fue en perjuicio de una anécdota que se derrumbó totalmente. Al final ni tan siquiera sabíamos la razón por la cual la barca se llamaba "Flor de mayo", nombre que para los fumadores tiene un singular perfume.

La película se estrenó hasta el día 9 de julio de 1959, cuando el rodaje se había iniciado en mayo de 1957.

EL MERCADO DE LAS ALMAS
SE HA DEVALUADO

35. *Faustina*. 1957

¿Vender mi alma? ¡Es lo único que
nunca nadie me quiso comprar!
MARÍA FÉLIX.

El día 13 de mayo de 1957 se estrena en el cine "Gran Vía", de Madrid, la nueva película española de María titulada "Faustina". Es un año difícil para triunfar en España, ya que el film se sitúa en un terreno intermedio que recibe pocas atenciones. Por una parte "El último cuplé" (Orduña) es el éxito arrollador y popular, el elogio del cuplé castizo, el canto a toda una época mejor y ya pasada. "El último cuplé" convierte a Sara Montiel en una figura única, instalada en la cima del afecto del hombre de la calle.

En el otro extremo del temario cinematográfico se estrena "Calle Mayor", una excelente obra de Juan Antonio Bardem, que significa un cambio radical en la temática y la concepción del cine español.

"Calle Mayor" se estrena en enero y "El último cuplé" una semana antes de "Faustina", que se pierde entre las polémicas que las otras dos películas despiertan entre críticos y aficionados. Frente a un cine popular, nostálgico, colmado de canciones que todos conocen y cantan, una voz nueva que intenta colocar a la cinematografía española en el escenario europeo. Los jóvenes acogen "Calle Mayor" y la convierten en un símbolo de lo que esperan de los nuevos creadores; los pequeños burgueses acuden una y otra vez al cine Rialto a ver "El último cuplé", que les hace olvidar "la perra vida". José Luis Sáez de Heredia es el director con el que se tropieza María. Se trata de un madrileño nacido en 1911 que hizo su primera película ("Patricio miró una estrella") en el año 1934. En 1942, Sáez de Heredia dirige el film "Raza", historia que había escrito el general Francisco Franco entre los años 1940 y 1941, como señala el crítico Román Gubern, quien denuncia que la historia contiene "errores garrafales, como es el que el nieto de don Luis, fallecido en un temporal, se convierta unas páginas más tarde en hijo del mismo personaje. O que, en un lapsus significativamente freudiano, el autor le otorgue el nombre de su hermano Pedro, fallecido heroicamente unas páginas antes en muerte redentora de sus pasadas faltas".

Por lo que se sabe, nadie se atrevió a señalarle a Franco este tipo de equivocaciones.

Sáez de Heredia, primo de José Antonio Primo de Rivera, se va convirtiendo, con el paso del tiempo, en un director de comedias ligeras y de recursos fáciles.

En el año 1969 afirma que, sin embargo, no es la comedia el género "en el que España pueda poner un acento personal y, al mismo tiempo, traducible. Como sucede con casi todo lo nuestro, nuestra gracia es casi exclusivamente 'nuestra' y pierde mucho cuando trasponemos las fronteras".

Tuvo, también por ese tiempo, un gesto de sinceridad:

"Sé que no son buenas mis últimas películas, pero no me arrepiento de haberlas hecho. Me han servido para sobrevivir y algunas de ellas las he hecho como favores a amigos míos. En la situación en que nos encontramos, a mí me parece una razón válida." La historia de "Faustina" parte de un viejo hallazgo del propio Sáez de Heredia, quien había escrito para la vedette Celia Gámez una opereta titulada "Si Fausto fuera Faustina". El estreno de este espectáculo teatral había constituido un éxito y el autor pensó en pasarla al cine.

Resulta curioso que una historia interpretada primero por la argentina Celia Gámez, fuera a convertirse en un film para María Félix. Será difícil encontrar dos figuras tan opuestas y desrelacionadas. Celia Gámez se convirtió al final de la guerra civil española en la vedette más popular y también la más protegida por el franquismo; su canción "Hemos pasado", para responder a la frase republicana de "No pasarán", que se refería a las fuerzas fascistas que atacaban Madrid, fue casi un himno.

Mujer con gracia, picardía, espíritu ligero, supo Celia llevar adelante una comedia musical que no rozara los espinosos intereses de la censura oficial y convirtió algunas comedias musicales en éxitos centenarios.

El carácter de María y su trayectoria en el cine la hacían imposible para que "Faustina" continuara en la línea argumental de sus comienzos. Hubo de ser transformada. La anécdota juega con el mito de Fausto y la venta de su alma para alcanzar la eternidad. María tiene 43 años y no se ve afectada ni por el mito de la eterna juventud, ni por la pérdida del alma. Acepta la historia y parece que consigue algunas pequeñas correcciones en el guión.

Para que sea su compañero de trabajo se elige a Fernando Fernán-Gómez, de quien el crítico José Luis Guarner ha dicho:

"Si en el cine español existe un caso de clara frustración de un talento por culpa de una época, éste es, sin el menor género de dudas, el de Fernando Fernán-Gómez."

Creo que ésta es una muy justa observación: Fernán-Gómez ha visto constantemente cercenadas sus mejores ideas cinematográficas o fue mal entendido por un público habituado a un cine plano y sin malicia.

Los amigos que visitan a María en sus habitaciones de Madrid la encuentran muy interesada por la leyenda de Fausto y por el tratamiento que Goethe ha dado al personaje, que tiene en el cine una larga historia.

Posiblemente el primer "Fausto" cinematográfico es el que hace en el año 1897 el singular Meliés. Firmada por Smith, surge otra versión del personaje en el mismo año. En 1903 Meliés, a quien las posibilidades que ofrecía "Fausto" para ensayar trucos le encandilaban, vuelve sobre el tema. En 1910 aparece otro

"Fausto", el de Andeani, y al año siguiente se estrenó en los Estados Unidos una película italiana titulada "Fausto y su diablo". Pero el "Fausto" más delirante, más asombroso y sorprendente, es el creado en 1926 por Murnau. Para María todos estos conocimientos, que se apresuran a facilitarle sus amigos sabios, tienen el valor de abrirle una nueva ventana al mundo de la magia y de la brujería.

De alguna forma su juventud permanente pareciera obra de un demonio particular y obsequioso al que no había rendido aún ciertos obligados homenajes. Me cuentan que acompañada por amigos, acude a una de las instituciones más profundamente españolas; las echadoras de cartas. Suelen estar instaladas en oscuras casas de vecindad, olorosas a cocido y con escaleras oscuras. Mundo de mujeres vestidas de luto, gordas, acomodadas en sillones recubiertos por viejos cojines, atentas a que el gato no se escape o la leche que hierve en la cocina no se derrame. Mujeres de muy curiosas frases hechas, que se dicen con una seguridad que les permite mirar a los ojos de clientes sin miedo ni ambigüedad. María va a conocer estos lugares y se quedará con ellos en el alma.

Mucho después continuará leyéndose a sí misma las cartas en su saloncito de la casa de México.

—¿Qué le dicen las barajas?

—Lo que yo quiero.

Las brujas mexicanas, las que limpian con ramas verdes y agua bendita, se unen, en el curioso altar de María, con estas madrileñas sabias y de labia experta.

Al final del año el llamado Sindicato Nacional de Espectáculo Español premió "Faustina": el dato es inquietante, porque también premió "El último cuplé" y dejó de premiar "Calle Mayor". María está bien en el film y Fernán-Gómez hace de "Mogón", un diablo pintoresco y simpático.

La crítica de la revista *Primer Plano* afirma que "Sáez de Heredia se maneja con fantasía ilimitada e irónica sabiduría de la vida". Dice, también, que los recursos imaginativos del director y guionista adornaron el viejo mito con "gags" brillantes y muy ingeniosos y que el diálogo es cáustico y eficaz.

Cuando María está ya pensando en su próximo film, le anuncian la muerte de Diego Rivera. Es el día 24 de noviembre. El pintor había hecho dos viajes a Moscú con la esperanza de que le pudieran encontrar remedio al cáncer que padecía. Todo inútil. Durante los últimos años, incluso cuando ella estaba en París o en Madrid, Diego le había estado enviando cartas, dibujos, acuarelas en las que aparecían los dos muy caricaturizados. La lámpara que en su estudio estaba adornada con la foto de María, alumbró hasta el último día de la vida de Diego. Una curiosa y sofisticada relación daba a su fin: María se quedaba sin ese amigo que manejaba con habilidad muy ambigua un amor-afecto singular. Mitad ogro, mitad muchachito encandilado, pedía a María que al final de sus vidas se comieran el uno al otro.

A María la desaparición de su gran amigo la afecta profundamente.

—Es que Diego no era para muerto. A pesar de que en los últimos tiempos se iba quedando en pura ropa, tenía los ojos muy vivos. Los ojos más vivos que yo jamás he visto.

Las críticas de su película no elevan los ánimos golpeados de María. José Luis Guarner afirma que "aunque pintoresco, el film está muy lejos de ser relevante artísticamente".

Diego había dicho una vez a María:

—Tú eres una obra de arte de la naturaleza. Lo tuyo es el arte.

María, sin embargo, no parecía encontrar el secreto que la llevara a esta meta señalada por su amigo, ahora muerto.

Con Fernando Fernán Gómez en *Faustina*.

257

MARÍA ES VIOLADA
POR UN SACERDOTE

36. *Miércoles de ceniza.* 1958

Después de ver este film, yo llegué a la conclusión de que
visitar frecuentemente las iglesias podría entrañar un peligro.

P.I.T.

"Miércoles de ceniza" responde a una serie de ideas elementales mostradas con
gran simplicidad y sin ambigüedades, tal y como suele ser el teatro de Luis G.
Basurto. El guión enfrenta los hechos de forma también muy directa:

La protagonista está en una lancha y ésta es volcada por otra que maneja un joven. Ella cae al agua.

ACERC. DE VICTORIA

En el momento de caer, el vestido se vuela, mostrando en el aire y en
el agua, generosamente las piernas.

ACERC. DEL HOMBRE

Que.transforma su gesto de preocupación por un extraño, al ver la ligera desnudez de la mujer. Un grito de Victoria lo hace reaccionar y
tirarse al agua a sacarla.

ACERC. DE VICTORIA

En el momento de salir a flote se ha movido y Victoria al salir se ha
golpeado en la cabeza con su propio bote, quedando. aturdida o inconsciente.

MED. SHOT. PANNING

Del hombre acercándose a Victoria. Se da cuenta de su estado y logra
llevarla hasta agua mucho menos profunda donde hacer pie. La toma
ahí en sus brazos y va saliendo con ella hacia la orilla.

FULL SHOT.

El hombre continúa saliendo del agua con la mujer en brazos para venir a depositarla en la orilla.

MED. SHOT. DE LOS DOS

En el momento de depositarla en tierra, la ropa empapada se pega al cuerpo de la mujer dejando adivinar éste violentamente.

MED. SHOT

Del hombre para enfatizar esta reacción dándonos cuenta de cómo su mirada sigue el contorno del cuerpo.

MED. DE VICTORIA

Abriendo los ojos todavía aturdida.

MED. SHOT

De los dos. La vista del hombre parece que la turba, pero la expresión febril en los ojos de él, la inquieta. Sin embargo, no ve con disgusto ese rostro masculino que se acerca hacia ella y aún, en un momento, le sonríe con agrado. Enseguida trata Victoria de incorporarse. Él se apresura a ayudarla. Ella no puede haccrlo, pues todavía no se siente bien. Él intensifica el abrazo y ya no sabemos si lo hace por ayudarla o porque no puede ya prescindir del contacto con ese cuerpo joven.

MED. CLOSE DE LOS DOS

Con sugestión de Victoria. La mirada de él muestra ya claramente un deseo incontrolable. Vemos en sus ojos que siguen con delectación la curva del cuerpo y el escote de la mujer.

MED. CLOSE

De los dos. Favoreciendo a Victoria para ver la violenta sensualidad que se desgaja de ese cuerpo prácticamente desnudo.

MED. CLOSE

De los dos, vemos cómo el hombre baja la cabeza y con gran esfuerzo va acercando el cuerpo de la mujer hacia sí. Ella abre los ojos asustada. Él la besa casi en la sien, pero inmediatamente como si el contacto con esa piel lo enloqueciera, comienza a besarla más y más, en la mejilla, en el cuello, hasta acabar besándola en la boca, con una furia tremenda.

MED. CLOSE

De Victoria con sugestión del hombre. Vemos la reacción de miedo, de indignación que se produce en Victoria, el comportamiento del hombre. Su expresión de horror al sentir cerca el rostro de él y el esfuerzo enorme por arrojarlo de su lado.

MED. DE LOS DOS

Con una fuerza que la indignación debe aumentar hasta hacerla enorme, Victoria rechaza al hombre. Durante unos segundos se quedan mirándose muy fijo. Él adelanta nuevamente el busto, ella se echa para atrás y su mirada expresa tal repugnancia que se contiene.

MED. SHOT DOLLY

De los dos favoreciendo a la mujer. Victoria logra incorporarse y él la mira todavía desde abajo. Va levantándose y ahora ella se vuelve y corre desesperada hacia el pueblo. Los ojos de él la siguen pero no se atreve a moverse.

MED. CLOSE

Del hombre, viendo alejarse a Victoria. Nos damos cuenta de cómo ese fuego de pasión parece consumirse para dar paso a una expresión de terror, de espanto y lo vemos como inclinado, la cabeza la hunde casi en el pecho, con una fuerza enorme.

Un corte rápido nos muestra ahora una iglesia en la que un sacerdote está rezando. Pasamos a la sacristía y vemos cómo en ella entra el violador, aún empapado de agua. El recién llegado cae de rodillas y dice al cura:
—He pecado en la carne, de pensamiento y de obra, padre. ¡Misericordia!
El cura quiere saber si la joven violada sabe quién es el violador:
—¿Con alguien que sabe quién es usted? ¿Se da cuenta del destrozo que puede causar en su alma si llega a saberlo? ¿De la terrible ofensa que ha cometido con el Señor?
El violador se humilla:
—Me he dejado tentar por el maligno. Mientras pueda llegarme el perdón yo mismo castigaré mi carne, hasta secar este cuerpo podrido por un mal deseo. Mea Culpa, mea culpa.
Y Victoria, la joven violada, descubre en un sacerdote que ayuda en la iglesia, al hombre que la violó.

A partir de este momento, siguiendo un proceso que parece perseguir a María Félix en sus films, se dedica a vengarse indiscriminadamente.

La forma en que lleva a cabo su venganza contra el género humano es también directa, sencilla y de una ingenua agresividad. Vemos que se niega a llevar en su automóvil a dos monjas cansadas y que trata despóticamente a un subalterno. La mujer violada es ya la vengadora de todos los males que azotan a la humanidad y en este trance pagan justos por pecadores.

En un momento dado un notario recrimina a Victoria por su mala conducta con las cansadas monjas.

NOTARIO: —¿Cómo es posible que te hayas apartado así de tu religión?

VICTORIA: —¡Tengo mis razones para odiar a todo lo que la representa! ¡No me hable siquiera de ayudar a esas ratas!

Las ratas-monjas se ven inertes ante la furia de la mujer violada. El anticlericalismo de Victoria, desatado por su caída al agua, la lleva a decir que a los curas "los cree capaces de todo". El autor envía a un personaje a que exponga argumentos generosos. Se trata de un Dr. Lamadrid.

LAMADRID: —No es posible tanto rencor sin una razón concreta.

VICTORIA: —¿Y si uno de ellos (de los curas) me hubiera hecho tanto daño que aún no pudiera olvidarlo después de muchos años?

LAMADRID: —Sería injusto. Tan injusto como usted misma, como negarse a beber agua porque una vez, en un vaso, encontró un grano de sal.

VICTORIA: —¡Un grano de sal! ¡Un mar de lodo es lo que encontré!

Una gran cantidad de incidentes se suceden y la vida de Victoria se hace áspera y cruel, después se enamora de un sacerdote y al final del film se arrepiente de todo.

VICTORIA: —¡Señor, señor! ¡Necesito encontrarte! Haz que mire sus ojos en los tuyos. Haz que escuche su voz en tu voz.

El departamento de publicidad de Cinemat Filmex, S.A., distribuyó la siguiente sinopsis de la película que, por sí sola, resulta extremadamente ilustrativa del tipo de film que se ofrecía al público.

"Es un Miércoles de Ceniza, vemos en la iglesia asistiendo a esta solemnidad a Victoria, como de 20 años, y a Rosa. En el momento en que el sacerdote va a imponer la ceniza, Victoria sale corriendo horrorizada.

"Pasan los años, Victoria se ha convertido en una mujer de extraordinaria belleza, pero su vida ha sido una sucesión de hombres, en cada uno sólo ha visto un escalón más para lograr su fortuna y su ambición de poder. Interviene en todos los negocios de cualquier índole que se le presentan; denuncia a los cristeros, al Gobierno. Tiene una gran personalidad, pero se duda mucho de que tenga corazón.

"Conoce a José Antonio, que como todos se enamora de ella; decide unirse a él, no por amor sino porque cree que su apostura va bien con ella. Rosa continúa a su lado, esperando que llegue un día en que comprenda sus errores y cambie su vida.

"Viajando en un ferrocarril, que es asaltado por los cristeros, Victoria habla con el Dr. Lamadrid, hombre bien parecido y profundamente cristiano, cuyos ideales son totalmente opuestos a los de ella. Su palabra persuasiva llega muy hondo a la mujer y queda gratamente impresionada.

"Rosa y José Antonio descubren este secreto y aunque ella al principio lo niega, acaba por confesar que es verdad, cree que al fin ha encontrado al hombre del que se enamorará. Rosa se siente feliz.

"El Dr. Lamadrid se entera de que la madre de Victoria tuvo un amante, que su padre al saberlo se suicidó y que un día en la iglesia, en el momento en que iban a imponerle la ceniza, reconoce en un sacerdote al hombre que le faltó el día anterior. Esto y más tarde su matrimonio con un hombre que la abandona, son la causa de su odio a su madre, a los sacerdotes y a todos los hombres.

"El Dr. Lamadrid va a casa de Victoria. Ésta casi no escucha sus palabras de comprensión y consejo y en un arranque desesperado, le confiesa su amor y le dice que está segura de que él también la quiere. Él retrocede sorprendido e intenta replicar, pero en ese momento se presenta Rosa diciendo que alguien de la casa se encuentra grave y pide un sacerdote. El Dr. Lamadrid dice que él la atenderá, pues su visita tenía como objeto principal el decirle que era sacerdote. Victoria queda anonadada, pero reacciona después y al salir insiste aún en su amor, asegurando que es correspondida. El padre le dice que sí, que la ama y con un amor inmenso, mucho mayor que el de ella, un amor puro que nace del espíritu, hecho de caridad, que se extiende a todos los semejantes y que es como un reflejo del amor de Dios. Victoria por primera vez rompe a llorar. Él le dice que esa necesidad de perdón de sus pecados que siente le hará comprender el perdón de la Iglesia para los de su madre después de un arrepentimiento doloroso que duró años.

"Al día siguiente, Miércoles de Ceniza, Victoria arrodillada recibe la ceniza que le impone el padre Lamadrid. El rostro del sacerdote expresa una serenidad total. El de Victoria una felicidad interior que sube hasta sus ojos húmedos."

FIN

De nuevo estamos ante una vieja fórmula: el castigo de Dios; quien la hace, la paga. María no ha sabido perdonar y cuando al fin parece haber encontrado un amor auténtico, descubre que el ser amado es un sacerdote. Igual que el hombre que un día la violó. El melodrama se desborda y arrastra consigo toda posible contención. Julio Alejandro, un excelente poeta y escritor, hace su labor profesional de la mano del material de origen.

Es más que posible que tenga razón llevando la obra a sus extremos; no hay que olvidar que "Miércoles de ceniza" fue un éxito extraordinario en el teatro en México, como muchas otras de las obras de Basurto. A través del teatro de este último autor se advierte una sincera esperanza de transformar a su audiencia a través de su persuasión moral. El ansia amorosa de Victoria puede apagarse cuando el hombre amado le señala la frente con ceniza; sus instintos se apaciguarán, también su afán de venganza, incluso su desprecio por curas y monjas. La bondad y la excelencia han invadido a Victoria de pronto. Sin duda se trata de un milagro más. Sin embargo, contemplando a María sin tantas esperanzas, uno sospecha que pasado ese éxtasis volverá a las andadas. Lo malo es que jamás podremos confirmar esta teoría, ya que la película termina en ese instante.

El Instituto de Cultura Cinematográfica de la Universidad Iberoamericana de México entregó a finales de 1958 los premios "Óni" a lo mejor del cine nacional. Julio Alejandro y Roberto Gavaldón ganaron el premio a la mejor adaptación por "Miércoles de ceniza" y el premio a la mejor fotografía en blanco y negro fue para Agustín Martínez Solares, por su trabajo en el mismo film. El premio a la mejor actuación femenina fue para Lucy Gallardo por "El caso de una adolescente".

"Miércoles de ceniza" fue enviada al VIII Festival Internacional de Berlín. La revista *Séptimo Arte* afirmó que el film contenía "profundos valores formales y de fondo, desvirtuados por una adaptación ambiciosa e insuficiente". La revista estaba editada justamente por la Universidad Iberoamericana de México.

La pintoresca contradicción interna de esta institución cultural no fue única en el medio mexicano; los católicos a ultranza quisieron ver en ella valores inadvertibles para otro tipo de gente y terminaron arrepintiéndose en nombre de la cinematografía. Nunca es tarde.

En la película se tocaba el tema de los cristeros que se levantaron en armas contra el gobierno mexicano defendiendo el derecho a practicar abiertamente la religión católica (1926). El tema había sido tabú para el cine, y la censura, encubierta con muy curiosos nombres, se había propuesto borrar esta parte de la historia nacional. Algunas películas, como "Recuerdos del porvenir" (Ripstein, 1968), tuvieron que transformar a última hora el guión para que el problema cristero no apareciera en pantalla. Sin embargo parecía claro que el llamado Dr. Lamadrid de "Miércoles de ceniza" era un cura que ocultaba su sacerdocio, y también hay una escena en la que los cristeros asaltan un tren. Esto es, por lo menos, una curiosidad cinematográfica que si no añade a la película valor alguno, sí la convierte en ligeramente rara.

Convendría señalar que el agua parece ligarse en la filmografía de la "Doña" con momentos poco amables. En una lancha la violan en "Doña Bárbara" y junto a una lancha hundida la violan en "Miércoles de ceniza". Al agua va a parar su cadáver en "Amok" y por el agua escapan de sus furiosos perseguidores en "Maclovia". Aun cuando hay más ejemplos, recordemos que en "Mare Nostrum", cuando va a ser fusilada, se niega a que le venden los ojos porque "quiere ver el mar".

—¿No le parece a usted, María, que el agua le trae demasiados problemas?

—Peor le fue a Dolores del Río, que en una película la tiraban dentro de un volcán. Mejor perder la honra en una lancha que morir achicharrada.

—Sí, eso sí.

MIRANDO HACIA ATRÁS
CON GOZO

37. *Café Colón*. 1958

Si se deja pasar un cierto tiempo, todo el pasado, por malo
que haya sido, tendrá un cantor nostálgico.

P.I.T.

En el año 1958 pudiera parecer que el cine mexicano ha llegado a su cumbre, ya que se produce un récord de 136 películas, de las cuales tres las hará María.

Sin embargo, la cantidad no está apoyada por la calidad y solamente un film se destaca, en ese tiempo, con fuerza suficiente como para entrar en la historia del cine: "Nazarín", de Luis Buñuel.

Después de hacer "Miércoles de ceniza", María firma un contrato para ponerse a las órdenes de Benito Alazraki, el más sorprendente y desquiciado creador nacional. De Benito Alazraki escribió el documento *La semana en el cine* una hiriente nota eliminatoria:

"Alazraki es un señor que hace tiempo alguien confundió con un cineasta y que se ha empeñado en demostrar hasta la saciedad la falacia de tal calumnia. Eso de que Alazraki dirigió 'Raíces', ya no pasa de ser un dato pintoresco y digno de Ripley" (1-12-1962).

Lo cierto es que "Raíces" es una memorable película mexicana, que se sigue acreditando a Alazraki y recibiendo elogios de los habituales de todo cineclub mundial, aun cuando los enterados parecen coincidir en que se trata de un trabajo colectivo del entonces equipo del productor Barbachano Ponce ("Raíces" se estrenó en el año 1953). Todo hace suponer que en "Café Colón" la labor de Benito Alazraki fue la de ilustrar una lamentable historia de Rafael E. Muñoz y Eduardo Galindo, este último interesado en la producción. Lo que parece desprenderse de la anécdota bien pudiera llegar a entenderse como un cínico reconocimiento de que la llamada "familia revolucionaria" tenía como meta el triunfo para llegar a comportarse exactamente como la "familia reaccionaria" depuesta.

No de otra manera actúa el general revolucionario, quien dedica parte de su tiempo a recibir lecciones de urbanidad y termina vestido elegantemente junto a su novia "Mónica" (María Félix), quien exhibe, una vez más en el cine nacional, un vestido de novia de excelente factura.

Pero acaso no se trata tanto de un acto de cinismo político, como de una ausencia total de conciencia revolucionaria. Este film trata en esencia, de

Las joyas de María ya entraron, también, en la fama.

mostrar nostálgicamente una época que se agota a sí misma, de escuchar algunas divertidas canciones y de ofrecer de nuevo una imagen folklórica y aviesa de la Revolución.

En 1958 el esfuerzo popular por transformar el país había desembocado, a juzgar por el cine mexicano, en un espectáculo amable y de espaldas a los motivos auténticos del pueblo en armas.

La anécdota, salpicada de incidentes de todo tipo, puede ser reducida a este esquema:

"Mónica" es una cantante que actúa en el Café Colón y tiene por enamorado a un general del ejército federal. Pero los revolucionarios está a punto de entrar en la capital y los federales, y con ellos el general, se retiran.

El jefe de los zapatistas es otro general (Pedro Armendáriz), quien, curiosamente, elige el Café Colón como su feudo. Cuando el lugarteniente del general vencedor (Jorge Martínez de Hoyos) se hace con un lote de excelentes joyas pertenecientes a los reaccionarios, Mónica sufre un súbito ataque de codicia y comienza a desarrollar toda una estrategia para hacerse con el tesoro. Pero el general federal vuelve al Café Colón, porque las joyas son suyas (o por lo menos es quien las ha requisado primero). "Mónica" no sólo no le devuelve la fortuna, sino que lo golpea. Mientras tanto el general revolucionario está recibiendo lecciones para llegar a ser un catrín perfecto. Cuando revolucionario y cantante descubren que están enamorados, ella abandona su codicia y afirma que lo querrá incluso sin joyas.

El lugarteniente revolucionario roba las joyas y las ofrece a María si ella se le ofrece a él. Pero su deshonesto comportamiento es descubierto por Pedro Armendáriz, que lo detiene y lo manda encerrar.

María y Pedro se disponen a casarse y lo hacen de una forma tan elegante, que los federales hubieran tenido envidia de la pareja.

Para María, este film parecía venir a conformar una trilogía amable: "French-Cancan", "La bella Otero" y "Café Colón" tenían sobre las mesas de producción mucho en común.

Era la posibilidad, otra vez, de usar bella ropa, moverse con alegría y desparpajo ante un set bello y mostrar su indudable fuerza seductora. Incluso podría, en esta última ocasión, mostrar capacidad para llegar a fingirse tan vulgar como para emborracharse y cantar ante una botella. Pedro y ella eran una pareja tan seductora, que los espectadores olvidaban no sólo la versión que se les estaba ofreciendo de la Revolución, sino hasta la misma anécdota. Los números musicales apoyaban muy bien la tarea de acelerar la nostalgia y el vestuario de Armando Valdez Peza, el modista de cabecera de la estrella, colaboraba a este fin con eficacia. Manuel Fontanals, el excelente escenógrafo, creó un Café Colón a la medida de sus clientes, lo cual ya significaba un buen trabajo, profesional.

María estaba contenta, o lo parecía.

Cuando el film está terminado, se vuelve a hablar de que Hollywood la está llamando. María se niega a aceptar cualquier tipo de ofrecimiento.

—No; porque van a terminar por vestirme de india.

James Robert Parish y Don E. Stanke, en su libro *The glamour girls*, le dan la razón. Piensan que Hollywood hubiera intentado someter a María a ciertos personajes exóticos o convertirla en una azteca de guardarropía. Recuerdan lo que hizo John Ford con Dolores del Río en "Cheyenne Autumn", o la humillación de la misma Dolores por Elvis Presley en "Flaming Star". Piensan que María no lo iba a soportar. Por una razón, afirman: "María es María."

EL CALVARIO DE TODAS
LAS ESTRELLAS

38. *La estrella vacía*. 1958

> Cuando Douglas Fairbanks comenzó a galantear a Mary
> Pickford me preocupé. Los dos estaban ya casados. Una
> mala publicidad podría haber arruinado sus carreras.
> ADOLPH ZUKOR.

"La estrella vacía" es la cuarta novela de Luis Spota, el escritor más prolífico
de México. Spota conocía muy bien el mundo del cine mexicano y las vicisitudes, entregas y humillaciones que una mujer ha de aceptar para llegar al lugar
más alto del universo cinematográfico. "Yo había usado elementos tomados de
tres personas conocidas, para crear el personaje al que bauticé (Olga Lang).
Estas personas fueron Dolores del Río, María y Gloria Marín. Las tres habían
triunfado, pero pagando un alto precio. Por entonces murió en un accidente
Blanca Estela Pavón y ello daba aún más dramatismo a mi historia ficticia.
Cuando me llamó Emilio Gómez Muriel para comprarme la historia, me dijo
que la haría María Félix. Me pareció bien. Gómez Muriel era un hombre culto,
serio. Se me dijo que sería una versión de mi historia y no una adaptación ajus-
tada. Acepté. Pensé, y aún pienso, que María es un ejemplo extraordinario de
voluntad; una mujer que ha dado todo lo que se puede dar para escalar una meta. Ella fue subiendo peldaños de fama, uno tras otro. Resulta muy ilustrativa
la forma en que se fue casando con hombres cada vez más importantes, más necesarios para su carrera. Nunca retrocedió en el ascenso social que se fue tra-
zando. Primero fue un provinciano que la sacó de casa, después un miembro de
un trío de cantores, más tarde un músico famosísimo, después el más famoso
galán de cine. . . Todas sus amistades parecían también haber sido elegidas con
el mismo concepto; escritores, poetas, millonarios, bohemios."
 Spota no adaptó su novela, a pesar de que ha vendido al cine sesenta y cuatro
historias, y que cuenta, sonriendo, que una vez le llamó el productor Rosas
Pliego y le mostró unos decorados hechos en los estudios.
 —Los mandé construir para hacer una película que ya no puedo filmar.
Quiero que usted me escriba un argumento que se pueda hacer en estos sets.
 Spota contempló las construcciones, fue a su casa y entregó a Rosas Pliego
una historia que se adecuaba a los decorados. "Eran las vicisitudes de un escritor profesional que tenía que vivir." Y Spota se ríe, recordando el más curioso
encargo recibido en su vida.

—Yo conocí a María Félix en el año 1942, cuando ella comenzaba. La vi en el bar del Hotel del Prado, que era el centro social de México. Una mujer muy bella, pero algo silvestre aún. Se advertía que estaba sin refinar, que había una cierta torpeza en sus movimientos. Junto a ella estaba el ingeniero Palacios, que padecía el mal de Parkinson; un constante temblor muy pronunciado. María se ha convertido en la historia frívola y amorosa de este país. Ella es todo y por ella pasa todo. Las anécdotas que María vivió o que se cargan en su cuenta tipifican toda la historia del cine mexicano y también de nuestra sociedad desde los años cuarentas. Cuando la cortejaba Ricardo Pasquel, un millonario que tenía detalles extravagantes, los incidentes curiosos se multiplicaron. Una vez estaban rodando un film en exteriores y Pasquel pasaba en su avión sobre actores y técnicos, que tenían que cortar la filmación, porque el sonido del aparato les impedía trabajar. La propia María me contó que una vez Pasquel llegó a buscarla vestido totalmente de negro, con un cinturón cuajado de esmeraldas, rubíes y diamantes que formaban la bandera de México y con botonaduras de diamantes y una cadena larguísima de oro. Ese día ella no quiso salir, supongo porque pensó que él la opacaría; que "le robaría cámara", como se dice en el argot cinematográfico.

Estamos desayunando en un restaurante en donde Luis Spota ocupa la misma mesa desde hace muchos años. El novelista famoso recibe saludos de los otros clientes y la atención especial de los servidores del restaurante.

—¿Cómo es María? ¿Es la estrella vacía?

—No. Es una mujer que puede ser encantadora y también perversa. Creo que una anécdota que presencié puede dar una imagen de su forma de reaccionar ante ciertos acontecimientos. Cierta vez estaba preparada para interpretar una escena, el director tenía un concepto del trabajo que María debía hacer y ella otro; pelearon y al fin el director impuso su opinión. Había estado María en manos de la maquillista casi cuatro horas. Cuando supo que no podían hacerse las cosas tal y como ella quería, pidió un mango y con toda calma se lo fue restregando por la cara. Aquello fue más dramático que muchas de sus mejores escenas en la pantalla.

La adaptación de la novela de Spota se la encargaron a Julio Alejandro, un excelente escritor aragonés que ha colaborado mucho con Luis Buñuel y escrito un total de ciento dos guiones de cine. Julio Alejandro llegó a México en el año 1945, después de haber estrenado en Madrid siete obras de teatro. En su casa de Cuernavaca, acariciando su barba casi blanca, me dice que él había pensado en crear para "La estrella vacía" una serie de efectos adecuados a la historia.

—La novela cuenta cómo un grupo de personas aguardan noticias sobre una famosa artista de cine que posiblemente haya muerto en un accidente de aviación. Yo pensé que cada uno de los presentes en aquella habitación podía contar una parte de la historia de la estrella, pero de tal forma que la narración de un personaje se ligara a la narración última, contando los hechos de otra forma distinta. Esto haría que cada personaje fuera, de alguna forma, modificando la versión anterior. Pensé que esto tendría interés y que permitiría hacer una película distinta. Pero ocurrió que el director pensó que aquéllo era demasiado inteligente para el público y cortó todas las secuencias en las que se repetían los hechos vistos de forma diferente por los distintos narradores. Creo que fue un gran error, sobre todo porque el público siempre resulta ser mucho más inteligente que los productores y directores.

Julio y María Félix eran habituales en la Lagunilla, el mercado mexicano de cosas viejas. A los dos les encantan las "chácharas" y buscaban, sobre todo, porcelanas.

—¿No escribiste otras historias para María?

—Sí, yo redacté un argumento titulado "La cárcel de cristal" y luego lo adaptamos Luis Alcoriza y yo. Nos dieron un premio por adaptación.

—Recuerdo que le escuché elogiar ese argumento a Luis Buñuel.

—Sí, le gustaba. Pero el caso es que la película, a pesar del premio, o por culpa del premio, nunca se hizo. Alcoriza y yo pensábamos que iba a ser para María. No fue así.

—¿Cuál era el argumento?

—Una mujer soltera, ya no joven, se recluye en su casa en una ciudad mexicana de provincia. Por las noches entran en su casa hombres extraños y se producen sorprendentes situaciones eróticas. De pronto el espectador descubre que se trata de fantasías de la mujer, y que tales hombres y amores no existen. Pero un día llega un hombre de verdad y ella lo rechaza. Ha comprendido que prefiere continuar con sus sueños eróticos antes que hacer realidad lo imaginado.

—¿Recuerdas la filmación de "La estrella vacía"?

—Por causa de los cambios en el guión no fui demasiado por los estudios. Pero un día encontré a María cubierta de unas joyas maravillosas, usaba un collar de tres hilos de perlas y dos calabazones como pendientes. Era algo muy sensacional. Ella comprendió que yo estaba observando las joyas y me dijo: "¿Te gustan? Algunas amigas me dicen que las perlas traen lágrimas. Es mentira, las perlas que traen lágrimas son las perlas artificiales."

El constante acercamiento de los personajes a la personalidad de María, o a la personalidad que se había inventado, llevaban también implícita la búsqueda para las heroínas de un vocabulario que se acercara a la muy personal forma de hablar de la estrella.

En este caso el hecho parecía más obligado, ya que la sonorense estaba representando a una estrella del cine y a los productores parecía convenirles continuar explotando la ambigüedad de una situación que siempre obtendría eco en la audiencia. Julio Alejandro conocía y conoce muy bien lo que llamaremos "vocabulario de la Doña", pero no parece haber caído en la tentación de extremar las cosas.

De cualquier forma los reporteros y columnistas estaban dispuestos en todo momento a captar la semejanza: "María, en el cine, habla como María en la calle." No era cierto, sino en la medida en que ella manejaba sus muy curiosas entonaciones. La escritora Carmen Galindo exploró, en el año 1968, lo que ella llamó el "relucientísimo lenguaje de la Doña":

"Su palabra deslumbrante, segura del triunfo, anda en busca de la originalidad, y sus experimentos lingüísticos, en formación militar, han derrotado al lugar común, la autoridad y los convencionalismos. Desde el punto de vista del idioma, María Félix anda (y le gusta) fuera de la ley. . . Su fonética también tiene un tinte personal. Las vocales se alargan o se precipitan, se quedan suspensas en el aire o van más rápido de la velocidad permitida. Así, las vocales de doña María, vocales de la "Doña", andan como sueltas en la oración, agitadas e independientes, felices de su 'descuajeringue', como ella misma diría."

La propia Carmen Galindo recoge algunas de las expresiones típicas de la Doña, muchas de las cuales se suponía que, al comienzo, le ponían en los labios sus amigos cultos y sabios:

—A la Argentina le faltan piedras (por historia).

—Gerard Phillipe es "el mío Cid".

—Hoy estuve todo el día enchinchando mi sillón.

—El sol de Roma es un reflector que ilumina la alegría.

—Los críticos de cine son "ojos filosos".

—Los vestidos son "trapos o hilachas".

—Los amigos queridos son "personitas".

—Picasso es un volcán.

Una vez, mientras grabábamos en Televicentro, llamó a uno de sus ayudantes y no lo encontró. Cuando, al fin, apareció el personaje, lo recibió con las manos en la cintura, furiosa:

—¡Yo aquí, ganando el pan! y usted, ¿por dónde?

Ignoro hasta qué punto de gravedad puede bajar la voz de María, pero sin duda ella, por sí misma, elimina la posibilidad de convertirse en un bajo de ópera. Los agudos se le dan peor, se le desbaratan en la garganta.

En líneas generales ella hace coincidir su tono más bajo con las escenas más tensas y dramáticas y emplea un alegre tono natural para los momentos fílmicos alegres. Peculiaridad de María, también, es el hecho de que ha conseguido reír con el pelo; a la carcajada se aúna un rápido movimiento de la cabeza hacia atrás y un revoloteo de melenas. Para los momentos de supremo desprecio tiene las cejas, como ya vimos. Y curiosamente, puede parecer moderada, apacible y tierna si se lo propone. Pero esto es algo que sólo presencian sus fieles.

El veneno poético de Salvador Novo cayó también en su día sobre María Félix, cuando se afirmaba que tenía amores con Diego Rivera. Para describir a María, sin dar su nombre, Novo emplea una serie de claves por todos traducibles: la procedencia de Sonora, antes Nueva Galicia, los pantalones y la voz fuerte y de bajo tono:

> De Nueva Galicia, con fresca Gorgona
> (el traje de jockey, la voz de sargento,
> modelo en el muro, tumulto en la zona)
> monstruoso celebra carnal juntamiento.

Es curioso cómo la "Doña" ya ha conseguido su propia caricatura, con un par de pinceladas; la voz y el pantalón son elementos tan representativos de su personalidad, que el dato de su lugar de origen sale sobrando.

"La voz de sargento" aparece no sólo en notas periodísticas, sino surgirá en descripciones, como veremos, a cargo de Carlos Fuentes. Se dice que cuando María supo de la comparación afirmó:

—Si los sargentos fueran como yo, habrían millones de voluntarios en los ejércitos.

A estas alturas de su carrera ya nada podía ponerla en peligro; cuanto hacía la "Doña", bueno o malo, escandalizador o sencillo, iba a sumarse a su personalidad pública. Sus amores, supuestos o reales; sus millones, exhibidos a través de joyas llamativas; su vestuario alejado de lo habitual, todo servía para separarla de la mujer que en México había venido siendo prototipo. Que los reporteros que no tenían el favor de ser sus amigos la compararan con "La estrella vacía" no le importaba.

—¿Vacía? ¿Quién me ha visto por dentro?

LA CUCARACHA NUNCA PUDO CAMINAR

39. *La Cucaracha*. 1958

Sí, pues.
GENERAL ZETA.

El guión de "La Cucaracha" es la obra de tres equipos que no parecen haberse entendido muy bien entre sí; los argumentistas fueron José Bolaños e Ismael Rodríguez. Después entraron a trabajar José Celis, Ricardo Garibay y el propio Rodríguez. Y aun se conformó otro equipo final, que corrigió los diálogos: Ricardo Garibay y José Luis Celis.

El hecho de que el director hubiera estado presente en los tres niveles tampoco parece haber ayudado gran cosa a la creación de un trabajo coherente.

"La Cucaracha" se inicia así:

EXT. GOTERAS. PUEBLO "CONEJOS" DÍA

1. Un pequeño grupo de campesinos y soldaderas, a cuyo frente va Antonio Zeta, camina en actitud de gran fatiga. Los hombres llevan armas. Algunos van heridos. Fuera de cuadro se escucha una voz lánguida que canta:

VOZ: Voy a cantar un corrido
que todo el mundo conoce
de una mujer de la tropa
en mil novecientos doce.
Y en el pueblo de Conejos
por una calle muy quieta
viene triste y derrotado
el valiente Antonio Zeta.

De pronto la voz de un centinela que grita, amenazadora, fuera de cuadro:

VOZ DE CENTINELA: ¡Alto! ¿Quién vive?

ZETA: ¡Gente de Villa!

2. Otro grupo de soldados que a un lado del camino juegan a las cartas ve a la gente de Zeta con curiosidad. El grupito de Zeta sigue avanzando.

273

DISOLVENCIA

EXT. CALLES "CONEJOS". DÍA

3. El grupito de Zeta avanza por las calles del pueblo, caminando despacio. Algunas gentes transitan, los ven con extrañeza.

4-5. Llegan a una plazoleta, donde se ven una lotería, en cuyos bancos hay gentes del pueblo y soldados, jugando. Se oye la voz del que canta las cartas.

6. Los que juegan a la lotería dejan de hacerlo para mirar al grupito que se ha detenido a corta distancia se separa el Indio, asistente de Villa, y se aproxima a un soldado jugador preguntándole:

INDIO: ¿El cuartel?
SOLDADO: Ahí derecho.

7. El Indio va a reunirse con Zeta y comenta, molesto:
INDIO: Mi'no más, coronel; cómo anda aquí la Revolución.
ZETA (hierático): Sí pues.
Echan a andar. Uno del pueblo se acerca a un rezagado herido.
HOMBRE 1: ¿Qui'hubo?
HERIDO: Venimos del Sabino. Sobramos éstos.
Los que oyen hacen un gesto de estupor.

EXT. PUERTAS CUARTEL. DÍA

8. El grupito se detiene ante un portal abierto y a cuyos lados hay dos centinelas armados. Uno de ellos pone su fusil cruzado ante el pecho de Zeta y pregunta, ceñudo:

CENTINELA: ¿Ónde va?
ZETA: Busco al coronel Zúñiga.
CENTINELA: ¿Y usted, quién es?
ZETA (Imperioso, duro): Coronel Antonio Zeta.
El centinela, sorprendido, se cuadra. Entra a la carrera el otro centinela y dice, respetuoso:
CENTINELA 2: Pase usté, mi coronel.
El grupito entra. El otro centinela presenta armas.

INT. PATIO CUARTEL. DÍA

9. En el patio hay algunas soldaderas cuya actitud demuestra que están como en su casa. Alguna lava ropa dentro de una cubeta; otras echan tortillas, otra espulga un chamaco encuerado; unos cuantos soldados juegan a la rayuela, observados por soldaderas en actitudes rientes. Hay, cruzando el patio, una gran cuerda con ropa puesta a

secar; calzones de soldados, sayas femeninas. Todo demuestra relajada disciplina.

10. Zeta avanza, seguido de los suyos, y se detiene a medio patio, mirando, hermético, en derredor. Soldados y soldaderas van dejando lo que hacen para ver al grupito.

11. Del interior avanza el coronel Zúñiga, seguido a pocos pasos por su Estado Mayor. Zúñiga es bajo, gordo, de aspecto cínico. Trae la guerrera abierta, el cinturón aflojado y el sombrero con la insignia de su grado tirado hacia atrás. Viene hurgándose los dientes con un dedo y se detiene ante Zeta con expresión molesta. Inquiere, irónico:

ZÚÑIGA: ¿Antonio Zeta?

ZETA: Sí, pues.

Una estrepitosa carcajada femenina se oye fuera de cuadro. Carcajada sardónica, hiriente.

12. Es la Cucaracha, aún ríe. Viste falda-pantalón, cuerra tamaulipeca, paliacate al cuello, sombrero tejano y pistola.

CUCARACHA (Mirando despectiva a Zeta): ¿Eso es el tan mentao Zeta?

13. Zeta no se ha movido. Lanza una rápida mirada hacia la Cucaracha, pero su gesto no varía. Vuelve a mirar a Zúñiga y le habla conteniéndose:

ZETA: Lo estuve esperando en el Sabino.

ZÚÑIGA (En chunga): No me diga. . . Y yo aquí, sin saberlo. . .

ZETA (Indicando a su gente): Y esto es lo que me queda, porque ataqué esperándole. Se me murió la gente, las mujeres, los niños. Mendoza fue deshecho en la emboscada, pero usted no fue a auxiliarme, coronel.

ZÚÑIGA (Francamente burlón): ¿Y qué hacemos con las órdenes de mi general Villa?

ZÚÑIGA (Irritado, alza la voz): Ya le digo, supe lo de Mendoza y si le sirve saberlo, me estaba preparando pal ataque a San Blas.

ZETA: ¿Lo atacó?

ZÚÑIGA (Teatral): No hay parque. Tengo poca gente.

ZETA: ¡Tiene poca madre!

Inesperadamente Zeta da un bofetón de cuello volteado a Zúñiga que le tira el sombrero. Al impacto Zúñiga retrocede haciendo un gesto de infinita sorpresa. Lleva la mano a la pistola.

14. Zeta lo imita.

15. El Estado Mayor de Zúñiga asume una actitud combativa y mira a su jefe esperando una orden.

16. La gente de Zeta hace lo mismo.

17. Soldados y soldaderas en el patio, observan, tensos.

18. La Cucaracha avanza un paso y mira ansiosamente a los dos coroneles, sin dejar su sonrisa burlona.

19. Zúñiga no saca su pistola, habla nerviosamente.

ZÚÑIGA: Si le respondo nos matamos todos. (Pomposamente.) Pero mi vida es de la Revolución.

Se dirige a los soldados y ordena:

ZETA: ¡Arréstenlo!

20. Los soldados de Zúñiga avanzan un paso y se detienen, confusos, sin atreverse a arrestar a su jefe, pero un joven oficial del Estado Mayor se acerca a Zúñiga y le dice, casi exigiendo:

VENTURA: Usté dirá, mi jefe. .

Zúñiga se hace camote y habla teatral, nervioso:

ZÚÑIGA: Ah, no voy a convertir esta lucha en pleito de comadres. Mi deber como militar. . .

21. La Cucaracha tiene una sonrisa despectiva hacia Zeta.

22. El capitán Ventura, que advierte el creciente miedo de Zúñiga, lo ve con desprecio y dándole las espaldas se cuadra ante Zeta, a quien dice:

VENTURA: A sus órdenes, mi coronel.

Y automáticamente preside el pelotón de arresto. Zúñiga amenaza, siempre nerviosamente.

ZÚÑIGA: Veremos, veremos qué opina don Venustiano Carranza, el primer jefe.

Ya se lo están llevando.

23. Zeta se vuelve hacia el Indio y ordena:

ZETA: Mire usted que se cure a los heridos, busque alojamiento pa la gente.

Y volviendo a Ventura:

ZETA: Vamos viendo el cuartel.

24. Echa a andar, rodeado por el Estado Mayor, y a pocos pasos se detiene, ordenando:

ZETA: Echen de aquí a las mujeres. Esto no es campamento.

25. Sigue andando. Lo acompañan los oficiales. Cuando sale de cuadro, un oficial grita hacia el patio.

OFICIAL: Esas viejas mitoteras, a la calle. Lencho, Pascual, Negro, Remigio. . .

26. Cuatro soldados corren hacia el oficial y se cuadran.

OFICIAL: Arrímenlas con todo y chivas. No las quiere ver el coronel.

Los soldados empiezan a cumplir la orden entre protestas de las soldaderas y bulla natural.

27. La Cucaracha se divierte observando la escena, pero de pronto cambia el gesto. Ve que un soldado está sacando al patio sus cosas. Corre hacia él y dándole una patada, increpa:

CUCARACHA: Deja mis tiliches o te rompo el hocico.

Entra a cuadro, corriendo, la Trompeta, que es asistente, soldadera y secretaria de la Cucaracha. Se enfrenta al soldado y le dice, envalentonada:

TROMPETA: Seguro. . .

SOLDADO 2: (Rabioso): Cumplo órdenes del nuevo coronel.

CUCARACHA: Dijo viejas, idiota. Yo soy soldado y del Estado Mayor. Mete eso adentro o te hago un agujero en la cabeza.

TROMPETA: Seguro. Meta eso pa'allá adentro.

SOLDADO 2: Té qué trai, vieja chaparra.

Pero obedece y va metiendo las cosas.

28. La Trompeta le habla a la Cucaracha, excitada:

TROMPETA: Ora sí, jefe, traigo noticias nuevas.

29. Algunos soldados se aproximan para escuchar.

30. La Trompeta narra encantada.

TROMPETA: Está para llegar un coronel Antonio Zeta, que es el mero diablo. Quesque pelió en Chihuahua y en Paredón y ¿sabe a lo que viene? Pues a arrestar a Zúñiga, por órdenes de Villa.

CUCARACHA (Extrañada): ¿Órdenes de Villa? Eso no lo dijo.

TROMPETA: Lo dijo. . . pero usted no hace aprecio.

CUCARACHA (Para sí): Ah, qué macho el coronelito.

Y sale de cuadro.

Así se presentan dos personajes importantes, "La Cucaracha" (María Félix) y "Antonio Zeta", ("Indio" Fernández); después veremos cómo ella bebe y se comporta en una cantina como un hombre duro, agresivo y capaz de tomarse coñac y de retar a cualquier macho. Pronto consigue que dos soldados riñan por ella y después paga su bebida dejando sobre el mostrador una cruz de oro. Cuando el cantinero le dice que se guarde la cruz para que la cuide, la Cucaracha se muestra poco dada a los asuntos de la religión.

CUCARACHA: ¿Pa'que me cuide? Se la quité a un federal muerto. Si a él que era tan santurrón se lo llevó patas de catre, ¿pa qué rayos me puede servir a mí?. . .

Para dar a su personaje un acento rudo, María concilió con los guionistas y fue eligiendo una serie de expresiones que ella considera adecuadas. Este proceso de eliminación de vocablos rudos es parte de su búsqueda de una imagen noble y acaso también influencia del curioso vocabulario artístico de Agustín Lara; lo cierto es que María cuida extremadamente que no se digan ordinarieces en su presencia.

Yo, que no tengo grandes remilgos a la hora de expresar mis puntos de vista, sufrí más de una reprimenda o de un elevarse de cejas que era toda una advertencia severa.

Sin embargo la "Doña" tiene fama entre el pueblo de mal hablada, de ríspida y aun de soez. Esto la indigna:

—Yo nunca digo malas palabras ni permito que en mi presencia se digan.

Cuando Ricardo Garibay, un escritor al que ella respeta, habla de las tetas en su presencia, María se enfurece:

—Diga usted senos. No me gustan las palabras feas.

Es inútil que Garibay intente defender la nobleza de las tetas en la literatura castellana. Ella las prohíbe.

La furia de La *Cucaracha* no salvó al film.

Pariendo con dolor en *La Cucaracha*.

Pero las malas palabras son sustituidas por las buenas frases.

A María le encantan las expresiones pintorescas, como ya señalamos. Algunas presupone que son muy mexicanas, cuando lo cierto es que son muy suyas. O que ella hizo ya suyas.

Me habla de su guardarropa:

—Tengo tres armarios llenos de hilachos.

Ha visto una película que le ha entusiasmado:

—Me ha dado vueltas el globo del ojo.

Una vez discutíamos cierta escena de un guión para televisión. Yo apoyaba mis argumentos golpeando con una carpeta de cartón sobre el sofá. María no se daba por vencida y encontró un argumento más a su favor y en mi contra:

—¡No me machuque los muebles!

Garibay me dijo que él, algunas veces, la hubiera machucado de buena gana. Pero después recomponía el respeto y la simpatía que tiene por la estrella.

Los personajes de María son parte de ella y están sujetos a la censura de la protagonista. Cuando en "La Cucaracha" dice algunas cosas fuertes o frases con doble sentido, parece ceder ante el hecho de que la Cucaracha, si hablara bien, dejaría de ser Cucaracha. María atiende con cuidado a esa cosa tan resbaladiza llamada "justificación". Para decir un disparate, el personaje tenía que "justificarlo". Esto daba lugar a discusiones con productores, directores y escritores; porque no siempre está claro cuando un personaje justifica una procacidad y es imposible preguntarle al personaje sus íntimas desazones y su forma predilecta de desahogar su carácter.

. Un joven reportero pregunta: ¿Le gustan a usted los homosexuales?

—¡Si todos los hombres fueran como usted, sí!

Este tipo de escarceos, en los que ella siempre gana, le entusiasman. Sin embargo está dispuesta a corregir a quien se extralimita en el vocabulario.

—¡Usted habla muy mal!

—Con sólo palabras buenas, no se puede hablar bien.

—Pues yo en esta casa las prohíbo.

Ismael Rodríguez, con "La Cucaracha", tenía dos problemas inmediatos; primero convencer a María de que hablara mal, y luego convencer al señor Jorge Ferretis, director de Cinematografía, para que no prohibiera el film, ya que Ferretis tendía a comportarse frente al cine mexicano tal y como lo hacía María en su hogar.

Para su propio asombro, Ismael Rodríguez consiguió, manejando la argumentación de lo "justificado", que ambas resistencias aceptaran el rudo vocabulario de un Ricardo Garibay a quien también le gusta el léxico fuerte.

Ricardo comenta: "Una Cucaracha hablando como una señorita remilgada sería ridícula. Peor que una señorita remilgada hablando como una prostituta de callejón". María terminó entendiendo esto. Y lo curioso es que su público la aceptó de inmediato. Porque todo México piensa que María habla muy mal, con un lenguaje espeso.

Óscar Alzaga y Arturo Garmendia grabaron unas declaraciones (1969) de Ismael Rodríguez muy reveladoras de cómo la Cucaracha llegó a hablar muy mal.

280

"Ferretis era muy buena gente. Cuando hice 'La Cucaracha', que fue la primera película en que se usó un lenguaje. . . bueno, como el que dicen. Cosas así como ¡Échenles mentadas, que también duelen! y también ¡Vete a calentar friolentos, que tienes muy buen hornillo! Son unos diálogos estupendos de Garibay. Es muy bueno Ricardo para recoger el habla del pueblo. Lástima que sea tan flojo. Ah, les decía que Ferretis vio 'La Cucaracha' y me dijo: son diálogos pesados, pero no los puedo censurar, porque son diálogos necesarios. No se pueden sustituir por otros. Eso dijo. Y me dijo, también, que la película sería sólo apta para adultos. Yo cuido mucho los diálogos. Siempre he buscado lo auténtico. Yo odio la demagogia. Por ejemplo, en 'La Cucaracha' evité toda la demagogia, no hay en toda la película ni uno de los lugares comunes demagógicos, que tanto han dicho de la Revolución Mexicana. Tal vez sólo la arenga de Zeta a los soldados, cuando dice: La tierra está ociosa, así que vámonos muriendo pronto."

El vocabulario que esgrime María en esta película consiguió un curioso premio que hubiera desconcertado a una persona menos segura de sí misma que ella. La Asociación de críticos Cinematográficos de Argentina, durante el Festival de Mar de Plata del año 1960, concedió al film el trofeo a la producción "mejor hablada en castellano".

—María, esta actitud de los críticos argentinos parece decirnos que las malas palabras son buenas.

—Bueno, acaso ocurrió que los argentinos no entendieron lo que yo decía.

Y María enarca las cejas y adopta una actitud displicente mientras juega con un enorme anillo que hubiera llevado a cualquier dama de sociedad a expresar su asombro con un vocablo salvaje.

Para conmemorar esta serie de contrarias opiniones, pedí a María que me regalara el guión de la película, y ella tomó un plumón negro y escribió en la primera página con una caligrafía gigante en la que cada letra mide tres centímetros: "Para Taibo, que no sea la primera ni la última ocasión que nos encontremos. Su amiga. María Félix."

Al día siguiente me pidió que le llevara de nuevo el guión y añadió con la misma letra, pero con un plumón color café: "Y lo quiero mucho."

Creo que fue ese mismo día cuando interrumpió el trabajo para salir de la habitación y volver vistiendo un asombroso traje hecho de plumas.

—Con esto subiré más todavía.

Y la María emplumada se movía muy feliz.

Para el guionista, la historia de "La Cucaracha" vista desde hoy es una guerra por las palabras. No sólo tenían que conseguir la autorización de una censura que se negaba a que así fuera llamada, sino que María y Dolores habían establecido también su sistema censor.

Ricardo Garibay me contó una serie de incidentes curiosos y en ocasiones pintorescos.

En el libreto se le había señalado una frase fuerte: "Vaya y trague mierda."

María dijo que ella jamás iba a decir "mierda" desde una pantalla y que tampoco decía esa palabra en su vida familiar. Entonces Garibay recordó una frase muy usada por la sociedad mexicana del siglo XIX que era eufemísticamente semejante: "Vaya y trague de lo que no se vende."

Por entonces, cuenta, "lo que no se vende" era "mierda" para todos, pero no sonaba tan fuerte. María aceptó esta versión avalada por su antigüedad.

Por su parte Dolores se negó a decir "puta". Garibay insistió en la tradición literaria que la palabra "puta" arrastraba; pero fue inútil. Lo que dijo ante las cámaras Dolores fue "cuatro letras".

"La verdad es que yo jamás escuché, cuenta Garibay, lo que se llama una mala palabra a María. Ella pone el énfasis no en la palabra fuerte, sino en el gesto fuerte. No tolera una palabra de tono subido y la película venía, por otra parte, a romper una tradición de pudibundez en el cine mexicano. Ella no dice palabras gruesas, sino palabras delgadas con un tono grueso.

"Tuvimos otros problemas del mismo tipo. Un personaje decía:

—No hay parque; tengo poca gente.

Otro le respondía: 'Tiene poca madre.'

"Eso, para la burguesía mexicana, era demasiado en aquella época."

Jorge Ferretis, director de Cinematografía y censor oficial, aceptó todo esto, afirmando que lo permitía porque estaba ante una verdadera "frescura de lenguaje".

María tenía otra frase en entredicho:

—¡Vente pa' acá, tú que tienes buen culo!

María dijo que era capaz de decirlo, si en ese momento en la pantalla se estuviera formando un jolgorio de frases y de movimientos. Ismael aceptó e hizo que soldaderas y revolucionarios corrieran de una parte para la otra, gritando. Así que la frase quedaba medio escondida entre tanto lío. Pero María se arrepintió y hubo que cambiar el texto.

"Un auxiliar mío, que estaba ayudándome en la redacción de diálogos, el licenciado Antonio Méndez, quien era agente del Ministerio Público pero estaba enamorado del cine, me sugirió una frase tomada de los dichos populares. María la aceptó como buena: ¡Vete a calentar friolentos, tú que tienes buen hornillo."

La frase fue pronunciada, pero María insistió en que permaneciera el jolgorio a su alrededor, así que no suena muy fuerte. Aún ahora hay gentes que me recuerdan el dicho, riendo.

Recuerdo que otro soldado que se moría mientras decía la mitad de una frase fuerte, fue Eduviges Chaves, guitarrista. Gritaba. "Federales, hijos de la. . ." Y caía muerto. Pero él no quería morirse, y se seguía moviendo en el suelo. Ismael Rodríguez le gritaba: "No te muevas, que ya estas muerto." Y Eduviges respondió: "No estoy muerto, estoy mal herido."

Todos los días el director y el guionista llegaban al trabajo preparados para resolver los nuevos incidentes que los intérpretes y los censores les pondrían en el camino.

—Era como trabajar en un circo, sin jaulas y sin redes.

Ricardo Garibay, mientras me cuenta todas estas cosas, mueve su cabeza redonda de boxeador y ríe.

Posiblemente ningún país tenga un cine revolucionario tan conservador y contrario a los valores profundos de su Revolución como México. Con el paso del tiempo la Revolución fue a convertirse en un excelente pretexto para interpretar canciones junto a la hoguera, para exhibir partidas de jinetes bajo un cielo colmado de nubes estéticamente perfectas o para modelar la belleza o la elegancia de nuestras estrellas máximas.

José de la Colina tocó este tema en la revista *Espejo* del segundo trimestre de 1967.

"En lo relativo al cine sobre la Revolución, el mejor ejemplo, el único, es el que ofreció Fernando de Fuentes con sus dos films maestros, 'El compadre Mendoza' (1933) y 'Vámonos con Pancho Villa' (1935), films en los cuales la Revolución es vista íntima o épicamente como problema moral o como hecho colectivo, pero en los dos casos, con una fidelidad de relato, con una lucidez histórica y una honestidad artística muy difíciles, o más bien imposibles de encontrar hoy. Más adelante, en los films de Emilio Fernández y Roberto Gavaldón, asistiríamos a un proceso de adulteración, puede que inconsciente en alguno de ellos, de esa Revolución tratada. Adulteración que se inició en cuanto los realizadores, al encarar la Revolución, ignoraron o escamotearon su razón de ser, su base: el conflicto de clases, y quisieron presentarla presidida por la coexistencia ideológica. Fue así como asistimos a una Revolución bendecida generosamente por el clero y alentada por los latifundistas 'buenos'. De ahí a convertir a la Revolución en una gran fiesta folklórica, pretexto para que María Félix o Dolores del Río luzcan vistosos sarapes y se disputen a un 'macho sombrío; o para que algún charro cantor use como armas trepidantes corridos contra los 'federales', no había más que un paso. Así vinieron 'La Cucaracha' o 'Juana Gallo', o los múltiples films sobre Pancho Villa, que guardan con la Revolución una relación tan estrecha como los films de Tarzán con el África negra."

Ismael Rodríguez quería hacer la gran película sobre la Revolución y, también, un gran espectáculo; pensaba que ambas cosas podían ir de la mano.

Por lo visto no se había imaginado los problemas que la producción de "La Cucaracha" traería consigo.

—Mire, quisiera ver no a Griffith, o a Fritz Lang, o a Kurosawa. ¡Quisiera ver, incluso, a Dios dirigiendo a Dolores del Río y a María Félix juntas; veríamos lo que podía hacer! Y aún hay quien dice que hice conexiones. Reto al más salsa a que pase esa prueba. Porque a ello agregue usted a Emilio Fernández y a Pedro Armendáriz; mezcle todos esos elementos y sale. . . una antología del miedo.

Sus colaboradores señalan que Ismael estaba trasladando al cine mexicano los procedimientos y los sistemas de Hollywood; un gran film con grandes estrellas y grandes momentos.

—La película se hubiera podido lanzar con el "slogan" de: Por vez primera en nuestras pantallas. . .

E Ismael, al recordar aquellos días, mueve la cabeza apesadumbradamente. La película, desde el punto de vista de producción, contenía un reparto insuperable en el cine mexicano del momento. Por otra parte, reunir a Dolores del Río y a María era algo más que comprar problemas a la hora de filmar; significaba, también, enfrentar a dos símbolos nacionales de diferente densidad, ya que Dolores y María se habían repartido muy cuidadosamente los significados de sus distintas personalidades. Para ellas el país mexicano era un doble territorio y en cada una de las dos partes reinaban rodeadas de sus apasionados seguidores. En hogares, restaurantes, reuniones sociales, se acostumbraba plantear una discusión que jamás defraudaba; las características encontradas de cada una de ellas y la suma de valores que una u otra representaba. El país estaba dividido entre las Dolores y las Marías y cada quien, ensalzando los valores de la defendida, encontraba múltiples razones para herir la personalidad de la otra parte. Esta división de personalidades resultaba sencilla, ya que ellas mismas habían organizado una serie de mecanismos sociales de comportamiento que las distinguía e impedía alguna posibilidad de confusión.

Dolores, después de una vida ligera en Hollywood, había adoptado el rol de dama de sociedad y de esposa modelo, que aceptaba actuar en el cine como llevando a cabo una obra de caridad con el espectador.

María hacía cine porque necesitaba el cine para su propia gloria y lo importante no era cómo aparecer, sino aparecer sencillamente. Estas dos gigantescas figuras se contemplaban cada cual desde su lado de la ribera, dejando que entre ambas discurrieran cientos de personalidades cinematográficas menores, a las que contemplaban desde lejos, fingiendo afecto. En el extremo de cada una de estas personalidades, se encontraba una Dolores de una dulzura mansa y en ocasiones empalagosa y una María ferozmente falsa.

Mientras Dolores sonreía como cediendo a una obligada cortesía social, María agitaba la cabellera como enarbolando una bandera de combate.

Dolores se movía en su jardín, envuelta en sedas ligeras y buscaba que el airecillo hiciera ondular su vestimenta.

María se ceñía pantalones negros y ajustados y exhibía pesadas alhajas de oro que rodeaban su cintura.

Dolores tenía manos dadas al gesto palaciego y María unas manos largas, huesudas, un poco piezas para la rapiña.

Dolores fingía un vals y María un vendaval.

Y lo cierto es que, a pesar de las apariencias, ambas eran muy semejantes; seguras, fuertes, dominadoras, capaces, aptas para el negocio, dadas a lanzarlo todo al suelo si la hora loca había llegado.

En sus pasiones había un punto de coincidencia, que una parecía proclamar y la otra ocultar. México entero tenía que enfrentarse a ellas, tomar una decisión, inscribirse en un partido, y ello implicaba un riesgo, no tanto por lo que se elegía, como por lo que la elección obligaba a prescindir. Quedarse con Lola era abandonar a la "Doña" y perder su personalidad esplendorosa; irse con María era renunciar a la elegancia y a la nostalgia de Hollywood. Dolores traía detrás de sí la magia del viejo y añorado cine; María era el triunfo en presente, la imposición de un estilo que parecía creado para aplastar a la competencia. Si Dolores pretendía volar con sus largas faldas de colores pastel, María anunciaba la entrada en los salones de la pantera recién liberada. Todas las mujeres de México se afiliaban a uno de los dos encontrados estilos y en el fondo de su dolor, eran fieles seguidoras de una y fieles envidiosas de la otra.

Cuando Ismael Rodríguez las reunió en "La Cucaracha", estaba dando ocasión a que la audiencia pudiera hacer comparaciones muy directas; pero el terreno en que ambas se fueron a encontrar no era el propicio. El mundo de las soldaderas no tenía espacio ni para los pantalones negros de María ni para los tules de Dolores.

De alguna forma el pueblo mexicano lamentó que el duelo se estableciera en paraje tan poco oportuno. Ismael acertó al reunir a las dos estrellas pero eligió mal el lugar del encuentro.

Sólo siendo falseadas ellas y la historia mexicana pueden citarse en una película sobre la Revolución; ellas pertenecen a la simbología de la clase media posrevolucionaria, al triunfo de los nietos del revolucionario. Dentro del cine de soldaderas y de generalotes, resultan absolutamente contrarias a la realidad y sólo fingiendo que la Revolución fue otra cosa pudieron aceptarse. El México propuesto por Ismael Rodríguez no podía ser ni tan siquiera aprobado como escenografía sobre la cual acomodar a las dos estrellas; parecían expulsarse a sí mismas de la decoración y estar pidiendo pasar, de inmediato, a otro film en el que se sintieran seguras y significativas. La clase media instalada en el poder, los nuevos millonarios, los jardines cuidadosamente podados, las visitas periódicas a las tiendas elegantes de París o de Nueva York, los restaurantes de luces tamizadas, los grandes automóviles, parecían reclamar su presencia alrededor de estas dos mujeres disfrazadas de revolucionarias. Se les había robado su entorno y eran sólo dos damas fingiéndose gente del pueblo, mirando con una cierta simpatía, teñida de inquietud, a los otros seres feos que las rodeaban. Porque ninguna de las dos había aceptado perder, último símbolo de su verdadero *status*, un poco de *glamour*; así es como ambas entraban en la Revolución de visita, contemplaban el ambiente, decidían que no era el adecuado y dejaban en el espectador la sensación de que al final de la película volverían a sus automóviles, jardines, restaurantes. Prestadas para fingir un México no sentido, pero sí cantado, las dos mujeres evocaban una Revolución a la que ellas cedían su hermosura y a la que negaban el sudor, la brutalidad, la sinceridad, la bondad de todo movimiento popular armado.

Con "La Cucaracha" el cine mexicano daba un paso más para evadirse de las responsabilidades que la Revolución implicaba y convertía en estatua de yeso lo que en su día fue realidad sangrienta.

A la hora de cortar la producción, la "Doña" y Doña Dolores se despojaban de sus arreos de combate y entregaban al chofer su maletín de joyas y mejunges. Después entraban en sus automóviles y se iban directamente al México nuevo de los descendientes de aquellos que hicieron la Revolución. El enfrentamiento de estos dos seres mitológicos, su significación social y estética, la diversa manera de entender su propio rol en la sociedad, ha tentado a más de un escritor y periodista; pero solamente Carlos Fuentes decidió colocar a los dos símbolos sobre un escenario y mostrarlos a su modo. La obra se titula "Orquídeas a la luz de la luna'' título de una famosa pieza musical. Que yo sepa, sólo se ha representado en la Universidad de Harvard y en inglés (1982):

DOLORES: La simplicidad es signo de cuna elegante.

MARÍA: No, señora. Si eres catrina, es para vestirte como catrina. Te me cuelgas hasta la mano del metate, si me haces el gran favor. Y si no, ¿para qué tanto sudor si acabas vestida de flor silvestre con todo y tus millones?

DOLORES: No lo sabrías entender.

MARÍA: ¿Por qué?

DOLORES: Porque te costó llegar. Porque necesitas desesperadamente diferenciarte de ellos.

MARÍA: ¿De quiénes, tú?

DOLORES: De la broza del peladaje. Porque en una palabra, querida, careces de cualidades aristocráticas.

MARÍA: ¿Y por eso debo andar vestida de rancherita, como tú?

DOLORES: Nunca lo entenderías. Ésas son cosas que se maman.

MARÍA: ¿Más? Cómo no. Entiendo que quieres disfrazarte de la flor más bella del ejido para hacerte perdonar la vida. Eso entiendo.

DOLORES: Nadie me amenaza.

MARÍA: Nos amenazan. Y aunque te cuelgues como piñata, te van a descubrir. ¿O crees que los rojos van a colgar a los banqueros y nos van a respetar a nosotras, que ganamos más lana que un banquero?

En otro pasaje, Dolores define a María como ''cenizas disfrazadas de llama''.

En el diálogo anterior, Carlos Fuentes expone el constante fingimiento de Dolores a la hora de elegir su guardarropa para ciertos actos oficiales o sociales de no muy elevada clase; entonces acudía a una vestimenta de discutible tradición mexicana, tal y como una Flor más Bella del Ejido de la quinta Avenida.

Este enfrentar a lo incomparable era un viejo juego mexicano practicado desde que ambas estrellas lo fueron y comenzó el pugilato. En el año 1949, el escritor Oswaldo Díaz Ruanova estableció lo que pudiera llamarse un sistema de valoraciones de los artistas nacionales.

Juzgó a las gentes del cine estableciendo una catalogación que partía del cero y podía llegar hasta el cien; lo perfecto. Aun cuando incluía a varios actores y artistas estaba muy claro que el verdadero duelo se centraba entre María y Dolores del Río.

El sistema resultaba, irremediablemente, de una particularidad absoluta, ya que el juez establecía su veredicto partiendo de reglas personales y de apreciaciones que no eran examinadas frente a los lectores.

Eliminaré cómo fueron catalogadas otras estrellas y galanes, para quedarnos con lo que en este capítulo nos importa: el encuentro entre la figura de la ''Doña'' y la personalidad de Lolita.

En total, como se verá, se establecía la catalogación sobre diez valores esenciales: cultura, elegancia, talento, técnica, hermosura, fotogenia, personalidad, taquilla, relaciones públicas y educación.

Cultura:

Dolores . . . . 80 puntos
María 40

Elegancia:

Dolores 75
María 55

Talento:

Dolores 75
María 60

Técnica:

Dolores 85
María 40

Hermosura:

Dolores 60
María 95

Fotogenia:

Dolores 80
María 95

Personalidad:

Dolores 80
María 95

Taquilla:

Dolores 75
María 95

Relaciones públicas:

Dolores 65
María 60

Educación:

Dolores 75
María 40

Sumando todos estos puntos, Lolita salía vencedora por seiscientos setenta puntos contra quinientos ochenta. Pero lo que importa es que Dolores parecía superior en aquellos renglones que comportaban un adiestramiento: cultura, técnica, educación. Mientras tanto, María vencía en cuanto a personalidad, hermosura y taquilla.

Lo que pudiera molestar a María era el hecho de que, según Oswaldo, era medianamente educada, medianamente culta y medianamente elegante. Si el inventor del juego hubiera sido yo, el resultado final sería diferente; pero aceptaré que cada persona tendrá, también, su propio baremo.

Algo, sin embargo hubiera añadido yo a los capítulos de que consta el examen; el atractivo sexual, que para una estrella de cine me parece un valor definitivo.

Dolores, en su primera época de Hollywood, había manejado bien su atractivo sexual y aparecido en escenas llenas de picardía. Después rechazó poco a poco tales formas de expresarse y se amparó en la imagen de una dama elegante y circunspecta. María cuidaba excesivamente no aparecer en secuencias comprometidas o enseñar parcelas de su cuerpo consideradas íntimas y secretas.

Dolores, por lo tanto, en el camino del erotismo había llegado bastante más lejos que María, quien censuraba las escenas subidas de tono o, incluso, pedía que una doble ocupara su lugar cuando de enseñar las piernas, arriba de lo visible en la calle, se trataba.

En el fondo, ambas parecían, en el año que nos ocupa aquí, interesadas en no despertar la indignación de los mexicanos púdicos y, sobre todo, de las mexicanas gazmoñas.

Será a partir de esta película, cuando la ''Doña'' abandone una parte de sus prevenciones e intervenga en escenas eróticas sin antecedentes en su filmografía. Algo de esto ocurrirá en "Sonatas", "Los ambiciosos", y "Amor y sexo", sobre todo. Para "La Cucaracha", Ricardo Garibay escribió una escena en la que María aparecía totalmente desnuda. Se trataba, con toda seguridad, de añadir nuevos incentivos a una película ya cargada de valores taquilleros. Cuando la "Doña" leyó por primera vez el guión, llevó las manos al cielo y protestó indignada.

Más tarde, y por separado, hablé de este conflicto con ambas partes. María me dijo:

—Yo me hubiera desnudado si el guión exigiera tal cosa. Quiero decir, si no resultara una cosa absurda, añadida. Pero era una escena inútil, sólo para mostrarme desnuda. Así que dije que no. Garibay opinaba que la secuencia tenía sentido dentro del film:

—La "Cucaracha" era una mujer libre, fuerte, a quien el desnudarse o no desnudarse en un cierto momento no tenía por qué asustar.

Tiempo después, María y Ricardo se reunieron para crear una entrevista con destino a *Proceso,* una publicación semanal.

—¡No me desnudé en "La Cucaracha" porque no hubo rol que lo justificara! Usted exigía, ¿recuerda?, que me desnudara yo. También recuerdo esto: ¡qué difícil ha sido siempre pedirme algo que yo haya sentido en contra de mi dignidad!

Garibay hubo de aceptar que la escena suprimida y no se pudo volver a hablar de tal desnudo. Sin embargo piensa que la "Doña" sin ropa habría sido un nuevo atractivo y que desnudarse tampoco es condenarse para siempre.

Para sumar nuevos problemas a esta película tan conflictiva, Ismael Rodríguez, el director, fue improvisando y saliéndose del guión tan trabajosamente creado. Él mismo cuenta que el final original de "La Cucaracha" no es el que aparecía en el libreto. La última secuencia se desarrollaba en el interior de una iglesia convertida en hospital, en Fresnillo. La cámara muestra a un niño recién nacido que llora. Después vemos a la Cucaracha "pálida, sudorosa, pero satisfecha, que mira a su hijo". Un soldado que está junto a la mujer dice: "Pos se salió con la suya".

Y la Cucaracha, hablando igual que el Coronel Zeta, responde:

—Sí, pues.

Y fuera de cuadro se escucha "la voz lánguida" que canta:

Y aquí termina el corrido
que cantó la Cucaracha.

Ismael pensó que era un final demasiado rebuscado y terminó el film con la noticia de que el general Zeta había muerto.

Rodríguez es hombre de curiosas intuiciones y de singulares aciertos, junto a errores inconcebibles. Hijo de una modesta familia, nació en el Distrito Federal en el año 1917.

Cuenta que su abuelo abandonó a su esposa y a sus hijos para hacerse cura y que su padre fue comerciante. El padre quería tener un hijo llamado Ismael; bautizó con ese nombre al primero, pero se murió. Bautizó al segundo y se murió también. Ismael III llegó sano y salvo a ser director de cine.

Su historia es la de un hombre empecinado en la cinematografía; comenzó siendo un ayudante para todo y fue pasando por diferentes departamentos de los estudios, hasta que consiguió dirigir su primer film en el año 1942.

Éstos son sus gustos cinematográficos:

Bergman: para cerebros privilegiados.

Rosellini: comenzó bien, pero tuvo un tropiezo con "Vanina Vanini".

Vittorio de Sica: "El juicio final" es un desastre.

Passolini: "El evangelio según San Mateo" es un fracaso.

En cuanto a lo que opina de María Félix, parece desprenderse con sinceridad de un guión de cine que escribió como homenaje a la cinematografía mexicana. Se titulaba "Historia del Cine Mexicano" y pretendía que los mejores actores se interpretaran a sí mismos y narraran una historia personal.

Cuando toca el turno de intervenir en la película a María, Ismael escribe lo que ella deberá decir. Antes señala:

MARÍA, con el señorío de reina y domadora, cruza hacia el estrado entre miradas de admiración y aplausos que crecen a medida que avanza.

MARÍA agradece el homenaje que se le rinde y habla:

—Me tocó en suerte hablar un poco de los directores de cine. Sospecho que a unos les debo gratitud. A otros gran respeto. A muy pocos admiración y a algunos indiferencia; pero de una cosa estoy segura: todos me odian. Esto lo agradezco, porque así nunca me olvidarán (risas). . . Hice examen de conciencia. . . cinematográfica para no confundir a nuestros buenos directores con los astronautas intelectuales, o con los aventureros que cobran por decir "cámara y corte" sin saber por qué. . . Pero eso sí: en todos ha habido inquietud, si no, no tendríamos ni siquiera nuestros sustanciosos aunque discriminados churros. . . Para hablar de los directores están sus obras, y por ellas veremos si triunfaron por falta de cultura, fracasaron por sobra de talento o se pusieron en el justo medio que el cine necesita.

Un psicoanalista presupondría que poner en boca de la "Doña" la idea de que todos los directores la odian, es tanto como aceptar que él la odia también. . . o que ella piensa que él la odia.

De cualquier forma esa "reina y domadora" que debiera aparecer en la pantalla de su soñado film, nunca se prestó para este tipo de confesiones. La película jamás se llegó a hacer.

"La Cucaracha" fue vapuleada por la nueva crítica que no encontró, a lo largo de la misma, ni un solo momento de verdadero interés y fuerza. Se le señalaron, sobre todo, amaneramientos, efectos teatrales y falsedad en personajes y situaciones.

Sin embargo, el Club Deportivo Israelita concedió su premio "Menorah" a María Félix como la mejor actriz del año por este film.

LA NIÑA CHOLE YA ES MUJER

40. *Sonatas*. 1959

Idolatrar un adefesio porque es autóctono, dormir por la
patria, agradecer el tedio cuando es elaboración nacional,
me parece un absurdo.

JORGE LUIS BORGES.

El trayecto de "Sonatas" comenzó a forjarse en Venecia, cuando Barbachano
Ponce, productor, y Carlos Velo, director, fueron a presentar "Torero". Este
grupo mexicano hizo contacto con el grupo español que había fundado UNIN-
CI y que tenía como figuras principales al director Bardem y al guionista y pro-
motor Muñoz Suay. UNINCI era una productora de claro acento aperturista en
la España de Franco y Barbachano cobró simpatía al grupo y decidió asociarse
con ellos para producir un film.

En principio Bardem quería hacer "Tirano Banderas", sobre la novela de don
Ramón María del Valle Inclán, pero los mexicanos entendieron que era un proyecto demasiado ambicioso y se tomó la decisión de llevar al cine dos de las sonatas del mismo autor.

Fue Bardem quien insistió una y otra vez en llevar como protagonista de la
historia mexicana a María Félix; la idea no entusiasmaba a Barbachano, quien
opinaba que María no daba el tipo de "La niña Chole". Pero Bardem consiguió imponer sus puntos de vista; pensaba que así tendría a dos actrices muy famosas frente a frente; Aurora Bautista en el personaje de "la pobre Concha" y
a María en el de una mujer sensual y explosiva. En rigor se trataba de dos historias distintas, protagonizadas por Francisco Rabal, quien haría el papel de Marqués de Bradomín. La parte americana se rodaría en México y la española en
Galicia.

Cuando Bardem llegó a la ciudad de México con el guión de su película, Barbachano y Velo descubrieron que había fallas muy sensibles de entendimiento
del clima y las gentes de México y propusieron que se hiciera un trabajo de
adaptación que correría a cargo de escritores con experiencia en el cine y con
prestigio; fueron llamados Juan de la Cabada y José Revueltas.

Pero las dificultades continuaban: Bardem, durante una junta, afirmó que
era incapaz de filmar una película cuyo guión no fuera enteramente suyo. Barbachano consiguió convencerle de que los cambios propuestos por el equipo
mexicano tenían sentido y eran absolutamente necesarios.

María, por su parte, aceptó el papel con un entusiasmo que sorprendió a
Carlos Velo, quien hizo ante ella las gestiones de contratación.

Los cambios en el guión le parecieron importantes y capaces de poner más emoción en un film que, curiosamente, parecía sobre el papel frío y distante.

La Operadora de Teatros, a través del exiliado español Santos Martínez, entendió que el proyecto era muy importante y dio todo tipo de facilidades; hasta el punto de hacer coincidir el estreno de la película con la inauguración de una gran sala cinematográfica: el cine Internacional.

Carlos Velo recuerda con tristeza que la película fue un fracaso de taquilla: "Era fría y estaba muy lejos de lo que el público parecía esperar y de lo que los lectores de Valle Inclán suponían. Pero María Félix no tuvo la culpa. Ella, incluso, se mostró durante todo el rodaje tan entusiasta como una debutante. Un día descubrió que un grupo de niñas estaban presenciando la filmación de una escena, en San Miguel de Allende, y dijo que no podía trabajar con público. Cuando le dijeron que entre las niñas estaba mi hija, cambió de actitud, las llamó, habló con ellas y actuó ante las cámaras con aquel numeroso público infantil presente. Estaba siempre dispuesta a aceptar los pequeños inconvenientes que una película tan complicada entrañaba. Pienso, también, que para ella enfrentarse a una actriz como Aurora Bautista, considerada como una trágica del cine español, era un nuevo reto."

Aurora había conseguido en México una fama extraordinaria a través de su primer film "Locura de amor", convertido en uno de los éxitos taquilleros más importantes de la historia de la exhibición en México. "Locura de amor" (Orduña, 1948) había instalado en la mente del mexicano medio a Aurora Bautista como una actriz de gran carácter y de una gran fuerza teatral. Para María la posibilidad de una película dividida en dos partes, en cada una de las cuales trabajarían como estrellas la Bautista y ella, resultaba un duelo imposible de rechazar. Se enfrentó al papel con un entusiasmo y un afán competitivo que asombró a todos.

Carlos Velo recuerda que, sobre el proyecto, el film parecía ser de aquellos que representan un éxito seguro.

—Teníamos a Valle Inclán, a México, a Galicia, a Francisco Rabal, a Fernando Rey, a Aurora Bautista y a María Félix. No parecía posible el fracaso. Y, sin embargo, la película fracasó.

Para Velo uno de los momentos del film que se pueden salvar es el homenaje que Bardem hizo al exilio español republicano en una escena muy emotiva interpretada por Fernando Rey.

—Es un bello momento.

Como un ejemplo de la mala fortuna con la que corrió "Sonatas", comenta que al rodar la parte gallega, el director, Bardem, cayó en una trampa para osos y se fracturó un hueso.

Bardem narró lo sucedido a A. Castro, quien lo recoge en el libro *El cine español en el banquillo* (Fernando Torres Editor, Valencia).

—Yo quería haber hecho "Tirano Banderas". Durante el rodaje de "La venganza" me ofrecieron la posibilidad de entrar en UNINCI, la misma empresa con la que tuve el incidente que te conté y que me impidió hacer "Bienvenido. . ."

Con Paco Rabal en *Sonatas*.

''Me nombraron presidente y era una empresa en la que estaban Berlanga, Fernando Fernán Gómez, Fernando Rey, Francisco Rabal, Paulino Garagorri, José Luis Sampedro, los Dominguín, Muñoz Suay, Pío Caro Baroja, Guillermo Zúliga, etc. Pretendía ser una especie de Artistas Asociados. Durante el Festival de Cannes de 1958 yo entré en contacto con un productor mexicano, Manuel Barbachano Ponce —el productor de 'Raíces'—, que tenía como asesor a Carlos Velo, español exiliado, y autor de 'Torero'. Como no existían relaciones diplomáticas había que hacer una coproducción absolutamente equilibrada, si se quería aspirar a la protección. Por eso se decidió hacer 'Sonatas' en lugar de 'Tirano Banderas', sobre todo teniendo en cuenta la geografía mexicana. A mí 'Sonatas' no me gustaba, me parecía decadente, pero llegamos a un acuerdo y firmé por tres películas de las cuales la primera sería 'Sonatas' y la segunda 'Tirano Banderas'.

''La Sonata de estío era la que transcurría en México, pero Valle Inclán la había escrito sin salir de su casa. Ocurrió una cosa muy divertida: en el encuentro de Bradomín con la niña Chole, Valle Inclán habla de que transcurre al pie de una ruina maya, pero las únicas ruinas mayas que existen están en la península de Yucatán. Fuimos allí a 'localizar' y el paisaje no se parecía en nada al que describía el libro. A mí no me gustaba nada, y probablemente influido por el maestro Sergio Eisenstein, preferí el paisaje del altiplano, más rico, y más violento y lleno de contrastes.

''Era un intento de cine espectacular, con posibilidad de entrar en los mercados exteriores. Ideológicamente se trataba de contar el largo camino de un hombre, en su lucha por la libertad, retrotrayendo la acción del Bradomín de Valle de la primera guerra carlista, a la represión absolutista de unos años antes.

''Hice que el Bradomín absolutamente artificial de Valle tuviese una toma de conciencia, aunque fuese mínima.

''Las pegas de la coproducción fueron grandes. En México no había más que María Félix como figura que pudiera dar dinero a nivel de filmación y d stribución. La Concha de la sonata española la tenía que haber hecho Lucía Bosé, pero al final no quiso —dijo que se retiraba del cine— y yo me equivoqué eligiendo a Aurora Bautista.

''Para colmo de problemas, las diferencias de estaciones y las disponibilidades de actores, nos llevaron a rodar en México, en invierno, la sonata de estío, y llegamos a España en pleno mayo, cuando el otoño ya había pasado.

''A pesar de todo esto, la película me gustaba mucho y fuimos a Venecia en plan de triunfadores, pero no sucedió así. Dejando al margen la calidad real de la película, el desastre de Venecia se debió a que yo ya estaba encasillado para la crítica cinematográfica. Hacía un cine en blanco y negro, intimista y con sentido crítico, sobre un mundo muy español, y de repente vieron una película en colores, con caballos y tiros y no vieron nada más. Me di cuenta de repente, de un modo práctico y brutal, del desconocimiento de la cultura española en Europa.

''La crítica fue mala y ningún crítico sabía quién era Fernando VII.

''El estreno en España fue distinto del de mis anteriores películas. Había tendencias encontradas y pienso que gente dispuesta a cargarse el film. Se empezó a hablar de decadencia, lo que te da idea de los años que llevo en decadencia.

''El fracaso, incluso económico, de esta experiencia me llevó a la conclusión de que sólo podíamos alcanzar los mercados internacionales, tratando temas muy españoles, pero con actores de primera fila internacional. Como la situación económica de UNINCI no permitía esta posibilidad, decidí hacer un cine de apariencia objetiva, que sirviese de revulsivo.''

En cierta ocasión, Juan Antonio Bardem dijo que a su parecer ''el cine ha de ser testimonio o no será nada''. Vista ahora ''Sonatas'' no es nada, o es muy poco. Bardem, un director con carácter y con una muy bien definida línea política, que supo defender en momentos muy difíciles para los españoles, parece no haber encontrado la razón de ser de un film que en ocasiones es tan acartonado como cualquier película española de los años cincuenta y en otras parece convertirse en el ejemplo de cómo se puede equivocar totalmente el encargado del reparto.

Actores seguros de sí mismos, con personalidad y fuerza en pantalla, como Fernando Rey, ofrecen el miserable aspecto de cómicos de tercera recitando sin convicción y con teatralidad sus parlamentos. Francisco Rabal fracasa desde el instante en que se define como ''feo, católico y sentimental''; porque no sólo le falta fealdad, sino que parece ser incapaz de ofrecer la magnífica soberbia del Marqués de Bradomín y en cuanto a su sentimentalidad resulta muy poco convincente.

Ahora Bautista no es ''la pobre Concha'', porque rebosa salud y no puede ocultar sus carnes bien nutridas; y en María Félix no es posible encontrar a la ''niña Chole'', porque ella es otra cosa y jamás se podrá fingir.

María resulta lejana, bella y en ocasiones tan altiva como pudiéramos imaginar a Carlota junto a Maximiliano; pero no es la criolla sensual, ambigua y palpable que nos cuenta Valle Inclán. Es un reparto tan equivocado que impide al espectador cualquier aproximación al drama.

Por otra parte la fotografía de Cecilio Paniagua, en España, destruye todo el misterio y la lejanía de la Galicia valleinclanesca y convierte algunas escenas en representaciones teatrales. La supuesta aparición de la Santa Compaña, en el bosque, es un ejemplo de chabacanería. Es mejor el trabajo de Gabriel Figueroa en México; pero hay una excesiva complacencia en una tarea documentalista y lejana a la acción verdadera; la cámara, en ocasiones, parece más atenta a mostrarnos lo que México tiene de atractivo para el turista que a crearnos el clima que cabría esperar.

En la primera parte de la película se cuenta la bien conocida historia de ''La pobre Concha'', y las aventuras, entre heroicas y galantes, de Bradomín en Galicia; la segunda parte ocurre en México y en ella surge la niña Chole.

María tiene un instante deslumbrante; su aparición en la película deja al espectador asombrado; pero pronto la falta de fuerza del film irá acomodando su imagen a la inutilidad de toda la historia.

Valle Inclán, en las ''Sonatas'', no resulta un material fácil; existe el ya bien debatido problema del enfrentamiento del recuerdo de la novela ante la realidad filmada. La novela se convierte, de nuevo, en el principal enemigo de la película y en este caso se concitan aún elementos no habituales ya que, como veremos, Bardem, al que no le gustaba la obra, quiere convertir "Sonatas" en otra cosa.

El público, que acude guiado por el indudable encanto de la novela, va a recibir un trabajo muy distinto, en el que del espíritu de Valle Inclán va a quedar muy poco y las intenciones de Bardem van a resultar ambiguas.

Esta segunda parte era, también, muy grave, ya que Bardem tenía una filiación política de izquierda que no era desconocida y los progresistas esperaban, incluso, que de alguna forma esta "Sonatas" fuera una prolongación de su cine comprometido.

En fin, elegir Valle Inclán y sus "Sonatas" para hacer una película de implicaciones sociales resultaba, también, singular y, por lo menos, arriesgado.

La desilusión del equipo de trabajo en la película fue muy grande; fracasó frente a la crítica y ante la taquilla. De pronto se descubrieron todos los errores cometidos sobre la mesa de planificación.

Ricardo Muñoz Suay no sabe aún cómo explicar tantas equivocaciones. Me habla de esto en San Sebastián:

"Todos estábamos entusiasmados. Bardem parecía feliz con la idea de que María Félix hiciera el papel de la 'niña Chole', y cuando visitamos por vez primera a María, estaba no sólo entusiasmada, sino orgullosa de que la dirigiera Juan Antonio. María estudió con verdadera pasión su papel y se esforzó cuanto pudo para hacerlo bien. Pero era necesario algo más que entusiasmo".

Alfonso Reyes, en *Tertulia de Madrid,* dice que la "niña Chole" es una mestiza "dulce y cruel".

Dulzura y crueldad conforman un monstruo que el cine ha convocado en algunas ocasiones. La "Lolita" de Vladimir Nabokov, dirigida por Stanley Kubrick (1962), era cruel y dulce, por ejemplo. Y llevando las cosas a un extremo el monstruo de Frankenstein, cuando junto al lago se acerca a la niña que recoge flores, es dulce y resulta cruel. Algunos personajes cinematográficos, como el que interpreta en "El ángel azul" (1930), de Joseph von Sternberg, la excepcional Marlene Dietrich, son aparentemente dulces y se comportan como crueles masoquistas. Dulzura y crueldad es un juego que se puede llevar a cabo incluso sin la plena conciencia de quien lo practica. La niña Chole era, tal y como lo advierte Alfonso Reyes, de una dulce crueldad, lo que implicaba una serie de matices interpretativos que ni el director ni las protagonistas parecían capaces de explorar a fondo. En la película se incluye una secuencia audaz; María y Paco Rabal están acariciándose, ella se deja caer de espaldas y vemos cómo él se vuelca sobre su cuerpo. La cámara muestra la cabeza de ambos, pero Rabal va deslizándose poco a poco hasta salir de cuadro y queda, en primer plano, el rostro de María mostrando un placer muy intenso.

Bretón se quejaba de que los espectadores de cine ya no se escandalizan por nada y afirmaba esto con desolación; pero tal convencimiento no nos impide recordar que Charles Chaplin estuvo a punto de ir a la cárcel, acusado por su esposa Lita Grey, de haber practicado o intentado llevar a cabo, una actividad erótica semejante.

El trabajo de la actriz en este momento es convincente, pero yo diría que era necesario afinar en aquellas otras escenas menos directas y que pedían una mayor matización.

Podría decirse que aún quedan en el nuevo personaje de María ciertos recuerdos de aquella Doña Bárbara que dejó abandonada su dulzura en una embarcación, el día en que un grupo de tripulantes la violaron. Siendo Bardem un director comprometido con sus ideas, era obligado pensar que su versión de las dos "Sonatas" de Valle Inclán entrañaba una serie de intenciones más o menos ocultas. Durante el Festival de Mar de Plata, en 1961, grabó una larga entrevista para *Tiempo de cine*, la publicación del Cine Club Núcleo, de Buenos Aires.

Las frases que siguen pertenecen a ese momento:

—A mí las "Sonatas" no me gustan. Es una obra decadente, artificial, gratuita. Tal vez útil como piedra de escándalo en España en su momento, pero que no representa al verdadero Valle Inclán. Para mí el verdadero Valle Inclán es el escritor que se vuelve a mirar hacia su pueblo y escribe *Tirano Banderas* o *Los esperpentos*. Pero las 'Sonatas' son una bobada. Es una mentira de principio a fin, de izquierda a derecha. Es mentira, digamos, hasta históricamente. El marqués de Bradomín, su protagonista, es un noble gallego, un noble campesino. Si uno se tomase la molestia de dibujar la planta de su palacio, tal como la describe Valle Inclán, nos encontraríamos con el palacio de Buckingham. No existe, no ha existido jamás.

—¿El film es crítico respecto a las "Sonatas" originales?

—No. Las "Sonatas" son sólo un pretexto. Un pretexto en el buen sentido de la palabra. A mí de las "Sonatas" lo que me atraía es el personaje del Marqués de Bradomín. Es un antihéroe total, fundamentalmente egoísta, radicalmente hedonista. Un hombre totalmente privado de su propio placer, que discurre de esa manera, rozando las cosas, sin llegar nunca a ser tocado por ellas. Entonces yo me dije: Ahí está el personaje. Voy a ponerlo en una serie de coyunturas históricas reales y vamos a ver en qué medida puede evolucionar o se le hace evolucionar. Entonces, en vez de filmar "Sonatas" en la época en que Valle Inclán supone que ocurren, o sea en 1836 (la "Sonata de Otoño"), trasladé la acción unos años antes, a la época de la reacción absolutista de Fernando VII. Las juntas de purificación, los apostólicos, el momento de la masacre liberal. La segunda parte se continúa en el exilio de los liberales en México, los cuales ayudan, muchos de ellos, a la independencia mexicana. Creé un personaje nuevo, que es el capitán Casares, interpretado por Fernando Rey, y que está por la independencia de España de Napoleón, que luego de ser encarcelado por éste y por Fernando VII, huye con los liberales a Inglaterra, pasa a México donde está enterrado junto a los muertos de la independencia mexicana. Es un personaje maravilloso. De ésos hubo muchos. Toda la película está intentando contar eso. Para decirlo de una forma literaria toda la película es el largo viaje hacia la libertad de un hombre español en el siglo XIX.

En varias ocasiones Bardem intentó aclarar todo esto a María, quien lo escuchaba desde una situación mental totalmente distinta, pero con respeto e intentando penetrar tanto en su propio personaje como en las ideas del director.

No debió ser fácil para ella acoger con interés este Valle Inclán, tan alejado a sus propias lecturas previas y a las conversaciones que sobre escritor y heroína habían tenido lugar antes de la filmación en su casa, con sus amigos.

El director español (cabría poner este razonamiento en la cabeza de María), venía a hacer una película en contra de la idea original. María aceptó con interés y acaso algún asombro todo esto y se concentró en ofrecer de la "niña Chole" una imagen resplandeciente, aun cuando extremadamente alejada de la descripción de Valle Inclán. El resultado final parecía poder resumirse con una frase agorera:

—Entre todos estaban haciendo un anti-Valle Inclán, del cual sólo parecía aceptable su valor como atractivo en taquilla. El novelista gallego hubiera arremetido contra el equipo de trabajo a paraguazo limpio.

DIRECTORES MAYORES,
PELÍCULAS MENORES

41. *La fievre monte á El Pao, Los ambiciosos.* 1959

> Y de pronto comprendí que yo era exótico
> para las gentes de Namibia.
>
> P.I.T.

Posiblemente la única persona que puso una verdadera esperanza, una profunda ilusión en esta película fue María.

Algunos amigos suyos habían estado inculpándole la idea de que le era necesario ponerse a las órdenes de un director que hiciera, al fin, una obra maestra. María esperaba que su ya largo paseo por el cine le deparara un tipo de fama distinto. Quería estar en una gran película, junto a un gran actor, junto a un gran director, entrar en la historia de la cinematografía.

Buñuel, desde el primer momento, supo que aquel film era un trabajo de paso, de encargo; un material al que podría sacarle muy poco provecho. Cosa semejante pasó con Gerard Phillipe, ya cansado de trabajar, agotado y ansioso por volver a su casa en Francia. María era la perseverante y la ingenua.

—Me habían revuelto el coco todos, con la idea de que, al fin, yo tendría mi gran película. Pero no me quejo. Aprendí muchas cosas y fue un trabajo bello. Como siempre hago, me esforcé en dar todo lo que don Luis me pedía. Si las cosas no salieron mejor, eso es cosa del diablo.

La película partió de un guión creado con dificultades y encontronazos. Buñuel sabía que con un material así no podría ir muy lejos. Visto ahora, el film nos parece como un hueco dentro de la obra total de Buñuel; faltan hasta esos mínimos y curiosos (o divertidos) toques que Luis colocaba en sus primeras películas mexicanas.

Significativo resulta, para resumir lo que pudiéramos llamar mala suerte de María, el hecho de que cuando en 1979, la revista mexicana *Cine* convoca a ocho, casi todos jóvenes, críticos de cine para que señalen las diez mejores películas del cine nacional, ninguno de ellos menciona un film interpretado por María. Tampoco los jóvenes críticos parecen muy atentos a la obra de Buñuel: "Los olvidados" obtiene tres menciones y "Aventuras", de Alberto Cout, seis.

Es el momento de la irrupción de la opinión divergente y todos parecían obligados a demoler lo instituido. Este afán los lleva a mencionar la película de Juan Orol, "Gansters contra charros", como una de las diez mejores.

Pero lo que aquí nos importa es que María no consigue llegar a interpretar ese film que hará historia. Cuando con ella trabajan los mejores directores, hacen sus peores películas.

Ella diría: "Cosa del diablo".

Una primera visión de "Los ambiciosos" produce en sus primeros minutos la sensación de que estamos ante una película importante. Buñuel parece estar recordando el arranque de "La edad de oro" (1930) y usa un efecto ya explorado por él; fingir que nos mostrará un documental exento de pasión. Resulta elocuente comparar lo que nos dice la voz fuera de cuadro de "Los ambiciosos", con los textos iniciales de "La edad de oro".

Letrero: El alacrán es un género de arácnido esparcido por las regiones cálidas del mundo antiguo.

Voz: Ojeda, doce mil habitantes, ocho mil kilómetros cuadrados. Isla del Océano Atlántico, a dos horas de vuelo del continente americano.

Letrero: La cola está formada por una serie de cinco articulaciones prismáticas.

Voz: Con su palacio gubernamental levantado por los conquistadores españoles en el siglo XVI.

Letrero: Las pinzas, que recuerdan las grandes patas del cangrejo, son órganos de batalla y de información.

Voz: "Recursos naturales: copra, plátanos, pesca."

Letrero: "Amigo de la oscuridad, se cava un agujero bajo las piedras para escapar al fulgor solar."

Voz: "Otro recuerdo de la presencia española: un viejo monasterio."

De pronto ambos films cambian de intención de forma muy brusca. En "La edad de oro" vemos a un hombre que, desde una roca, gesticula. El hombre tiene un aspecto siniestro, se apoya en un fusil.

En "Los ambiciosos" nos enteramos de que la esposa del gobernador de la isla lo engaña con uno de sus subordinados. El tono presuntamente documental se corta de forma tajante. La película parece querer decirnos: ya saben ustedes lo suficiente del lugar en donde el drama se desarrolla. Entremos en la verdadera historia. Y vemos a "Inés Rojas" (casada con un déspota celoso y sanguíneo) que está hablando con su amante, al que, de forma práctica y directa, advierte, cuando éste parece estar a punto de una declaración romántica:

—Deja en paz el amor que nada tiene que ver con nuestras relaciones.

El amante ha de abandonar la isla, pero el gobernador sospecha que su esposa lo engaña y acusa a su secretario, llamado "Ramón Vázquez" (Gerard Phillipe). El secretario niega con gran dignidad que tal cosa sea cierta. Mientras tanto vamos a saber que en la isla existe una colonia de presos, entre los cuales se encuentran políticos de la oposición. Todos son tratados de forma muy cruel.

El gobernador demuestra su furia y sus celos en una escena violenta, en la que en busca de pruebas tira cajones por el suelo y patea papeles. Después se enfrenta a Inés y la golpea en el rostro. Ramón Vázquez es testigo. Inés recibe los golpes con frialdad y luego abandona la sala. El gobernador le pregunta que a dónde va y ella:

INÉS: —Voy a disculparme con tu secretario. Ya continuaremos esta conversación en otro momento.

Y sale dando un portazo. Poco después se entera de que Ramón la ama.

El pueblo espera un reparto de carne, con motivo de una fiesta nacional, pero cuando se inicia el acto un disparo derriba al gobernador. La multitud aprovecha la ocasión para robar la carne sangrante que iba a ser repartida. El gobernador muere. El presidente del país (Andrés Soler) explica que el pueblo estaba en la miseria cuando él tomó el mando y que "quiere ahora la libertad para volver a la miseria". Pronto conocemos a un nuevo personaje: "Alejandro Gual" (Jean Servais), quien invita a un enemigo político a almorzar para luego entregarlo a un par de personas que lo golpean y lo secuestran. Gual envía a la hija del secuestrado un mensaje diciéndole que su padre se quedará con él un tiempo más. "Gual, con gesto indiferente, va a sentarse detrás del buró."

Veremos ahora la llegada de prisioneros políticos encadenados. Ramón Vázquez consigue que les quiten las cadenas.

Inés guarda en una caja una serie de objetos que pertenecieron a su difunto esposo. El guión relaciona estos objetos:

Un estuche de plumas fuente, una Colt superautomática, un relojito de mesa, una foto del gobernador con marco de plata, unas gafas de sol y un pequeño látigo.

Inés y Ramón hablan y ella estimula en el joven su espíritu de justicia y de rebeldía. Él no parece reaccionar.

Ramón acude al lugar en donde se refugió el asesino del gobernador con la idea de que se rinda y no sea maltratado. Lo buscan los soldados. Gual, mientras tanto, establece nuevos sistemas de represión entre los presos políticos, y se queja de que Ramón no es lo suficientemente duro.

Ramón e Inés se encuentran en un jardín. Hablan de sus mutuas desilusiones. Ambos se besan "y se abrazan tiernamente" sobre el pasto.

Gual visita a Inés. En un momento dado Gual dice:

GUAL: —De sus numerosos admiradores, yo era tal vez el más asiduo y devoto. Pero como en esa época yo no era nadie. . . usted nunca se fijó en mí. En cambio con otros fue mas benévola. "Inés lo mira con cólera."

Al hombre que disparó contra el gobernador lo encuentran en un pantano, con fiebre. Está muy grave.

En el despacho del gobernador, vemos al siniestro Gual, que da de comer a unos periquitos.

Vázquez ha sido nombrado jefe de seguridad de la isla, Gual sospecha que su fidelidad al régimen no es total.

Uno de los presos políticos se rebela y es castigado atándolo a un poste, bajo el sol; Vázquez contempla el castigo impotente. Inés y Vázquez hablan de la tortura en el dormitorio de ella. Inés "vestida con una bata blanca medio desabrochada", consuela a Vázquez quien afirma que "acepté el puesto de director de seguridad para poder aplicar mis ideas; pero no hago más que traicionarlas".

INÉS: No importan los medios, sino el fin. Sólo podrás vencer a Gual empleando sus mismas armas.

Gual visita a Inés y ella le dice que Vázquez es su amante. Gual amenaza con matar a Vázquez si Inés no se le entrega. Ella acepta. Gual comienza a desabrochar la blusa de Inés. Los dos periquitos que están en el despacho de Gual se están peleando.

INÉS: ¡Calle a esos animales, por favor!

Gual acaricia a los periquitos.

GUAL: No se quite las medias ni los zapatos, por favor.

Ella, fuera de cuadro, cumple la orden, a juzgar por el gesto de Gual.

GUAL: Hace mucho tiempo que esperaba este momento, Inés. Verla a usted, tan altiva y orgullosa, sumisa y entregada a mi capricho. ¡Pensar que ahora, si quisiera, podría obligarla a arrastrarse a mis pies!

En este momento entra Vázquez, Inés "como puede se tapa con los brazos su desnudez". Vázquez se queda petrificado. Inés da un grito.

INÉS: —¡Ha sido usted quien lo llamó! ¡Usted tocó el timbre!

GUAL: Vuelva a vestirse, he cambiado de idea. Gracias a este papel (la orden de arresto de Vázquez) usted acudirá a mí siempre que la llame.

Inés y Vázquez hablan; él ha descubierto que los presos comunes preparan un motín. Ella lo convence de que estaba dispuesta a entregarse a Gual, para salvarle a él la vida.

VÁZQUEZ: ¡No! Tú no serás esclava de él, ni de nadie. ¡Voy a acabar con ese perro sarnoso!

INÉS: ¡No! ¿Quieres acabar también con nuestro amor? Gual tiene que morir, pero de otro modo. Si tú lo matas te detendrán y en el fondo, habrá logrado lo que quería: separarnos. Sólo hay un medio: dejar que estalle el motín.

Pero Ramón Vázquez no quiere que el motín estalle, porque será ocasión de castigar a los presos políticos, entre los cuales se encuentran un viejo maestro universitario, al que quiere.

Gual ha dispuesto una especie de curiosa ceremonia; en su dormitorio enciende dos enormes cirios y espera. Inés llega.

GUAL: ¡Todo está dispuesto para el sacrificio! ¿Me permite que la ayude a desnudarse?

Inés saca una pistola y quiere matarle, pero Gual la desarma y la lanza sobre la cama. Ambos pelean furiosamente.

"Inés, que ha dejado de debatirse, lo mira con la boca entreabierta. Su mano se eleva lentamente pero no agresiva, sino acariciadora, para deslizarla por la cabeza de él. Ahora la ciñe fuertemente entre sus brazos y sus labios se acercan hasta pegarse a los de Gual, lujuriosamente."

Corte a una plaza de toros, en la que Inés y Gual presencian una corrida.

Vamos comprendiendo que Inés sacó de la isla a Gual, no para presenciar esta corrida de toros, sino para alejarlo de lo que Ramón Vázquez planea. Pero por los altavoces de la plaza piden que el gobernador Gual se presente de inmediato en el Ministerio del Interior.

Cuando llega a la isla, Gual es detenido y esposado por sus mismos esbirros. Éstos le anuncian que Vázquez ha sido nombrado Delegado General, y está consiguiendo aplacar a los presos que hicieron estallar un motín.

Gerard Phillipe no la quería
besar.

Jean Servais en otro ataque a María. *Los ambiciosos*.

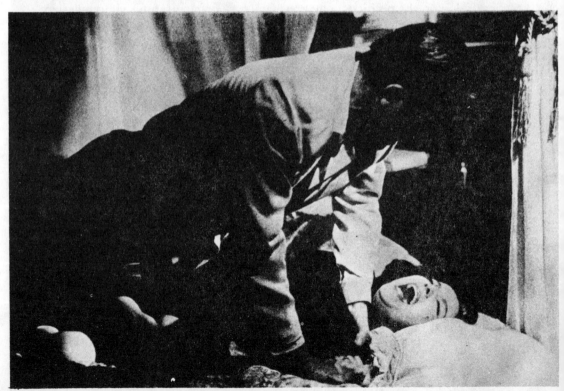

Pero el motín no ha sido aplastado. Vázquez propone a los presos políticos la libertad a cambio de que los combates cesen.

En el que fue despacho del esposo de Inés y luego de Gual, hablan Vázquez e Inés.

VÁZQUEZ: Estamos perdidos, Inés. Dentro de pocas horas ya no podremos impedir que los amotinados lleguen a el Pao.

INÉS: ¿Qué piensas hacer?

VÁZQUEZ: Resistir hasta el fin.

La mayoría de los presos políticos son masacrados por los presos comunes, ya que se negaban a participar en el motín. Entre los asesinados está el viejo profesor universitario (Domingo Soler).

VÁZQUEZ: ¿Te das cuenta de lo que hemos desencadenado sólo por librarnos de Gual?

Mientras un apresurado jurado juzga a Gual, Vázquez anuncia a Inés su decisión de ir al lugar del combate.

INÉS: ¡No te vayas!

VÁZQUEZ: ¡Mi sitio está junto a los que combaten!

Gual es condenado a muerte y pide que Inés lo vaya a ver. Inés acepta y acude a la celda de los condenados. Gual dice que es una pena que ambos no se conocieran mejor, ya que "estamos hechos el uno para el otro". En la celda tiene a uno de sus periquitos al que Gual acaricia mientras Inés sale.

Los amotinados comienzan a luchar entre sí, mientras los soldados se repliegan por falta de municiones.

En el jardín presidencial el presidente Barreiro presenta a Vázquez como el nuevo gobernador de la isla, ya que ha conseguido aplastar la rebelión y es "el héroe del momento". Vázquez es condenado.

Después un político propone a Vázquez que intervenga con Inés en una conjura para aplastar a otros enemigos del presidente.

Es necesario que Inés afirme que Gual estaba implicado en un movimiento con el vicepresidente para destituir al presidente Barreiros.

El político dice: ¡Si queremos que un viento de justicia y libertad recorra nuestro país, debemos eliminar para siempre al vicepresidente!

Vázquez es convencido e intenta convencer a Inés. Pero ella argumenta que tal declaración significaría "el escándalo y, sobre todo, nuestra separación".

Finalmente ella acepta firmar la declaración, a cambio de que ambos abandonen la isla. Vázquez guarda el papel que ella ha firmado y deja que Inés lo acaricie "con gesto maternal". En el cementerio local, Vázquez se encuentra con la hija del viejo profesor, que ha venido a reclamar los objetos personales de su padre. Hablan y él le confiesa que fue él quien enviaba cartas dándole noticias del profesor.

Cuando Inés lo tiene todo preparado para tomar el avión, Vázquez, que acaba de volver del cementerio, le dice que él no abandonará la isla. Ella le pide que le devuelva el documento.

VÁZQUEZ: No puedo hacerlo. Es un arma decisiva para eliminar al vicepresidente y su política. Ya no me pertenece.

INÉS: Has progresado. Gual se sentiría orgulloso de ti. Ya has descubierto que invocando el deber puede uno permitirse toda clase de vilezas.

VÁZQUEZ: ¡No me insultes, Inés!

INÉS: Yo salgo ahora mismo para México. Si dentro de veinte días no te has reunido conmigo, lo contaré todo.

Inés toma un automóvil y sale hacie el aeropuerto.

Vázquez habla por teléfono a un puesto de soldados que se encuentra situado en la carretera, antes del aeropuerto. Pide que disparen contra el automóvil de Inés.

Los soldados disparan y el automóvil cae a un barranco.

El automóvil envuelto en llamas.

Vázquez en su despacho se entera de que han llegado nuevos prisioneros. Doce de ellos son políticos. Vienen encadenados. Vázquez pide que les quiten las cadenas, pero un oficial le dice que es orden del presidente de la República.

Desde la ventana del despacho del gobernador, Vázquez ve cómo los presos encadenados se alejan, rodeados de soldados.

FULL SHOT. GRÚA. Vázquez vuelve a aparecer en el balcón. Apoya sus manos en el barandal. Mira hacia los presos sin haberse recobrado todavía de su estupor doloroso. La cámara se aleja lentamente hasta descubrir la inmensa fachada que poco a poco comienzan a cubrir las hojas de los árboles. Fin.

La relación entre María y Gerard fue aún más extraña que la que en el film mantenían sus personajes. Gerard contemplaba a María con una actitud distante, que contrastaba con la forma cálida de convivir con Buñuel y el resto del equipo.

Durante una de las escenas en las que María y Gerard se besaban, el francés abandonó el set y le dijo a Buñuel que se negaba a besar a su compañera.

Esta anécdota la contó el propio Buñuel a Tomás Pérez Turrent y a José de la Colina, cuando éstos lo entrevistaban para el libro *Prohibido asomarse al interior*. Después les pidió que suprimieran este pasaje.

Yo hablé con Buñuel sobre el asunto, pero don Luis no estaba dispuesto a aclarar la historia.

—Es cierto que no quería besarla. Yo le dije que este pasaje era uno más y que su profesión le obligaba a ello, como a otras muchas cosas. Él se dejó convencer, después de algún tiempo de discusión. Nunca fue una discusión violenta.

—¿Qué había pasado durante la primera toma del beso?

—No lo sé. Algo que a él no le gustó.

En París me contaron lo que acaso sólo sea un chisme, pero que se afirma narró el propio Gerard a sus amigos: María, al besarle, le mordió los labios.

En cuanto a la "Doña", parece no recordar nada de todo esto. Resulta curioso que entre las muchas cartas enviadas desde México por Phillipe, gran parte de las cuales fueron publicadas, no se encuentre nunca una mención a su compañera de trabajo.

Este helado distanciamiento parece haber sido el fruto de lo que ambos consideraron como una traición de la otra parte a aquello que amaban. Mientras él buscaba el bullicio de las calles mexicanas, María no podía ofrecerle sino una suerte de fiesta social. Para Gerard, María era la negación del México que amaba y para María, Gerard resultaba lo contrario del París tan querido.

Curioso choque, no sólo de temperamentos, sino también de lo que cada uno entendía que el otro debiera representar.

Con toda seguridad Phillipe hubiera besado a cualquiera de las indígenas que encontraba en las playas, pero no quería besar a la mujer más hermosa de México.

Ella, por su parte, lo contemplaba como un traidor a los lejanos y siempre añorados encantos de Francia.

Henri Pichette describía, por entonces, a Gerard así:

"Su jovialidad era tan natural, tan fácil, que ni por un instante se habría pensado que interpretaba la comedia del mundo. El hombre, en él muy cerca de la alegría intacta del niño, gustaba de reír, divertirse, imitar, hacer muecas como en un carnaval."

A María todo esto le debió parecer muy poco serio. Sus hombres no hacían muecas; ella no lo hubiera permitido.

Las descripciones que Gerard hace de México son apasionadas. En una carta enviada a su amigo Pichette que se recoge en el libro *Gerard Phillipe* (Galimard, 1960) afirma:

"He aquí un país en donde tu medida estaría colmada. La vida bulle en él por todas partes. Nada menos convencional y más natural que este país cuando se le ama. Estalla en todas formas. Sus altares están en su mayoría, edificados sobre el emplazamiento de sus templos precolombinos."

La búsqueda de "lo natural y lo menos convencional" no podía llevarle hacia la amistad con María, cada vez más sofisticada y compleja. Cuando se conocen, a él le quedaba muy poca vida. Moriría en noviembre de 1960, la víspera de su décimo aniversario de boda.

Phillipe retorna a Francia, a comienzos del verano, y los amigos advierten que está muy fatigado. Él piensa que el clima de México y el trabajo lo han desgastado. Con su esposa y sus hijos decide pasar unas vacaciones en su casa de Ramatuelle; en octubre viaja a Londres para ver actuar a Laurence Olivier; en noviembre lo operan a la búsqueda de una amibiasis en el hígado. Encuentran un cáncer. Los médicos pronostican un desenlace muy rápido. El día 28 muere.

Buñuel lo recordaba con un afecto no disimulado.

—Era más que un gran actor, era un hombre muy valioso. Habíamos hablado en Francia muchas veces de hacer una película juntos. Teníamos ideas, habíamos discutido también argumentos. Pero, de pronto, nos propusieron a los dos un argumento y los dos aceptamos. Al final del trabajo yo le dije que estaba muy triste por no haber podido hacer una película mejor. Él me dijo que la haríamos más adelante. Gozaba mucho en México, iba a la mar a nadar y pescar. Durante la película yo no lo vi mucho; suelo meterme en mi habitación, cuando no trabajo. Pero al final me contó que había estado muy feliz.

—¿Fue un trabajo agradable?

—Sí, porque ni Gerard ni yo tomamos la película en serio. Nos divertimos.

—¿Y María?

—Fue correcta, profesional. No produjo problemas. Trabajamos muy bien.

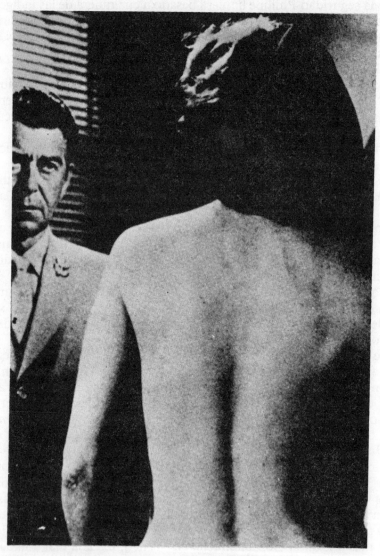

En *Los ambiciosos* nos muestra su inmensa espalda. Con Jean Servais.

Los estudiosos de la obra de Buñuel han procurado soslayar esta película y concentrarse en el examen de las más importantes; como aceptando que sólo se trataba de un juego.

Según J. Francisco Aranda, "El guión, si no hubiese sido modificado, contenía una obra maestra en potencia. Disecaba la conducta humana en un imaginario país fascista; la hipocresía del no intervencionismo, el inútil sacrificio de la actividad individual frente al gobierno."

Pienso que éste es un juicio sumamente optimista que acaso pretenda rescatar un "film que nunca se pudo hacer". Otros críticos fueron menos benévolos:

"Intriga novelesca convencional, peripecias de inspiración melodramática, exotismo superficial de exportación, dirección de actores sumamente mediocre, puesta en escena cercana a lo teatral. 'La fievre monte á El Pao, fue muy mal acogida por la crítica francesa" (Michel Steve, *Le monde*, diciembre 1959).

Raymond Durgnat señala que "La oscura opulencia y el fiero egoísmo de María Félix tienen una grandeza tan aislada, tan carente de raíces como el ser trágico." Y añade: "Las vampiresas de Buñuel no son habitualmente fuerzas liberadoras, o sólo incidentalmente. El sistema está construido para acomodar los egoísmos privados que se trasladan a la esfera erótica: 'el amor loco' y el apasionamiento son polos separados que solamente con madurez pueden distinguirse" (del libro *Luis Buñuel*).

Dentro de un film considerado por el propio Buñuel como "no bueno", destaca la siempre extraña presencia de María. El investigador español Víctor Fuentes, que trabaja en una universidad de California sobre la obra de Buñuel, me envía una cuartilla sobre su recuerdo del film.

"Aunque la película queda muy lejana en mi memoria, todavía recuerdo cómo la belleza de María Félix llena la pantalla con fulgor sensual y con su presencia se relaciona en el film el drama de la lucha política con la política de la sexualidad. Como con otros actores famosos, Buñuel la rebaja de su papel de ídolo, o mito de celuloide, al de mujer mortal. La mujer devoradora de hombres se queda en mujer a secas. El hermoso cuerpo de María Félix, en algunas escenas del film, como en la que se entrega al jefe político para hundirlo, se ilumina con impulsos que laten y surgen de las profundidades de la psiquis y del abrazo y lucha entre Eros y Tánatos. En otros momentos, es víctima del sistema de operación vigente."

El crítico mexicano Francisco Sánchez, en su libro *Todo Buñuel* parece, por lo menos, encontrar justificada la presencia de la "Doña" en el film:

"Gerard Phillipe tendría como pareja en 'Los ambiciosos' nada menos que a María Félix, lo que hasta la fecha no ha quedado muy claro es si fue para bien o fue para mal. La 'superstar' mexicana no era exactamente una buena actriz, pero cuando menos convencía a todo el mundo de que era una mujer de armas tomar, lo cual se ajustaba perfectamente al personaje que le tocó interpretar en la película."

A pesar de estrenarse cuando ya Gerard Phillipe había muerto y beneficiarse de este carácter póstumo del actor, la película no fue un éxito de taquilla.

En México intentaron venderla envuelta en una serie de pintorescas frases: "Fuego que consume, pecado que mata" y también: "Hombre y mujer rabiando de amor, atados por la ambición que aturde sus sentidos".

—¿Qué piensas de estas frases, Luis?

—Que están muy bien. En mi pueblo, cuando yo era niño, los que vendían medicinas para que a los calvos les saliera el pelo, tenían a su lado un niño que tocaba el tambor.

Y Buñuel reía socarronamente.

Y aceptaba críticas incluso de aquellos que fueron y siguen siendo sus panegiristas más rendidos. *Cahiers du cinéma*, dedicó al film solamente una columna firmada por L.M. (Louis Marcorelles), en la que se afirmaba que estábamos ante el peor film de uno de los pocos genios que el cine ha dado. Incluso Figueroa, habitualmente bien considerado por los franceses, resultaba malparado: "La foto de Figueroa es de un amateurismo atroz."

Para este libro le pedí a Agustín Sánchez Vidal, profesor de la Universidad de Zaragoza y un agudo crítico de la obra de Buñuel, su interpretación de la película. Lo que siguen son las opiniones de Sánchez Vidal, quien es el autor del prólogo y las notas del libro *Luis Buñuel: obra literaria* (Zaragoza, 1982).

"Todo un cúmulo de circunstancias que se pretendían favorables terminaron convirtiendo 'Los ambiciosos' en un magno repertorio de equívocos y malentendidos: hasta una corrida de toros desfilaba por los fotogramas como metáfora que por sangrienta e hispana, se suponía 'buñuelesca'."

"Sin embargo, Buñuel no estaba muy por la labor de ofrecer de sí mismo un sucedáneo descafeinado a la francesa, y su genio afloró en los momentos más inesperados, al margen de los dictados de un guión premioso y previsible en sus refritos rancios de ruedos ibéricos y tiranos banderas."

"Uno de esos privilegiados pasajes lo constituye la entrega de Inés Rojas a Alejandro Gual (interpretado por Jean Servais), secuencia de una furia subliminal turbadora, a cuya fascinación no es nada ajeno el magnetismo animal que irradia María Félix en sus interpretaciones más logradas, reforzado en este caso por una dialéctica que lo pone de relieve al enfrentarlo a la pétrea frialdad y compostura de Jean Servais."

"Todo comienza con uno de los sintagmas primordiales de Buñuel, formulado en dos versos de su poema de juventud *Me gustaría para mí*: '¿En qué puede pensar una doncella cuando el viento le descubre los muslos?'"

"Esa recaída en el viejo estribillo, con una María Félix arrebatadoramente espatarrada en el sofa, desata el torbellino de asociaciones. Jean Servais se dirige a un armario y saca una sotana que deposita en una silla con el mismo fetichismo que impulsa a Simone Marevil a recomponer el atuendo de Pierre Batcheff sobre la cama en 'Un perro andaluz' o a Gaston Modot el vestido de fiesta de Lya Lys en 'La edad de oro'."

"Asegurado el entronque con sus viejas obsesiones, abierto el corredor que moviliza todo el flujo subconsciente hacia la creación, Buñuel va más allá: Servais enciende unos cirios y bajo el dosel del lecho se despliegan las liturgias de un auténtico ofertorio de la carne. El cliché putrefacto de la entrega por amor, impregnado de la ejemplar moralina de folletín, se eleva entonces hasta esa precisa encrucijada en que el erotismo y la religión batallan a mayor gloria de la libido (el lavatorio de pies del inicio de ''Él'' puede servir de memorable ilustración para estas maneras de habérselas con la clerecía).''

"Como suele suceder en el cine buñuelesco cada vez que saltan las chispas de un hallazgo, la secuencia fue retomada en una película posterior: 'Belle de jour'''. Vuelve allí esta especie de misa negra en el reducto sadiano del Duque (Georges Marchal) cuando Séverine (Catherine Deneuve), vestida con los arreos propios del caso, es colocada entre asfodelos en un ataúd que pronto se ve sacudido por los espasmos del Duque.''

"Originalmente el pasaje estaba presidido por el impresionante Cristo de Grünewald, pero la pudorosa censura francesa, coaligada con los hermanos Hakim, que producían la película, lo suprimieron.''

"Por eso sigue siendo preferible el esbozo de 'Los ambiciosos', aunque no sólo por ello. Si Jean Servais y Georges Marchal, en su academicismo de la Comédie Française, son perfectamente intercambiables, no sucede lo mismo con Catherine Deneuve y María Félix: la Deneuve es una pura latitud de epidermis sobre la que resbalan los focos y el technicolor para componer el cromo; en cambio, María Félix impulsa el latido de la cámara hasta hacerle asumir la magnitud de la transgresión con un morboso latino sentido del pecado hasta producir, en su sobrecarga de voltaje, un cortocircuito que elimina las defensas de la pupila en su trato con la pantalla.''

Uno de los productores, o por lo menos inversionistas en el film, fue Alex Berger, marido de María.

EL NOVIO MUERTO
JUSTIFICA LA BOLA

42. *Juana Gallo*. 1960

Toda revolución termina en cine.
Eso es lo malo.
P.I.T.

Los guionistas no resisten la tentación de disfrazar a María de hombre; parece haberse convertido en una obsesión que, en ocasiones, dura lo imprescindible, en el film, como para liberarse de tan permanente trauma.

La película "Juana Gallo" comienza cuando la Revolución comienza también. Una serie de manos van sacando armas de sus escondrijos. El guión señala que detrás del altar de la Virgen de Guadalupe, adornado con velas, flores y veladoras encendidas, se esconden dos carabinas y varias cananas.

Después pasamos a una hacienda, en donde se está celebrando una fiesta. Un gran arco de flores a la entrada dice: "Feliz cumpleaños amo don Gabriel".

El amo Gabriel Belauzarán recibe regalos y felicitaciones. Pasa la indiada ante él y algunos le besan la mano. Todos van descubriéndose al acercarse.

Uno de los campesinos intenta pasar desapercibido y sólo se lleva la mano al sombrero.

MAYORDOMO: ¡Eh, tú!

Y le da un fuetazo en la espalda. El muchacho se vuelve furioso, sacudido por el dolor.

MUCHACHO: ¡Quién ji! . .

MAYORDOMO: ¿Cómo te atreves a saludar al patrón con el sombrero puesto?

Y de otro golpe de látigo le echa el sombrero a tierra. Todos se asombran al quedar a la vista las trenzas de la muchacha disfrazada de hombre.

DON GABRIEL: ¿Quién eres tú?

ÁNGELA: Ángela Flores, del rancho del Gualco, pa servir a Dios y a su mercé.

DON GABRIEL: ¿Por qué vienes vestida de hombre?

ÁNGELA: Pa entrar en la competencia de tiro.

DON GABRIEL: La competencia no es para mujeres.

ÁNGELA: ¿Lo ve, señor amo? Por eso me puse la ropa de mi apá.

DON GABRIEL: ¿Y él te dejó?

ÁNGELA: Él me enseñó.

DON GABRIEL: ¿Cómo?

ÁNGELA: Como Dios no le mandó hijo varón, no más yo, pos me educó como si fuera macho.

310

Así aparece María en el nuevo film. Después explica que a las mujeres nadie las respeta y adelanta una serie de consideraciones morales:

—Nadie respeta a las mujeres. Sólo a las catrinas, y eso antes del matrimonio, porque después de unos años de casorio. . . ¡pa qué le cuento!

Cuando el cura afirma que vestirse de hombres es inmoral, Ángela responde:

—¿Por qué, padrecito? Así anda una más tapada. ¿No es pior andar enseñando los chamorros?

Como el señor amo no quiere que participe en el concurso de tiro vestida de hombre, la hija de don Gregorio le regala un vestido.

Gana el concurso, se lleva para su casa unos guajolotes, decide casarse, escucha cómo le explican, velozmente, que han matado a Madero y que Victoriano Huerta está en el poder. Pero don Venustiano Carranza se ha levantado en armas. Ángela no quiere saber nada de eso. Tomando el periódico en el que vienen todas estas noticias, lo lanza al aire:

ÁNGELA: ¡A volar zopilotes! Que luchen ellos por la presidencia. ¿A nosotros, qué?

El guionista va a desengañar inmediatamente a la joven. Su futuro esposo y su padre, son fusilados por los huertistas y luego colgados. La joven descubre los cadáveres. El guión señala: "Ángela está inmovil. La expresión de su rostro cambia de dolor a ira y odio".

Y se inicia el ya bien conocido proceso de venganza por parte de una María Félix que pasa de ser campesina que trabaja la tierra a Juana Gallo.

La experiencia que tiene Ángela matando guajolotes le sirve para hacer una verdadera carnicería entre los soldados, que van cayendo ante ella. Ángela no falla tiro.

Cuando los buenos ganan, el obispo llama a Ángela:

OBISPO: Hija mía, nos has librado de las manos de esos desalmados. No sabemos cómo darte las gracias.

ÁNGELA: ¿A mí? No sé lo que me pasa. Es la primera vez que he matado gente y debo ser muy mala, porque no me arrepiento.

El obispo se apresura a ponerle como ejemplo a Juana de Arco. Y el propio Obispo le encuentra nuevo nombre: Juana por Juana de Arco y Gallo, porque Ángela es valiente como un gallo. Inmediatamente después descubrimos que la nueva Juana Gallo es buenísima para la dialéctica. Con un breve discurso de diez líneas convence a los soldados huertistas prisioneros y los pasa a la Revolución.

Cuando un presunto jefe de la Revolución no quiere acatar una orden de Juana Gallo, ella lo mata de un tiro.

Juana Gallo es, no sólo una mujer muy hombre, sino también muy casta. Cuando el coronel Arturo Ceballos Rico le propone un negocio y además acostarse juntos, la Juana: "No puede imaginar que alguien se atreva a dar tal significado a las palabras." Ceballos se acerca a ella.

CEBALLOS: Ya verás qué feliz te voy a hacer. Dame un beso.

Juana, al fin, comprende. Quiere hablar, pero la cólera le ahoga las palabras. Toma la escudilla en que comía nopales y se la asesta en la cara. Ceballos, furioso, se limpia los ojos y busca su pistola. Pero Juana ya le apunta con la suya.

JUANA: Lárguese de aquí.

Ceballos, convencido por la pistola amartillada, saca su pañuelo y se limpia el rostro y las ropas. Va furioso hacia la puerta y allí se vuelve.

CEBALLOS: ¡Marimacho!

Después sale.

En castigo a su maldad, una bala derriba poco después al coronel Arturo Ceballos Rico.

Pronto veremos que en el campo de los militares afectos a Huerta, hay siniestros personajes pero también caballeros dignos. El coronel Ordóñez quiere aprovechar una tregua para matar a los revolucionarios y el capitán Velarde (Jorge Mistral) le reconviene:

VELARDE: Mi coronel, es mi deber llamar su atención de que esto es contrario a las leyes de la guerra.

Y cuando Velarde invoca el honor, el coronel, interpretado por Noé Murayama, dice que "el honor vale una pura. . . y lo que cuenta en el ejército son los ascensos".

Velarde se pasa a la Revolución y Juana Gallo, que ha conseguido una victoria militar importante, se niega a fusilar a los huertistas.

Después se produce un diálogo entre el capitán y Juana, que parece estar dirigido al público.

El capitán muestra a Juana un mapa de México que está en la pared del lugar en donde se encuentran.

CAPITÁN: ¿Sabe lo que es esto?

JUANA (Leyendo): República Mexicana. (Triunfal.) ¡República Mexicana!

CAPITÁN (Conmovido): Sí. Nuestra tierra.

JUANA: ¡No me diga! ¿Y cómo la pudieron retratar? ¿Desde muy alto? Así de chiquitos nos ha de ver Dios desde arriba.

CAPITÁN: Dígame: ¿Por qué pelea usted?

JUANA: ¿Por qué?

CAPITÁN: Ya vengó la muerte de su padre y de su novio. ¿Por qué sigue en la Revolución?

JUANA: Porque hay algo malo, algo chueco. Basura que hay que barrer.

CAPITÁN: Eso es. Limpiar esa casa. (Señala el mapa.) Esta casa grande que es la de todos nosotros.

JUANA: Usted pelea para que no haya explotación, ni abuso, ni miedo, ni miseria.

CAPITÁN: Para que a otras muchachas como Ángela Ramos no les maten al padre y al novio. Usted lo siente, pero no puede ponerlo en palabras. Y es que la historia nos ha impuesto, a los que vivimos hoy, una obligación para con los que nacerán mañana; una patria libre, justiciera, hospitalaria, generosa, próspera, en donde los pobres sean menos pobres. A los que vivimos nos toca pagar el precio. Y tenemos que pagarlo con fatiga y con dolor; con lágrimas y con sangre. . . (Y continúa con igual ardor y patriotismo). . .

Momentos después veremos cómo Juana Gallo, que mata guajolotes y ene-

Jorge Mistral comienza la conquista a través de un discurso patriótico en *Juana Gallo*.

migos sin parpadear, tiene miedo a los ratones y eso le hace abrazarse frenéticamente al capitán Guillermo Velarde.

Cuando una bala hiere en un muslo a Juana, el capitán tiene que romper su ropa y curarla él mismo.

CAPITÁN: No es hora de mojigaterías. (Y le alza la falda hasta la cintura.)

Los revolucionarios que mandaba Juana Gallo pierden un combate y el capitán y Juana han de esconderse; ella está herida, pero continúa púdicamente protestando cada vez que el capitán cura su herida. Pero el capitán es también doctor y recomienda unos masajes en el muslo herido, que él mismo practica de tal forma que:

"Juana tiene una expresión de alivio, pero al mismo tiempo las manos de Velarde le producen una sensación voluptuosa que trata de reprimir."

Poco después el guión nos hace saber que el capitán mató a su propia esposa, tiempo atrás, porque estaba muy enferma y sufría mucho. El capitán había estudiado medicina.

El amor entra en escena y Juana abraza a Guillermo. Están enamorados.

Después veremos una escena verdaderamente singular y sin precedentes. Cuando el malvado coronel Arturo Ceballos Rico (Luis Aguilar) ordena al capitán que haga el papel de don Tancredo en una corrida de toros, para demostrar su valor, el capitán se niega y es arrestado. Pero en su lugar aparece Juana Gallo, vestida con "el legítimo traje típico de las rancheras zacatecanas, luciendo un hermoso rebozo de Santa María, pero sin prescindir de sus cananas y de su pistola al cinto".

Juana Gallo demuestra, con su mirada, que también puede con los toros y sale de la aventura con dignidad y entre aplausos. María invita al maligno General Arturo Ceballos Rico a que haga lo mismo y el general, astutamente, afirma que "los jefes del glorioso ejército revolucionario reservamos el valor para los campos de batalla".

"Juana" se enfrenta a Ceballos Ricos y lo mata de un tiro. Y el honesto capitán descubre que el ser protegido de una mujer es algo indigno, así que se va de juerga con una francesa (Christiane Martel) y Juana le dispara.

La escena final muestra a Juana Gallo con su gente "destacándose sobre la cresta de una colina a la luz de la madrugada". Mientras avanzan a caballo escuchamos la voz de Velarde que repite su discurso patriótico.

Cuando lo termina se inicia el corrido de Juana Gallo. Al final del corrido la película termina.

No es fácil seguir sin asombro el discurso de Zacarías, argumentista y adaptador de esta historia. Los personajes son lugares comunes y el film parece haber sido construido con fragmentos de otras películas igualmente insensatas. El patriotismo es mostrado de forma superficial y demagógico y el personaje de Juana Gallo es un elogio el machismo femenino que, sin embargo, ha de ceder a las tentaciones del amor. . . de cuando en cuando.

Buenos y malos surgen del melodrama y "Juana Gallo" es un jefe de imposible aceptación, en una revolución de opereta. El cine ha dado el jaque mate a las teorías que suponía defender. La grandeza de una lucha popular armada ha entrado en la zarzuela.

El personaje de "Juana Gallo" es parte del gran fresco histórico de la Revolución Mexicana. En el mes de agosto de 1983, la auténtica Juana Gallo vivía aún en Ciudad Juárez. Tenía ya ciento tres años confesados y no había olvidado su verdadero nombre: María Soledad Ruiz Pérez. Casi paralítica, negándose a cobrar una pensión "de un gobierno que está en contra del general Pancho Villa", vivía en una casa miserable en la que había sólo dos sillas, una cama vieja, una estufa, una silla de ruedas, y algunas cajas de cartón con ropa. Juana Gallo contó al reportero Fernando Belmont que su padre había muerto, con otros ochocientos hombres, porque "el general Carranza, había enviado a Villa balas en las que en vez de pólvora, había jabón".

Contó también cómo fue la batalla por la toma de Torreón: "Duró más de dos días y la ganamos. Éramos como setecientos y había como cuatrocientas mujeres. Todas eran valientes y se encargaban de descargar las carrilleras, ahí conocí a 'La Adelita'. Yo tenía una asistenta y ella me dijo que mi carrillera era muy liviana, yo pensé que sería liviana porque la pólvora era de los Estados Unidos. Pero no; era jabón. Ahí nos fregaron. Para ir a la guerra lo único que se necesitaba era tener dieciséis años. Una vez el gobernador Pizarro nos mandó a los oficiales comida envenenada."

Juana Gallo seguía contando historias asombrosas que tenían la fuerza suficiente como para hacer la gran película. Pero la "Juana Gallo" que pasó al cine había olvidado ya la verdad.

Un día, en la casa presidencial de Los Pinos, en la ciudad de México, se encontraron la Juana Gallo auténtica y su representación cinematográfica. La guerrillera se comportó con una dignidad que sin duda tuvo que desconcertar a María Félix.

—La película que usted hizo fue una cosa muy sucia. Yo no tomaba ni una gota de licor y no bailaba con los soldados. Yo era una generala, señora. Además yo no chupaba puros. Ahora la gente ya no me tiene estima por causa de esa película tan llena de mentiras.

La anciana terminó su alegato al alejarse de María Félix, a la que dirigió una última ojeada, para decir: "Yo no era así." Efectivamente no se parecían nada la una a la otra. La crítica seria acusó al film de traidor no sólo a la historia, sino al personaje y al espíritu revolucionario.

José de la Colina, en el seminario *Política* y yo en el semanario *Claridades* coincidimos en la misma fecha, julio de 1961, en señalar que una escena supuestamente atrevida, durante la cual María entra en la cama de Jorge Mistral para calentarlo, ya que fue herido, está plagiada del film "The Outlaw" ("El proscrito", Howard Hughes, con Jane Russell), que fue estrenada en México en el mes de noviembre de 1946.

Pero hay, una cierta diferencia entre las dos secuencias, posiblemente porque la temperatura de Jane Russell era más elevada que la de María.

En el mundo misógino del western, la aparición de una Jane que se desnuda para entrar en la cama de Billy the Kid con la intención de pasarle su calor, resultaba no sólo sorprendente sino revolucionaria.

En "Juana Gallo" todo esto suena superficial y ni tan siquiera la larga pierna desnuda de María consigue vitalizar a la concurrencia.

En mi artículo añadía otros juicios técnicos sobre el film: "Se diría que el editor de la película no tiene idea de su oficio. En las secuencias bélicas no parece existir una idea previa y en ocasiones se llega al más pintoresco absurdo. Por ejemplo, la cámara nos deja ver un grupo de personas, después aparece un letrero que anuncia que han pasado días de lucha furiosa, y la cámara vuelve a las mismas personas que siguen en el mismo sitio en la misma actitud. Como si en esos días 'de cruenta lucha' hubieran estado inmóviles esperando a que retornara Gabriel Figueroa a retratarlos".

Señalo también cómo en dos momentos de la película se ve a los mismos soldados pasando a caballo por el mismo lugar, "con el mismo sol y el mismo polvo levantado".

Al final de la nota escribo: "Los especialistas en caídas hacen en este film una labor sensacional. Hay caídas para todos los gustos; siempre espectaculares y peligrosas. Ellos son los únicos técnicos que se salvan".

LA PROSTITUTA:
¡NO ME DEFIENDAS
COMPADRE!

43. *La Bandida*. 1962

> Yo no soy ésa.
> LA BANDIDA.

La distribuidora de "La Bandida" manejó esta sinopsis del film:

"Al término de la Revolución Mexicana, una mujer de la vida fácil apodada 'La Bandida' (María Félix), famosa por su belleza y el temple de su carácter, sabe que ha vuelto el único y verdadero amor de su vida: Roberto (Pedro Armendáriz), pero en venganza porque él la abandonó para lanzarse a la lucha lo enfrenta con otro hombre de singular arrojo: Epigmenio (Emilio 'Indio' Fernández). Los dos hombres han estado a punto de quitarse la vida en plena Revolución y ahora se enfrentan otra vez por el amor de 'La Bandida', cuya mejor amiga (Katy Jurado) sabiendo que aquélla no ha dejado de amar a Roberto y que sólo le da celos, fingiéndose interesada por Epigmenio, trata de evitar una tragedia. Las pasiones se desencadenan y después de que Roberto ha enloquecido de rabia a 'La Bandida', teniendo amoríos con otra de las mujeres (Gina Romand) de la casa en que aquélla vende sus favores, el asistente de Roberto (Ignacio López Tarso) pierde la vida. Finalmente, empujados por un destino ineludible y fatal, cuando 'La Bandida', parece haber encontrado la felicidad con Roberto, en un choque dramático e inesperado con el otro galán, la mujer pierde para siempre al único, al verdadero amor de sus amores."

La película se anunció con estas frases:

"Era una de 'ésas'. . . pero nadie amó tanto como ella."

"¿Qué es lo que hace 'mala' a una mujer?"

"Una hembra tan mujer como la que más, pero señalada por el destino para envolver a los hombres en el velo de la tragedia."

"María Félix llora, ríe, canta y sufre, injuria y pelea, en el papel más vigoroso de su carrera."

Todos los pueblos convierten a una de sus prostitutas en figura legendaria, buscando, sin duda, imponer una especie de justicia sobre la injusticia que lleva a la mujer a la prostitución. Estos personajes suelen ser románticos, desfallecidos, doloridos, injuriados, humillados y ensalzados cuando ya no viven.

María Gracia, llamada "La Bandida' fue una prostituta convertida por el pueblo mexicano en mito y ejemplo. Autora de canciones y figura pendenciera, ha pasado al folklorismo nacional hasta terminar, irremediablemente, en el cine.

Antes, por una obligación del folklore nacional, fue a su vez figura de canciones que se balanceaban entre el elogio y la reconvención.

La Bandida permite a los argumentistas de nuestro cine, vengarse de la mujer que ha venido riéndose del machismo nacional; de nuevo el macho que escribe guiones de cine llama a María para que lo libre de tanto complejo arrastrado a lo largo de la vida.

María, de alguna forma, parece hablar con la voz de un personaje de Carlos Fuentes en "Cambio de piel":

—Es como un reto privado a este país lleno de gente pudorosa. Me gusta hacer cochinadas en México. Me imagino la cara de todos estos hipócritas. ¿Sabes que la abuelita de Javier hacía el amor con un camisón que tenía un agujero bordado? Y ella y el abuelo, antes de amarse, se hincaban frente a una veladora y decían un versito que me enseñó Javier: "No es por vicio, no es por fornicio, es por hacer un hijo en tu servicio."

Los guionistas permitían que María los vengara de tantas autohumillaciones, o acaso les servía para poder soñar con esa mujer imposible que era tan amada como aborrecida, atrayente como aterradora.

Hay que suponer que María gozaba "imaginándose la cara de todos esos hipócritas". Y los escritores de argumentos para María gozaban dándole a ella todas las posibilidades de liberación, escándalo, furia y ruptura que les negaban a sus esposas e hijas. María estaba trabajando en favor de una imagen imposible, pero capaz de sacudir, por unos momentos la costra moral de la sociedad mexicana.

La culpa que los creadores de nuestro cine arrastran puede desembocar en una María-La Bandida que por un instante abra las ventanas. Pero, como veremos, la culpa de la sociedad entera no va a dejar que María se convierta en el ser liberador: sino que será castigada, sometida, humillada a través de toda una larga cadena de pertinaces ataques.

La Bandida tiene que pagar y María también. Nadie se va a escapar de nuestro cine comercial sin castigo.

La censura de fuera va a ser, en estos momentos, incluso más benévola que la censura de adentro; de la mesa en donde se redacta la historia o de la mesa en donde se lleva a cabo el proyecto de producción. En ocasiones esto resulta tan claro que el creador de películas puede pasar a convertirse en el censor de películas, sin moverse de su sillón. "Santa", tan poca cosa, tan aplastada y rechazada, luego tan admirada y cantada, va a ser, ahora, la prostituta vigorosa que se las sabe todas, pero que ignora cómo escapar de un castigo que ella misma dictará. La llamada "Bandida" fue víctima de la sociedad, como indica la leyenda, y también una víctima de ese último enemigo que se cebó en su leyenda: el cine.

Apenas comienza la película cuando se nos sorprende con una secuencia asombrosa: el general Herrera, que viene de combatir, va en busca de La Bandida, a la cual supone en la cama, ya que es de noche, esperándole. Efectivamente, La Bandida está en la cama, pero siguiendo una vieja tradición de la prostituta, no duerme sola.

El general Herrera, vigoroso revolucionario, no parece conocer las costumbres de las prostitutas, y se asombra de que ella esté acompañada. Después, dejándose llevar de su furia, mata al joven que duerme con La Bandida de un tiro, sin permitirle no ya defenderse, sino vestirse.

La prostituta sufre un ataque de justa rabia:

LA BANDIDA (Gritando): ¡Yo fui la ofrecida! ¡Mátame a mí también!

El general, que acaba de despachar a uno de sus soldados, no acepta la sugerencia y se va.

La lectura del guión nos lleva al descubrimiento de cómo se puede escribir un argumento para convencer a la estrella de que no es necesario que muestre, a pesar de que va a hacer de "mujer liviana" más de lo aconsejable. Cuando la Bandida está en la cama, el guión señala a María que no debe de sentirse inquieta por lo que aparecerá en la pantalla, ya que muy bien se puede usar a una doble. Y todo esto se dice sin decir, de forma taimada, sugiriendo siempre que cuando aparezcan los desnudos, no se verá el rostro de la estrella.

"De los muslos de la mujer, la cámara se desprende para descubrir sobre una silla las ropas del difunto."

"Sobre la cama vemos el cuerpo de una mujer que incuestionablemente debe estar desnuda. Sus esbeltos muslos sobresalen de las ropas de la cama."

"Los muslos y las piernas desnudas de la mujer se encogen como en busca de protección."

"Vemos ahora el pecho de la mujer cubriéndose con la sábana y por arriba asoma el nacimiento de los erectos senos."

Del rostro de "la mujer" no se dice nada.

La forma cuidadosa en que está escrito el guión, pensando en una sola lectora atenta a cuidar su imagen pública permitió que no se produjeran fastidiosos incidentes en el momento de firmar el contrato.

María sabía que no se le pediría un desnudo ni total ni parcial y los productores sabían que ella lo sabía. Todo esto sin que hubiera necesidad de hablar, sino sólo de leer.

En cuanto al comportamiento del general asesino, sabremos más tarde que apaga su arrepentimiento emborrachándose en las cantinas y obligando a sus subordinados a cantar una y otra vez la misma canción.

Por su parte la Bandida está muy triste en el prostíbulo de la Gallega, una española ansiosa de dinero. La Bandida está llorosa, porque ella en el fondo, ama al general asesino. Hay una escena en la que los generosos sentimientos de la prostituta se muestran plenamente: hace que la Gallega, mujer entrada en años, baile sobre una mesa mientras ella le dispara todas las balas de una pistola. Después la Bandida se lleva a todas las prostitutas de la Gallega y organiza su propio lupanar.

Se diría, en este momento del film, que su creador está pidiendo a la audiencia que apoye el gesto patriota de la Bandida, que está proponiendo algo así como una ley que deje en manos nacionales todo el negocio de la prostitución.

Pero no ha llegado aún el momento de asombrarse ante las teorías y los conceptos que esta película nos va ofreciendo. Otras cosas veremos igualmente sorprendentes y también fuera de todo sentido común.

Por lo pronto el espectador tiene que estar muy atento a las conversaciones de los diferentes personajes, ya que entre ellos cambian frases con doble sentido y en ocasiones con triple sentido. Pero, curiosamente, no estamos frente al viejo y conocido juego de los albures populares, sino de una cierta forma de complacer a un público que no sólo sabe lo que un personaje va a decir, sino lo que el oponente le va a responder. Pronto entra en la pantalla un nuevo individuo, heredero de muchos lugares comunes cinematográficos. Se trata de Epigmenio Gómez, quien lleva siempre, bajo el brazo, un gallo llamado "El Consentido".

Cuando un mesero, en una taberna, le pregunta a Epigmenio:

MESERO: ¿Qué toma, general?

GÓMEZ: Ya sabes, tequila. Y para mi gallo un plato de jamón y unos palillos.

MESERO: ¿El gallo usa palillos pa'comer, mi general?

GÓMEZ: No. Pero los uso yo para darle de tragar. ¿O no puedo?

El mesero se asusta.

MESERO: Usted lo puede todo, mi general.

Y después habla para sí mismo, con toda razón:

MESERO: Jamón, jamón. Y uno no tiene ni pa'tragar tortillas.

Cuando el mesero golpea ligeramente al gallo, el general Gómez le anuncia que si vuelve a hacerlo, lo matará.

Después veremos una pelea entre un "gallo importado" y el gallo Consentido, que "es del país, pobre y sufrido como los guarachudos, pero que no le saca a ningún colorado, por muy importado que sea".

Efectivamente, el gallo mexicano mata al extranjero. Era irremediable.

Cuando se nos muestra el lupanar de la Bandida, el guión acota: "La casa supera en mucho a la de la Gallega, pues está montada a todo lujo y con gran limpieza y ornato, hasta algunos murales eróticos se notan en las paredes. . . Las pupilas lucen elegantes, con vestidos estridentes y llamativos colores, que resaltan sus encantos."

Cuando se describe a la Bandida se dice que usa "valiosas joyas" y de su amiga predilecta se afirma que "también disfruta de los beneficios de la Revolución".

En fin, estamos ante un film en el que todo es falso, superficial y además capaz de convertir la Revolución mexicana en un siniestro juego de borrachos, asesinos y prostitutas.

Hay una escena en este asombroso guión que merece ser reproducida sin más comentario. En un momento dado la Bandida, "con los ojos desorbitados por la pasión y por el despecho", abre su blusa y muestra "sus senos erectos, diciendole a Herrera, con voz sorda y apasionada:

BANDIDA: ¡Mira por qué no podrás olvidarme nunca! ¡Y por qué me llevas metida hasta en tu sangre! ¡Mírame, no seas cobarde!

Él se vuelve alucinado y la contempla.

"A través de sus ojos se refleja lo que está viendo, lo que jamás ha podido olvidar en sus delirios de enamorado. Expresa odio y deseo, en tanto que ella, con una leve sonrisa triunfal lo deja que embeba la mirada, cerrándose después la blusa como para enervarlo más."

El enamorado sometido a esta tortura toma una botella y la estrella contra una chimenea.

Al llegar a este punto acaso sea conveniente acudir a un artículo del académico Salvador Elizondo, publicado en *Nuevo Cine* (1961) y más tarde reproducido en la *Revista del Cine Club Robert J. Flaherty*, de la República de Honduras. Las agudas consideraciones de Elizondo sobre la moral mexicana ayudan a acercarnos a las razones o faltas de razones de este film. "La moral, en última instancia, no es sino el recuerdo de dos actitudes perfectamente definidas; la del hombre ante sus semejantes y la del hombre ante la mujer (o viceversa). Cuando este recuerdo se vuelve exégesis, interpretación, la moral se convierte en sociología, y cuando se generaliza para dar una lección no es sino moraleja. . . (. . .) El cine mexicano, salvo algunas excepciones, ha sido desde sus orígenes, y con irritante recrudecimiento en los últimos años, un cine de moraleja, y lo que es peor, un cine de moraleja condenatoria; es decir, un cine que desconoce, cuando moraliza, el sentido esencial de la moral, que no es, ciertamente, el de condenar determinados actos humanos sino el de justificar los actos humanos que la hipocresía se empeña en condenar. (. . .) En 1918 arranca el cine profesional mexicano con la primera versión de la novela 'naturalista' de Federico Gamboa, 'Santa'. El tema (Zola romanticón y sin estilo) se circunscribía a la vida (la carrera) de una prostituta, la vida de burdel a través de sus iniciaciones precarias, sus momentos de gloria, y su final agrio y fácil, revelaba ya una actitud que propendía a formular endebles moralejas. ¿Por qué en 1918 el cine mexicano escogía este deplorable folletín? Porque quería a toda costa convertir en moraleja algo que apenas, cuando más, era un documental costumbrista rudimentario. Desde sus orígenes nuestro cine sentaba sus reales en el ámbito de las costumbres, sin darse cuenta de que éstas no son más que las mistificaciones, sistemáticas, de una época y una sociedad. En 1931, cuando el cine cobra la palabra hablada vuelve a ser este mismo aspecto el que sirve para iniciar la era del sonoro en México. La moraleja de 'Santa' trasciende hasta los primeros años de la década de los 40, en que una nueva versión (esta vez debida al director norteamericano Norman Foster) aparece en las pantallas. La actitud no ha cambiado un ápice desde 1918 hasta 1940, si bien es cierto que en el intervalo entre esas dos fechas, y hasta nuestros propios días, 'Santa' nunca dejó de ser una obra deplorable por todos conceptos (. . .) Con la Guerra Mundial entraron en nuestros cines los gladiolos, los teléfonos blancos, las vamps rubias, las sweater girls, los asuntos de Stefan Zweig ('Amok', por ejemplo.) Y permitieron a nuestros cineastas pasar del burdel de Alvarado al *furnished apartment*. Las prostitutas tenían ahora los cabellos oxigenados y usaban cigarreras de oro. Un bovarismo lleno de adminículos cromados triunfaba momentáneamente. Andrés Soler, que en la posguerra habría de convertirse, de acuerdo con su tipo, en el perfecto tío de los Fernández de Peralvillo, era entonces el banquero (sombrero de Homburg, chaleco, polainas, leontina y clavel) que a bordo de un Packard negro hacía proposiciones deshonestas a María Félix, la mujer sin alma. Poco a poco la prostituta se va diluyendo en la marejada de una moral más apegada a los ideales de la burguesía.''

La moraleja de ''La Bandida'' entendía que toda prostituta paga y que en el pecado lleva la penitencia de no poder encontrar jamás el verdadero amor. Una actitud acaso no tan cínica como apegada a la moraleja tradicional de la que un film tan elemental no podía separarse. Algunos críticos entendieron que este film rebasaba todo lo permitido y se convertía en una inmoralidad manifiesta envuelta en moralina. La moraleja no podía ocultar el fondo detestable de la historia. Francisco Pina, un crítico de cine llegado a México con el exilio español, hombre de buen talante y de mesuradas razones, pareció, por una vez, perder la paciencia y escribió en el suplemento *La Cultura en México* (revista *Siempre*, febrero 1963) un artículo furibundo:

''El machismo, el chovinismo, la irresponsabilidad, el retraso mental y otras lacras se acusan fuertemente en los fantochescos personajes de esta película lamentable que nos ofrece una falsa imagen de México. Un México que no era así a principios de siglo y que, naturalmente, en la actualidad lo es menos todavía. Por añadidura, se trata de un desaforado melodrama en el que lo siniestro se da la mano con lo grotesco.''

En la publicación *La Semana en el Cine* decidieron tomarlo a broma: ''La Bandida vale como uno de los mayores logros del humorismo involuntario.''

MARÍA ABRE LA PUERTA
AL CÓMICO

44. *Si yo fuera millonario*. 1962

Yo ya lo soy.
MARÍA FÉLIX.

En cierta ocasión un reportero de la revista *Cine Avance* preguntó a María lo que opinaba de los "churros" que había interpretado. La actriz respondió enérgicamente:

—¡Yo jamás hice "churros"!

De esta forma negaba, usando una palabra popular en México para designar los films detestables, que hubiera actuado alguna vez en una película mala. El reportero tuvo la delicadeza de no insistir, pero bien hubiera podido recordar "Si yo fuera millonario", film que previamente iba a titularse "Soy millonario".

La idea de hacer esta producción fue de Gregorio Wallerstein que pretendía apoyar con la presencia de la "Doña" a un cómico popular en Venezuela, pero aún poco conocido en el resto de la América hispana: Amador Bendayán.

No se entiende bien cómo María aceptó este papel de plataforma para colocar en el mercado a un muy discutido actor cómico, pero todo hace suponer que cobró por la película una de las sumas más grandes que se le hayan ofrecido a lo largo de su carrera. Para escribir la historia se llamó a una serie de especialistas en crear comedias y se pidió a Carlos León que escribiera los diálogos. León había trabajado mucho para "Cantinflas" y manejaba un humorismo de retruécanos y chistes readaptados. Cronista de toros y redactor de artículos para los periódicos, debió de asombrarse mucho al ser llamado a colaborar en un film de María. Junto a María el señor Bendayán ofrecía una imagen bastante patética y sus cualidades de actor cómico parecían desaparecer aplastadas por la presencia de la sonorense.

La experiencia de las buenas actrices que trabajaron junto a los grandes cómicos no puede ser peor para ellas. Es muy difícil manejar elementos de drama o comedia frente a un buen actor especializado en conseguir carcajadas.

En Hollywood saben mucho de este tipo de frustrantes uniones en las que el cómico está obligado, por prudencia, a no dejar en ridículo a la estrella y ésta siente que es objeto de un uso indebido.

Chaplin procuraba que su pareja no apareciera en las secuencias eminentemente divertidas y la dejaba relegada a momentos de un cierto lirismo o a secuencias en las que la actriz estuviera, de alguna forma, ajena a la farsa.

Muchas grandes de Hollywood comenzaron su carrera en comedias de caídas y persecuciones, durante los años mudos o a comienzos de los veinte, pero procuraron huir muy pronto de tan peligrosos compañeros.

Lo mejor que le pudo pasar a María es que su oponente despertara más bien una reflexión asombrada y no un regocijo, como parecían haber supuesto los productores del film.

Una visión reciente de la película, despertó en mí una especie de consideración en forma de epitafio: "Solamente para hacerse millonario se puede hacer este film. Pero si yo fuera millonario jamás lo haría."

María anuncia que ha dejado de fumar y que su dieta consiste en dos huevos, carne asada y guayabas de postre. La decisión de abandonar las tres cajetillas diarias que venía fumando la toma el día 3 de diciembre.

—Soy una mujer con fuerza de voluntad. Hago lo que quiero y lo que debo hacer. No volveré al tabaco.

Amador Bendayán le quedó pequeño.
Si yo fuera millonario.

Y MARÍA SE DESNUDÓ

45. *Amor y sexo*. 1963

Estoy hecha para el amor,
de la cabeza a los pies.
Éste es mi mundo y no otro.
Qué le voy a hacer.
Así soy yo.
(CANCIÓN DE MARLENE DIETRICH
EN "EL ÁNGEL AZUL".)

Los mejores intencionados predecían un estruendoso choque de caracteres entre la estrella y el director; para asombro y desconsuelo de la mayoría, la tormenta nunca se produjo.

Alcoriza recuerda que "María fue una actriz disciplinada, encantadora y ansiosa de hacer su trabajo de la forma más perfecta posible". A Tomás Pérez Turrent (quien lo narra en su libro *Luis Alcoriza*), el director le dice que "Fue una buena experiencia trabajar con María Félix. Fue encantadora, no tuve ningún problema con ella. Tiene escenas donde está muy bien; la escena del amor dentro del convento con las momias, la fiesta. Había algunos momentos logrados. La película la hice un poco jugando. En la escena de la Cruz Roja, corregimos aquel movimiento de cámara tan complicado de 'Cuando pasan las cigüeñas', en el que la cámara bajaba dando vueltas por la escalera, sólo que nosotros lo hicimos de una forma rudimentaria, bajando la escalera con un columpio de madera. Se trataba de jugar a tener medios, de hacer cosas raras más que de lograr la expresión personal. Es una película de encargo que tiene momentos interesantes y que recuerdo con gusto."

Para algunos críticos conservadores, el hecho de que María ofreciera un desnudo en el film y algunas escenas en la cama junto con el actor Julio Alemán venía a desvirtuar de alguna forma la imagen lejana de la sonorense.

Le pregunté a María sobre su desnudo:

—Lo que debe discutirse es si lo que muestro es bello o no.

Le dije que su belleza, desnuda o vestida, no era discutible.

—Entonces, no hay nada que discutir.

—No, no lo hay.

Tiempo después, Alcoriza me contó que la idea del desnudo no fue suya ni estaba sugerida en el guión; sino que fue la propia María la que planteó el tema.

—Un día me dijo que había pensado con calma en el asunto y que estaba segura de que era necesario que apareciera desnuda en un cierto momento. Yo le dije que ella era quien debía de decidir respecto a esto y que si le parecía bien, yo haría la escena. La hicimos; fue un trabajo sin problemas. Nos quedamos en el set el fotógrafo, María, yo y creo que nadie más. María resulta tan digna y elocuente desnuda como vestida. Eso fue todo. Resulta curioso que María, cuando ya ha cumplido cuarenta y nueve años, decida romper con su cerrada actitud frente a la cámara; es cierto que había mostrado la espalda, que en ocasiones fue doblada, que apareció dentro de una tina con agua jabonosa; pero ahora se trataba de un desnudo evidente. Se diría que es justamente su propia edad la que la lleva a mostrarse de forma que no se dude de que es ella misma y no otra. María se plantea en este film un nuevo duelo con la audiencia nacional que exagera su edad, cuenta que se pasa meses en Europa en curas de sueño para no envejecer; que ha creado toda una leyenda de la belleza perenne de María. María apoyará este nuevo mito de su eterna juventud, mostrándose de una forma que no era necesaria cuando, efectivamente, era joven.

Alcoriza me cuenta que cuando ella ofreció interpretar la secuencia del desnudo lo hizo de manera tan natural, que no parecía, en modo alguno, un gesto o una concesión. Por otra parte, en 1963 ya nadie quedaba en la pantalla mundial sin haber perdido la ropa.

Lo que parecía muy discutible eran los diálogos escritos por Julio Porter y Fernando Galiana; resultaban difíciles de admitir en boca de los protagonistas por su pretenciosidad y su presunta valentía. La anécdota había sido tomada de la novela "Safo", de Alphonse Daudet y no se había podido librar del lastre literario.

La novela fue dedicada por el autor a sus hijos, "cuando éstos lleguen a cumplir veinte años". La película, siguiendo las indicaciones de Daudet, fue prohibida para menores. En cuanto al valor de la novela original, parece que se centra en su intención ejemplar; por lo menos esto es lo que afirman Luis Nueva y Antonio Espina, en un libreto ya citado anteriormente (*Mil libros*). Dicen que "el autor desarrolla el triste y ejemplar proceso de las funestas consecuencias que puede producir un amancebamiento hecho en la juventud, con la falsa persuasión de que siempre existirá la posibilidad de darle por terminado cuando se quiera".

La película nos cuenta la historia de un joven médico que por razones de oficio ha de ver a una mujer rica, frívola y con una larga historia amorosa. El médico se enamora y abandona a su joven novia. La bella, a su vez, ha de abandonar a su protector, un hombre maduro. Los amores de la bella y del doctor se convierten en tormentosos y un día este último es violentamente atropellado por el automóvil de la mujer, que sigue manteniendo unas curiosas relaciones con un personaje que ha llevado a cabo una estafa y se encuentra en la cárcel. Un día la bella reúne a todos sus amantes para decirles lo que opina de cada uno de ellos. Pero algo viene a cambiar este comportamiento, o por lo menos, a sorprenderla: se ha enamorado de verdad. La víctima favorecida es el doctor. Este último, después de intentar matarla, la abandona.

Espero no haber cometido demasiados errores en esta relación de aconteci-

En *Amor y sexo*, se quita el camisón antes de entrar en la cama.

mientos; pero creo que me he quedado con lo esencial. Alcoriza instala la cámara en lugares interesantes y algunos de ellos, insólitos, juegan con el erotismo; dispone a la pareja de amantes en situaciones con pocos precedentes en el cine nacional, y parece estar experimentando con un material débil, pero con un presupuesto al que jamás había podido llegar.

Luis Alcoriza, nacido en Badajoz en 1921, es hijo de comediantes y con una compañía de teatro llegó a México en el año 1940. Pasa a ser galán cinematográfico, se convierte en colaborador de Luis Buñuel y en el año 1960 dirige su primer film (''Los jóvenes''). Hace un cine de autor, escribiendo sus historias y adaptaciones, y usando medios muy limitados. Su cuarto film será ''Amor y sexo'' y por vez primera se encuentra ante la posibilidad de usar grúas, de encargar una escenografía importante, de tener a sus órdenes a una estrella famosa y temperamental. Pero al mismo tiempo, no puede ignorar que se trata de una película de encargo y que en ella su participación como autor va a quedar muy limitada en comparación con sus trabajos anteriores. (''Tlayucan'', 1961, ''Tiburoneros'', 1962.)

Alrededor del desaforado argumento Pérez Turrent comenta con Alcoriza:

—Abordas en la película una serie de situaciones melodramáticas en las que se siente el rechazo a los elementos sentimentales del género.

—Por más que quisiera no podría estar a gusto en la situación melodramática. Para eso hay que creer en ellas. Todas las situaciones melodramáticas eran rotas por el humor, tal vez de una manera sutil, pero si se ve con atención la película se capta claramente este desliz.

—¿Nunca te ha interesado asumir el melodrama como tal y con todas sus consecuencias?

—No es que lo desprecie, pero mi mismo sentido del humor me obliga a romperlo. No sé tratarlo limpiamente. No he tratado, pero no creo poder hacerlo.

En la revista peruana *Hablamos de cine* (octubre de 1967), Alcoriza responde a otras preguntas sobre este film.

—¿Plantea usted una denuncia actual de la burguesía mexicana?

—No, no lo pretendí.

—Notamos allí ciertos puntos de contacto con ''La dolce vità'' de Fellini.

—En lo más mínimo; Fellini es un gran talento, pero es muy marcada en él una tendencia cristiana y yo no tengo una intención como la suya. En ''Sapho 63'' no quise presentar la *dolce vita* ni la crítica a una sociedad, sino el caso de una señora y un joven. . .

—. . .Por ejemplo, las secuencias de las fiestas en casa de María Félix: el modo de presentarlas, el modo en que esa gente se divierte. . .

—. . .pero ese tipo de fiestas se han hecho siempre; si vamos al cine de hace treinta años las veremos, y nunca se entendieron como una crítica social. Sencillamente, un grupo de gente un poco decadente que se divierte. Lo hice más que nada por plantear el ambiente en que vive la mujer: se ve que hay chiquitas jóvenes y señores de edad con aspectos de ricos. Todo para ver un poco el ambiente no muy normal en que se movía ella y que resultaba ofensivo para el joven enamorado. Trataba de presentar un contraste entre un mundo de ella que pudiera herirlo a él en sus emociones ingenuas.

—Un elemento que se nota en la película es una cierta preocupación estilística que la diferencia de otras películas suyas. . .

—No, lo que sucedió aquí es que al filmar la película en estudios, conté con mayor cantidad de medios técnicos. Además, cada día uno cambia: como la película que he hecho en el Brasil, por ejemplo, la hice con cámara en mano y moviendo al fotógrafo con los actores.

—En "Sapho 63" hay un gran despliegue de grúas y movimientos de cámara. . .

—Sí, pero cada día tiendo más a la simplicidad; me horrorizo cuando veo las grúas enormes y los *dollies* hidráulicos, y todo eso me molesta. Me siento muy suelto cuando veo al fotógrafo con una Arriflex en la mano. No me gustan nada los estudios.

Alcoriza no reniega de este film, pero sin duda no se trata de una película dentro de su línea de trabajo; incluso está lejos de sus siempre aceradas intenciones críticas que se advierten a lo largo de su obra.

Yo estuve muy cerca durante la filmación de "Mecánica nacional", y conozco bien su agudo sentido de la denuncia social. "Amor y Sexo" fue, para él, una experiencia en todos los sentidos y también el conocimiento sobre un tipo de cine que no le interesa, a pesar de que su respeto por la actriz María Félix le hizo ser cauto a la hora de opinar.

De nuevo se produce un hecho que en este libro se advierte una y otra vez: el buen director hace con María su película menos importante.

LA REVOLUCIÓN ES ALGO
PERSONAL

46. *La Valentina*. 1965

Si los productores de cine no vieran películas, sus producciones acaso resultaran más originales.

P.I.T.

Los guionistas de "La Valentina" sin duda vieron "Juana Gallo" y consideraron que no tenían necesidad de grandes cavilaciones para justificar la presencia
de María Félix en la Revolución Mexicana.

Partiendo de este acto de pereza volvieron a situar el inicio del film en el
mismo punto en que arranca "Juana Gallo", olvidando que fue justamente esta anécdota la que puso en marcha las más justas y razonadas críticas.

En "Juana Gallo" a la protagonista le matan al novio y esto hace que entre
en la "bola".

En "La Valentina" a la protagonista le matan al novio y esto hace que entre
en la "bola".

Cabe señalar, sin embargo, que hay un matiz que diferencia ambas situaciones; en el segundo caso el novio muere ya casado, pero sin haber podido
celebrar la boda por falta de tiempo.

Otras muchas coincidencias, algunas de las cuales señalaremos más adelante,
colocan esta película en el grupo de aquellas que no tienen ningún interés por
parecer originales.

Veamos el drama de "La Valentina", recién casada, ansiosa por perder su
virginidad y viuda por causa de los enemigos de la Revolución.

Valentina se casa con un militar revolucionario en un pequeño pueblo, que
celebra alborotado el acontecimiento.

Los novios entran en el dormitorio después del festejo.

NOVIO: ¡Al fin, solos!

VALENTINA (que le mira fijamente y replica con serenidad, tumbada ya en
la cama): Creo que estás hablando demasiado.

La urgencia femenina se ve interrumpida por ruido de fusilería. El novio, que
había comenzado a desvestirse, sale a ver que cosa ocurre en el pueblo.

CORTE A: PANTEÓN PUEBLO (DÍA)

Sobre una tumba cubierta de tierra fresca, alguien clava una tosca cruz de
madera en la cabecera del túmulo. En tanto se oye una voz grave y lacrimógena.

MILITAR: El alevoso ataque de los enemigos de la Revolución ha segado en flor la vida de un gran soldado.

Valentina es virgen y viuda.

El militar que pronunció el discurso ante la tumba del novio quiere consolarla:

MILITAR: Resignación, hija mía.

VALENTINA: ¿Resignación? ¡Sangre es lo que quiero! ¡A mí nadie me deja viuda y sin haber amado!

"La cámara va hacia su cara contraída de furia" y comienzan los títulos.

Cima Films quería unir a dos figuras taquilleras pero situadas en los antípodas del cine, por una parte María y por la otra el Piporro, actor que representa el humor de la frontera norte, con todo y su vocabulario pintoresco, en el que se incluyen constantes palabras inglesas transformadas por el pueblo. El Piporro es un actor popular, dado al retruécano, cantante de coplas divertidas, eminentemente cómico; frente a esta figura María parecía provenir de otro mundo.

Si ella iba a ser la Valentina, el Piporro tenía que ser un personaje en el que no se pudiera, en un principio, depositar los valores de la Revolución.

Convierten, siguiendo esta estrategia, al Piporro en un contrabandista fronterizo, jugador tramposo y vividor desvergonzado. El film lo presenta cuando unos revolucionarios deciden fusilarlo, porque les vendió parque en mal estado. Llevan frente a la Valentina al contrabandista, ella se inquieta:

VALENTINA: Puede ser un espía.

Y opina que hay "que darle chicharrón, porque si no les puede vender parque en buenas condiciones, al matarle le hacemos un favor al país"

Valentina, que no tiene pelos en la lengua, apenas ve al Piporro lo clasifica:

VALENTINA: Tiene cara de ser bueno para nada.

Cuando, al fin, Pedro Pablo entrega a los revolucionarios los rifles que les había vendido, Valentina le paga con oro, pero inmediatamente después lo golpea en la cara.

VALENTINA: ¡Mi opinión sobre usted!

De nuevo en acción la mujer brava que ahora habrá de vérselas con un tipo marrullero y tenaz, chistoso y truquista. En contra de la fatalista actitud de quien canta a la "Valentina", el personaje del Piporro quiere seguir viviendo. Dice el cantar:

> Si me han de matar mañana
> que me maten de una vez.

—Que no me maten (parece estar diciendo a todas horas el pintoresco Pedro Pablo).

Así que en un principio deja que la mujer lo humille y lo golpee. Pero su siguiente jugada será robarse a la Valentina.

Después, en pleno campo, la encadena a un árbol, no sin que ella se defienda y entre ambos escenifiquen una vigorosa pelea. Cuando "Valentina" piensa que Pedro Pablo va a intentar violarla, protesta:

VALENTINA: ¡No puede hacerme eso! ¡Soy una mujer honrada! ¡Soy una viuda decente!

Pero él lo que quiere es negocio; quiere cobrar rescate.

Ella no sabe si ofenderse o alegrarse.

Cuando la pareja se encuentra con unos soldados, tienen que cantar a dúo para salvar la vida y después ambos bailan. El guión indica:

"A medida que ella va bailando la transformación es obvia y ella se convierte en un volcán sexual. Hay interés en todos y Pedro, por su parte, le toma confianza a la canción. Al fin acaban el número y reciben una buena cantidad de aplausos."

Lo cierto es que no es bailar el fuerte de María Félix, que lanza con más fuerza sus mensajes eróticos, cuando apenas se mueve. El guión parece esperar de la actriz algo que ella no podrá jamás entregar a la película.

Más adelante Valentina salva a Pedro Pablo y éste sale herido, pero ella lo cura salvajemente.

PEDRO PABLO: ¿Es curación o es venganza?

En todo momento Pedro Pablo y Valentina (primero él llevándola encadenada, y luego ella encadenándole a él), van huyendo de la venganza del padre y de los hermanos de la guerrillera, que los persiguen. Poco después, tendremos una escena de baño.

Es una secuencia eminentemente púdica, ya que Valentina, que sigue encadenada por una pierna a otra pierna de Pedro Pablo, tapa con una venda, no sólo los ojos del galán, sino también los del caballo. Los espectadores tampoco van a ver gran cosa; las piernas de María Félix entrando en el agua.

Los aullidos de una fiera, cuando están acampados en un bosque, hacen que Valentina, a pesar de su indomable valor, se acerque a Pedro Pablo y ambos duerman uno junto al otro. Nada más. De pronto el guión nos reserva una sorpresa: el contrabandista robó a Valentina para entregarla a un capitán que se había enamorado de ella. Pero cuando, al fin, hace la entrega, el capitán se acaba de casar con otra mujer.

Otra sorpresa viene a continuación; por razones que no se nos aclaran bien, el contrabandista siente un repentino despertar de sus ideas políticas y grita:

PEDRO PABLO: Aquí murió un falluquero y nació un revolucionario.

Y lo primero que hace el recién nacido revolucionario es robarse a la Valentina, a quien primero golpeó hasta dejarla sin sentido, para llevársela cruzada sobre su caballo.

EX. CAMPO. (DÍA)

La historia se repite. Otra vez está Valentina encadenada a un árbol, robada y frenética. Ha amanecido y su raptor la contempla fijamente.

PEDRO PABLO: Ya otra vez la robé por encargo, por obligación y por salvar el pellejo. Esta vez la cosa ha cambiado.

Cuando el padre y los hermanos de Valentina reanudan la persecución de robador y robada, se enteran de que, curiosamente, ella ha desfallecido de amor. La escena no se ve, pero se oyen las voces de Valentina, a lo lejos, que pide que ya no los persigan.

"Y en seguida, la inconfundible voz de Valentina tocada de un desfallecimiento y un tono romántico que viene en alas del aire."
VALENTINA: ¡Yaaaaaaaaaaa!

FIN

La Valentina, viuda madura y virgen, ha sido desflorada por el contrabandista,
el cual, para que se le perdone esta acción, se ha convertido previamente en revolucionario.

Hay que suponer que los espectadores, al salir de la sala, piensan que si tal
hecho se hubiera producido al comienzo de la película se hubieran ahorrado
una historia verdaderamente absurda.

Algunos aspectos, sin embargo, del guión merecen un comentario.

El cine mundial ha usado múltiples veces, a lo largo de su historia, del miedo
que ciertos bichos o animales producen a las mujeres. Miedo que, bien manejado, les permite caer en los brazos de sus acompañantes.

En "Juana Gallo", María ve unos ratones y se acomoda prestamente en los
brazos de Jorge Mistral; en "La Valentina", María escucha los lamentos de un
coyote y se va a dormir junto al Piporro.

Estos dos gestos paralelos no parecen encajar ni en el temperamento mostrado por Juana Gallo a lo largo del film, ni en la furibunda voluntad de resistencia de Valentina, tal y como la vemos en la película. Pero tampoco ambas situaciones parecen encajar en el carácter de María que, como siempre, se impone sobre el supuesto carácter del personaje. No es que no podamos pensar que
María teme a un ratón o a un coyote; lo que se nos hace más difícil de creer es
que use ese truco para acercarse al varón.

A juzgar por el comportamiento anterior de la Valentina, ella hubiera elegido
el camino de matar al coyote y luego acostarse con el contrabandista, si esto es
lo que pretendía. La escena en la que María tapa los ojos al caballo, para que
no la vea entrar desnuda en el agua, tiene, que yo sepa, importantes precedentes
en el mundo fílmico.

En una vieja comedia de Harold Lloyd vemos al cómico que cubre los ojos de
un pavo, al que ha de matar para celebrar con un asado las Navidades. Buñuel,
en "El ángel exterminador", hace que Enrique Rambal cubra los ojos de un
cordero al que han decidido matar con un cuchillo, para comérselo. En las tres
ocasiones se presupone que el animal tiene las suficientes condiciones humanas,
como para reaccionar ante una situación que sólo a los hombres puede conmo-
ver. El pavo de Harold Lloyd, el cordero de Buñuel, son vendados para que no
vean cómo se produce su propia muerte. El caballo de la Valentina es vendado
para que no caiga en la lujuria.

El vigoroso pudor de María, que le hizo ocultar su cuerpo durante muchos
films, llevó a los guionistas a inspirar este gag no por antiguo menos curioso.

El film ha de verse como una comedia a favor del Piporro y una inconcebible
cesión, por parte de la sonorense, de buena parte de su prestigio. En cuanto a
los valores revolucionarios, pienso que se hubiera hecho un favor a la Revolución situando la anécdota en otro país.

LA MUJER QUE SOÑABA
LOS SUEÑOS DE DALÍ

47. *La Generala*.1966

—¿Qué siente ser estrella?
—Es algo que se quema en silencio, pero que se quema
despacio.
CARLOS FUENTES.

La productora Churubusco, S.A., distribuyó la siguiente sinopsis de "La Generala":

"Los hermanos Manuel y Mariana San Pedro son dueños de una rica hacienda.
Entre ellos existe un gran cariño y algunas actitudes permiten suponer un amor
incestuoso. Manuel es un general revolucionario; sus ideales lo llevan a luchar,
pero al mismo tiempo lo alejan de la realidad de la lucha y acaban por llevarlo a
preferir la muerte. Triunfa la Revolución y se procede a desarmar a los grupos,
de lo que se encarga el coronel Feliciano López; hombre de extracción popular;
para él la Revolución sólo podrá llevarse al cabo mediante el compromiso personal. Su ineptitud lo lleva a cometer una traición en contra de Manuel, al que
da muerte. Algunos de los hombres de Manuel San Pedro, encabezados por
Rosauro Márquez y Jesús Sosa, se marchan a la sierra a esperar que la promesa
del reparto de tierras sea cumplida. Rosauro Márquez es un caudillo campesino; busca el reparto de tierras, pero desea participar de las formas de vida de los
antiguos hacendados. Enamorado de Mariana, olvida el sentido original de su
lucha. Mariana, quien logra salvarse de la matanza ejecutada por el ejército federal a las órdenes de López, huye a la sierra y se reúne con Rosauro. Desde ese
momento recibe el nombre de La Generala. Mariana es, entre todos, la única
consciente de su impotencia ante su propia naturaleza. Su rencor le impide tanto participar plenamente en la lucha como alejarse de ella.
Mariana y Rosauro se trasladan a la capital con el fin de conseguir armas,
que les venderá un extranjero. Mientras lleva al cabo su misión, La Generala
conoce a Alejandro Escandón, un ingeniero alejado de la política al que su escepticismo lleva a desdeñar la Revolución; sin embargo al conocer a Mariana se
da cuenta que hay algo que quiere preservar de la destrucción. Alejandro tiene
un marcado parecido físico con el extinto Manuel. Alejandro y Mariana sienten
inmediatamente una mutua atracción. Aparece en la ciudad el coronel López, y
Mariana, valiéndose de que no la conoce, lo enamora, lo atrae a su casa y una
vez en ella ejerce su venganza, castrándolo. La Generala y Rosauro huyen a la

334

sierra y Mariana continúa su venganza eliminando uno a uno a aquellos que ayudaron a López a consumar su traición. Alejandro sigue a Mariana y cuando la encuentra le pide que se case con él y olvide ya los agravios recibidos. Mariana acepta. Al saber que López ha vuelto, Rosauro regresa al lugar en que quedó Mariana y es hecho prisionero por López, quien lo detiene como rehén con el fin de lograr que La Generala se entregue.

Cuando La Generala está frente a López, sola ante su destino, saca sorpresivamente una pistola y dispara a quemarropa sobre el coronel, que cae herido de muerte. Al ver esto, los hombres de López acribillan a La Generala. En el sitio del encuentro, el patio de la hacienda de Mariana, sólo quedan, muy juntos, los dos cadáveres.

FIN

En ''La Generala'' se nos ofrece uno de los más pintorescos y estrafalarios espectáculos del cine nacional; María cae herida, sufre alucinaciones y la cámara nos muestra lo que ella sueña.

Estamos ante la cola estética de la temática de Alejandro Jodorowsky, pero sin el buen gusto que Alejandro sabe proporcionar a sus secuencias mágicas.

Jodorowsky dejó en México todo un estilo de cine de lo onírico que no servía a ninguna razón viable, sino que parecía gozar en la acumulación de efectos y bellezas al servicio de una moraleja casi siempre elemental, cuando no ridícula.

Juan Ibáñez va a recordarnos al peor Jodorowsky en una larga pesadilla en la que María aparece con el rostro pintado de blanco y con una descomunal peluca en la que se enredan serpientes de metal a la busca del mito de Medusa.

Hay tantas referencias en esta serie de escenas que el espectador pasa de un daliniano caballo que arde en una cruz de madera, a un enano de espalda desnuda que jamás habría sido mostrado por la honestidad de un Buñuel. Supuestas brujas enharinadas danzan mirando a la cámara y haciendo guiños feroces frente al objetivo, mientras una música, sin ninguna inspiración, parece poner a todo este enredo una nota de pachanga de borrachos. María, sacada de forma tan violenta de su mundo elegante y digno, está tan cómoda como podría estarlo un pulpo en un garaje; con el rostro blanco, los pelos revueltos, los brazos agitándose constantemente, da vueltas a la busca de su verdadera personalidad perdida en aras de la inutilidad cinematográfica.

Hay que suponer que María Félix aceptó esta secuencia llevada por su curiosa disposición hacia lo esotérico pero lo que aquí se nos muestra no tiene nada de mágico, sino de chocarrero. El misterio está ajeno a esta secuencia, filmada sin gracia y sin genio. Uno no entiende cómo con una tradición tan larga y tan profunda en cuanto a brujas y aquelarres, el director haya caído en esta escenografía superficial y sin arte. Bastaba con que hubiera vuelto los ojos a Goya, en vez de quedarse con Jodorowsky, para salvar la secuencia.

Cuando María despierta en su cama, afirma:

—La fiebre me ha revelado muchas cosas.

El espectador, para el cual nada ha sido revelado, se asombra, pero María añade:

—Estoy muy confusa.

Con lo cual se sitúa en la misma actitud mental que los espectadores, a estas alturas ya estupecfactos.

Otras frases del film:

CARLOS BRACHO: Déjame llevarte lejos de aquí. Este país no es para naturalezas como la tuya.

MARÍA: Yo creo que la culpa la tiene mi naturaleza y no el país.

MARÍA: Balas no matan amores.

MARÍA: Tengo miedo como los animales.

MARÍA: La Revolución no se hizo para los animales.

María atrae al coronel que causó la muerte de su hermano, lo lleva a la cama y sale del dormitorio vestida con un elegante salto de cama. Entran sus secuaces y dominan al coronel y lo atan. María vuelve a entrar en el dormitorio; ha cambiado de ropa. Ahora trae puestos unos pantalones que parecen simbolizar su venganza. Ignacio López Tarso le entrega un cuchillo curvo y ella va hacia el aterrado militar y lo capa, por lo visto con gran destreza. Poco después vemos cómo el coronel está en la cama, aún reponiéndose de la operación, y se mira a un pequeño espejo de mano. Lo que ve le repugna, y lanza el espejo contra la pared. No es fácil tomar todo esto en serio.

El guión describe a la protagonista de "La Generala" de tal forma, que bien se ve que ha sido escrito para María Félix. Hay un curioso regodeo en este retrato de una mujer a la que todo el mundo conoce y cuyas características, en un guión, parecen innecesarias. Al mismo tiempo se incorpora un gesto de María que viene a señalar en los guionistas la curiosa tendencia de la actriz a sentirse hombre en sus películas.

Voy a copiar esta secuencia tal y como aparece en libreto:

CORTE A

INT. ALCOBA MARIANA (HACIENDA SAN PEDRO TXONTEMOC). AMANECER

"Confinada al fondo de un armario vemos la fotografía de un hombre. Viste gallardo un elegante traje de charro y sumiso, a sus pies, se encuentra echado un enorme mastín. Entra a cuadro la mano de una mujer que, acariciándolo casi, deja unos prismáticos al pie de la fotografía. Al cerrar la puerta, en la luna empotrada del armario, descubrimos reflejado el rostro de "Mariana San Pedro." Posee una severa belleza criolla, similar a la del hombre cuyo retrato viéramos al fondo del armario. En ambos, la nariz recta arranca de una frente despejada. La boca, dibujada y corta en los dos, tiene en las comisuras una leve marca de entusiasmo y resolución. Sus complexiones ostentan el transparente dorado que vierte el sol sobre una piel blanquísima; el pelo, claro en él, en ella es castaño oscuro y recogido sobre la nuca, dejando libres las orejas sin pendientes. Al retirarse la cámara advertimos que entre las manos, cuidadosamente doblado, tiene el mismo atavío que engalanara al hombre en la fotografía. Amorosa a fuerza de tanto cuidado, lo desdobla para luego ceñírselo por encima de su propia ropa. Sonríe complacida, cual si coqueteara consigo misma. Luego, tras de doblarlas lentamente, se aleja hasta desaparecer llevándose las prendas consigo. Viste de negro. Al fondo, entre el blanco de los muros y el café de los muebles, resaltan, azules y galoneadas de beige, las cortinas y la cubierta de la cama, provista de dosel. Desde sus nichos varios santos niños y el Niño Dios adornan la habitación.''

El traje de charro, símbolo nacional de la hombría, es entregado a María para que ejecute todo un acto ritual frente al espejo. La protagonista se sueña hombre al ajustarse, sobre el cuerpo, el vestuario del macho, mientras los dioses la contemplan desde sus altares.

La leyenda de la Félix hombruna, de sus pantalones simbólicos y de su ropaje negro y agresor, va a tomar cuerpo de una forma decidida en este film, que parece intentar darnos las claves necesarias para intentar descifrar el misterio mexicano de una estrella. Pero todo esto no es sino una balbuceante visión que no nos llevará sino a la inutilidad.

María parece haber tenido mucha fe en el argumento, ya que uno de los inversionistas que hicieron posible este film fue Alex Berger, su esposo.

La protagonista de este último film se llama ''Mariana San Pedro''; es curioso cómo los guionistas de las películas de María parecen siempre no querer alejarse del nombre de la estrella; como si se negaran a conferirle una personalidad que de alguna forma nos alejara del ser vivo que María es.

En ''La Bandida'' se incluye un diálogo que no sólo se ajusta a la identidad de la protagonista, sino que la sitúa poco menos que en el reino de los cielos.

GÓMEZ: ¿Cuál es tu nombre de pila?

LA BANDIDA: María.

GÓMEZ: Entonces no puedes ser tan mala. Te llamas como la Reina del Cielo.

La Bandida, habiéndose acercado ya a los ojos del espectador, a María Félix y a la Virgen María, sonríe.

Si la Doña puede ser semejante, en cuanto a imagen, a la Virgen María (''Tizoc'') no hay por qué andar buscando nombres nuevos; por eso aparece en sus películas como:

María Ángela, María Eugenia, María Romano, María Mendoza, Mariana San Pedro y María a secas.

Cuando, al fin, deciden alejarse algo de este nombre clave, no se alejan mucho: Mara, Malva Rey, Margot, Manuela, Mónica, Mercedes Mallea y Maclovia.

Quince años después de terminada la última película de la ''Doña'', un periodista afirma en una crónica fechada en París:

''Les dije que si en México alguien pregunta por María, nadie responderá: ¿Qué María? Porque sólo hay una.''

Los católicos, sin embargo, dirían que hay dos.

Acaso convenga relacionar aquí los otros nombres de María.

''María de todititos los ángeles'', como dijo Efraín Huerta.

''Mariachi'', como la llama el fotógrafo Figueroa.

''Machángeles'', como la llamó Agustín Lara.

''La Doña'', como la llama el pueblo. ''Doña Mayor'', que dijo José Luis Ibáñez. O, para parafrasear una en su tiempo famosa telenovela: ''Simplemente María''.

337

Es este el último film que hará la "María de todas las Marías". Millonaria con su hijo convertido ya en una figura del teatro y del cine, con casa en París y en México, con una cuadra de caballos en Francia y una suite en un hotel de Nueva York, la pelea ha terminado.

Cinco matrimonios oficiales son, por otra parte, suficientes. No será necesario volver a oficializar el amor.

Frente a la envidia y el despego de algunos, el entusiasmo desbordado de otros muchos, entre ellos los mejores o los más famosos.

Leonor Fini la pintó envuelta en plumas y cadenas de oro; la Carrington hizo un óleo titulado "La maja tarot", en el que la "Doña" se desdobla en dos y también un tríptico de sirenas con rostros de Marías; Sofía Bassi la convirtió en árbol y Lepri en mariposa.

Salvador Novo, quien muere en 1974, a los setenta años, ha suavizado sus sarcasmos para acercarse a ella, hasta el punto de haberle dedicado una "Definición de María Félix", en febrero de 1968.

> ¿Hallarle consonante a Félix?
> El más apropiado es el ix-
> ir de la juventud eterna;
> aunque por otro lado o pierna,
> si por error decimos elix
> taccíhuatl, nos acerqueremos
> a definir lo que queremos:
> (pues lo correcto es decir Izta,
> en grave como en Chimaliztac).
> Ya salió el buey de la barranca:
> Iztaccíhuatl es Mujer Blanca,
> mujer volcán de níveo copo,
> arropada cerca del Popo
> a enmarcar el valle de Anáhuac
> y a embellecer el Cemenáhuac.
> Pantalón en lugar de enaguas,
> la dulce lengua de los nahuas
> le dieron nombre de Citlálin
> a esta mujer que a troche y moche
> brilla de día y de noche,
> y a quien le profesamos tal in-
> tenso amor cuantos la admiramos:
> a esta Malintzin, que otra vez,
> ¡en Alex tiene a su Cortés!

En su libro *Diálogos*, en el que opone a la Malinche con Carlota y a Sor Juana Inés de la Cruz con la poetisa Pita Amor, Salvador Novo hace hablar a María con la Güera Rodríguez. Más tarde la Güera Rodríguez, apasionado amor de Bolívar, va a ser llevada al cine y a la ópera por el escritor Julio Alejandro. En este diálogo entre figura histórica y belleza cinematográfica, hace que María aparezca como indiferente ante la fama de la Güera, a la que desconoce e ignora.

LA GÜERA: ¿Eres tú en tus películas?

MARÍA: Yo existo fuera de ellas. Mientras que usted. . .

LA GÜERA: Existí sin ellas, y a tus ojos, no perduro más allá de esta imagen que me estatiza y me preserva. ¿No es eso? Pues mira; aunque así fuera (y enseguida he de demostrarte que no es así), me consideraría desde luego más afortunada que tú, porque los pintores de mis tiempos sabían respetar a sus modelos, y los plasmaban tal como eran, sin aspirar a la jactancia de servirse de ellos para lo que estos pedantes de hoy, los que te hacen retratos, llaman sus creaciones. Cuando dentro de algún tiempo, en un museo o en una tienda cualquiera de antigüedades, se encuentren de nuevo este retrato mío y uno tuyo, perpetrado por Diego Rivera. . . volveré, te lo aseguro, a parecer más bella que tú.

MARÍA: Es posible; pero no me preocupa. Si ya estoy muerta, lo mismo me dará.

Más tarde cuenta esta María de Salvador Novo que conoció a don Artemio del Valle Arizpe, el singular y ocurrente cronista de México. Parece que esta anécdota es cierta y que Novo la aprovechó para su libro.

MARÍA: Una vez, en un restaurante, iba yo con Agustín (Lara). Entonces estábamos casados. Y Agustín se adelantó a saludar a un señor muy chistoso, con grandes bigotes y una sortija exagerada. "María, me dijo, te presento a don Artemio. Ya sabes quién es, ¿verdad? Yo, naturalmente, dije que no, como era cierto. Agustín se puso muy colorado y dijo: Qué pena, porque en cambio, claro, don Artemio sabe muy bien quién eres tú; ¿verdad, don Artemio? Y entonces ese viejo malcriado, ¿sabe usted lo que dijo? Pues dijo: ¡Ay, claro, quién no conoce a Pituca de Foronda! ¡Figúrese! ¡Confundirme a mí con Pituca de Foronda!

María afirma que comprará el libro de don Artemio en el que cuenta la vida de la Güera Rodríguez y lo hará adaptar, "para que yo salga con pantalones en alguna secuencia".

El "Diálogo" termina cuando Salvador Novo establece varias diferencias: "entre un escritor y un periodista hay la misma diferencia que entre una película y un libro y una estrella de cine y una actriz".

María, en contra de lo que cabría esperar, no se indignó con Novo. Lo tomó con calma.

Pocos homenajes más le quedaban a María, porque hasta ya tiene cines con su nombre y un bar, en hotel elegante, que ella misma bautizó.

Pero el cine, que le ha dado tanto, ya no le podrá dar mucho más. Viuda de un hombre millonario, viajera y libre, va a entender que cuarenta y siete pasos por la cinematografía son suficientes y que la meta no sólo ha sido cumplida, sino que ha quedado atrás.

Lo que viene serán juegos con la prensa, promesas de hacer uno u otro film, contratos no cumplidos y escándalos provincianos que se olvidan al llegar a París.

—María, ¿qué le falta a usted por hacer? Ya lo ha hecho todo.

—No se crea. Aún me falta morirme.

Y lo dice apoyándose en su voz grave, serenando el rostro, inmóviles, por una vez, las manos.

Y es que la muerte ha venido acercándose a su vida.

El día seis de noviembre de 1970 se muere Agustín Lara.

El día 31 de diciembre de 1974 se muere su esposo Alex Berger, en el Hospital Americano de París.

El día 23 de septiembre de 1980 se muere Enrique Álvarez Alatorre, su primer esposo. Tenía 72 años y radicaba en la ciudad de Guadalajara, en donde se había casado de nuevo y tenido hijos.

—Ya soy muchas veces viuda.

Pero los momentos sombríos pasan veloces por la vida de María. Los periodistas descubren que se acaba de enamorar de nuevo. Su joven amor es pintor, dicen.

Sin embargo esta historia termina cuando termina el cine. Cuarenta y siete pasos por la cinematografía es una larga andadura, en la que se entrelazan su vida y sus ambiciones; sueños y victorias. Ha pasado por el cine como quien diseña un puente, traza un proyecto, inventa su propia vida. Dijo que no a Hollywood porque ella era reina o no era nada. Ninguno de sus films está a la altura de su personalidad.

Un día, definitivamente, habrá que hacer la película de María, reuniendo los mejores momentos de la estrella.

Desgraciadamente, en su filmografía hay mucho que olvidar. Fue, eso es cierto, víctima del cine de su tiempo. O, si se quiere, víctima de su víctima: el cine.

LOS PASOS PERDIDOS
PRIMER PASO EN FALSO

1. *Zona sagrada*

Las heridas no se besan, se lamen.
LA MARÍA DE CARLOS FUENTES.

En el año 1967 apareció la novela *Zona sagrada*, de Carlos Fuentes; de inmediato los lectores advirtieron la semejanza entre la protagonista, "Claudia Nervo", y María Félix.

Fuentes no sólo describe a "Claudia" como María es, sino que la sitúa en la casa de María, rodeada de cuadros conocidos y de personajes secundarios que son identificables.

La novela está narrada por el hijo de Claudia, un hombre de veintinueve años, débil, enamorado de su madre, colmado de angustia y desesperanzas.

Por entonces el hijo de María Félix, el actor Enrique Álvarez Félix, era ya un personaje popular que aparecía constantemente en la televisión. Justamente en ese año se estrena "Los caifanes", película de Juan Ibáñez que obtuvo un gran éxito y en donde Enrique tuvo un papel principal. El hecho de que Claudia Nervo fuera tan claramente un traslado a la novela de la personalidad de María Félix, obligaba a suponer que el hijo de Claudia, a quien llaman en la novela indistintamente Guillermo, Guillermito o Mito, sería un retrato de Enrique. Esto último resultaba, por lo menos, peligroso para el actor, ya que el personaje es tortuoso, sexualmente frustrado y presionado por un complejo de Edipo que le tortura en todo momento. La posibilidad de llevar al cine *Zona sagrada*, pareció a muchos productores atractiva y se comenzaron a preparar adaptaciones.

Curiosamente se dejó conocer que María Félix y su hijo estarían dispuestos a interpretar los dos personajes principales.

Esto podía convertir el film en un escándalo y por lo tanto en un éxito.

En el año 1968 se registró una versión de *Zona sagrada*, escrita por Leopoldo Torre Nilson, Beatriz Guido y Luis Pico Estrada.

En el año 1971, otra adaptación fue registrada en la Sección de Autores, en México; estaba firmada por el propio Carlos Fuentes y Luis Alcoriza.

Jamás se llevó al cine *Zona sagrada*, pero la novela y estos dos documentos son importantes, no sólo para estudiar la personalidad de María Félix, sino para acercarnos a tres interpretaciones del mito de María, a través de documentos literarios que tienen, cada uno de ellos, actitudes diferentes y reveladoras.

Es posible que María afirmara estar dispuesta a hacer la película solamente para mantener su nombre en el vértice del escándalo y que jamás pensara en interpretarla seriamente.

Acaso no vio lo que de peligroso tenía para ella y para su hijo aceptar este trabajo o, sencillamente, no le dio importancia en un principio y luego fue bien aconsejada.

La lectura de la novela y de los dos guionistas resulta interesante para conocer la interpretación que Carlos Fuentes y sus adaptadores estaban dispuestos a ofrecer de la personalidad de María Félix, ya que no parece posible que se niegue la similitud o cercanía de "Claudia" con "La Doña".

La novela está dividida en 19 capítulos narrados en primera persona por "Guillermo", el hijo de "Claudia Nervo". La línea argumental puede ser descrita a través de los acontecimientos que cada capítulo relata.

1. Rodeada de personas, Claudia posa para un fotógrafo de *Life*. La rodean las jovencitas que viven con ella, un grupo de muchachas muy bellas de diferentes nacionalidades. "Mito" describe a su madre:

"Sus ojos negros se retraen, tensos, antes de saltar con las garras de la burla, la cólera o la risa más espontánea."

"Reta a sostenerle la mirada con una ironía suspendida entre la aceptación y el rechazo eventuales. . ."

"Claudia se abraza a sí misma y es una pantera oscura, peligrosa, tierna. . ."

En un momento dado Claudia parece advertir la presencia de su hijo, que llegó a la casa sin ser invitado o anunciarse y hace una seña de alegría. "Mito" se dispone a ir hacia su madre cuando descubre que ella estaba dirigiéndose al galán de su próximo film.

2. "Mito" describe cómo cuando era un niño su madre lo rapta de la casa de su padre, en donde era atendido por su abuela.

"Mito" describe la casa de Gudalajara en donde vivía y también los pavores infantiles; amenazado por "el robachicos, las gitanas, las brujas, las lloronas, los rateros con sus ganzúas, los bandidos que cortan los dedos de los niños. . ."

"Yo me acurrucaba, extendía las piernas, volvía a recogerme, abrazado a mí mismo, temeroso de que ese calor eufórico del vientre no pudiese prolongarse y allí pasaba las horas."

3. "Mito" recuerda la voz de su madre: "Las malas lenguas dicen que es una voz de sargento."

Claudia descubre que su hijo le robó un suéter de cachemir. "¿Quién te dio permiso de usarlo?" "Mito" recuerda que Claudia "viene de una tierra de ganaderos y revolucionarios, de gente a caballo".

"Mito", con el suéter sudado en la mano, grita: "¡Te odio!", con la esperanza de que su madre y el galán cinematográfico, que "están allá abajo, en la sala", lo oigan. . .

"Mito" lleva en su auto a una de las jóvenes de su madre, llamada Bela.

"—Ahora sabrás, pobre de ti, que mi madre devora, porque no admite la ilusión y castra porque su vida es más violenta que tus lentos sueños, miserable tortuga perfumada y sin rostro."

"Después la abandona y "Mito" corre a su casa. "Mi país privado, mi zona sagrada."

4. "Claudia" y "Mito" se reconcilian. Él sufre un ataque de celos. Hablan por teléfono, Mito dice:

—Sabes; si pudiera colarme por la línea telefónica y llegar hasta ti y darte un beso.

—Lamerme, dirás.

—Mamá. . .

—Las heridas no se besan, se lamen.

5. "Mito" cuenta que está rodeado de perros. Perros que le siguen por el apartamento "tristones, fracasados, sin oportunidad de probarse o probarme".

6. Sobre los negocios de Claudia y su forma fría y perfecta de llevarlos.

—Yo nunca he querido filmar en Hollywood. Yo, como los toreros, ¿hablar inglés? Ni lo mande Dios.

7. "Mito" confiesa que ha sido un niño débil, del que abusaban los otros muchachos en los colegios.

Una vez llega muy sucio a su casa y Claudia le dice:

—Vaya. Así quería verte. Hombrecito.

Juega con pajarillos que se le mueren en las manos.

8. "Mito" nos cuenta que tiene escondido el suéter gris perla de cachemir que robó a su madre. Un suéter sucio y sudado. "Tengo que acariciar el suéter una vez más y recordar cómo lo sustraje del closet de mi madre y cómo me dormí con su suave pelusa cerca de mi mejilla." Sabemos que el mismo suéter lo usó Jesús, el amante de una criada.

Y "Mito" imagina a Jesús, "Prieto y fornido, con la frente estrecha, balanceando la canasta de pan sobre la cabeza, montado en su bicicleta y chiflando por las calles, mientras enseña los bíceps descubiertos, el suéter arremangado de mi madre. . ."

9. "Mito" ve a su madre en los *stills* de una película exhibida en un cine del Paseo de la Reforma. "Más cerca, más cerca y más mía. Me atrevo a pensarlo porque la veo sin ser vista."

"Ha perdido la ceja arqueada y el falso lunar", dice, al contemplar las fotos.

Después se reúne con una chica, la lleva a su casa, ella se desnuda y él grita: "No te acerques, ofrecida".

10. "Mito" habla de los libros que ha leído y lee. Encuentra a un joven en una librería. Lo imagina, lo sueña.

11. En el banco rechazan uno de los cheques mensuales que su madre le envía. Persigue a "Claudia" y la encuentra en la casa de su modista. Ella lo castiga porque salió con una de sus chicas.

Claudia: No entiendes la diferencia. Yo sería débil si resistiera las tentaciones; tú eres débil al aceptarlas.

Cuando "Mito" le dice que ella se hubiera muerto de no haber abandonado a su esposo, el padre de "Mito", Claudia responde:

—Qué va. Allí donde quiera, yo hubiera sido yo. Lo que pasa es que ellos no podían seguirme. Te digo que estoy abierta, santito. El que quiera, que me siga. Creo que nunca rechacé a nadie. La gente se me ha quedado atrás, eso es todo.

Claudia se desviste frente a su hijo. Pasean juntos bajo la mirada de las gentes. Esa misma noche llega el nuevo cheque.

Narra sus angustias de niño internado en un colegio.

12. De forma delirante habla de un amigo, en Italia.

13. Habla de "Claudia" con otra persona. Ésta le dice que "Tú no la recuerdas cuando todavía era una mujer insegura. Sencillamente, temía que la aceptaran demasiado por su belleza y que al mismo tiempo rechazaran su personalidad. Ahora sabe que las dos cosas son lo mismo y ya no se preocupa."

14. Una fotógrafa está haciendo un álbum del "más hermoso establo viril del Reino Unido". Quiere fotografiar a Claudia, que sería, en el álbum, la única mujer. "¿No encuentras que tiene algo muy masculino?"

"Claudia" grita, aúlla, tras de la puerta cerrada. Le dicen a "Mito" que ha dejado de fumar y sufre.

15. Narra cómo tortura a sus perros.

16. Claudia responde a una entrevista con frases que hemos oído en boca de María Félix.

17. "Mito" recuerda los films que "Claudia" hizo y que son, también, los que María Félix interpretó:

"Tú eres la enamorada del general y por él abandonas tu hogar y caminas descalza hacia el crepúsculo con la tropa". . . la cantante de cabaret, la soldadera, la monja castrense, la reina de la Belle Epoque, la madrota de un burdel, la maestra de escuela, la princesa maya. . .

18. Delira cómo matar a Claudia. "Pero si la mato para comérmela, ¿dónde me enterrarán y quién me velará cuando yo muera?"

Cuenta que salió de la clínica, la ropa le queda grande, pero ya no delira. "Ahora razono lúcidamente."

19. Vuelve a la casa de "Claudia" en México. Está cerrada, abandonada. Entra en la habitación de "Claudia" y se viste con su ropa interior, con su vestido. Se maquilla, se coloca el falso lunar.

Los criados ponen música y se pelean entre sí.

"Mito" se lamenta porque "tardamos en abandonar el vientre de nuestra madre, aunque ella pujaba por parirnos; creíamos que salir de ella, abandonarla, era morir".

En la edición de *Zona sagrada* de Siglo Veintiuno, se incluye un comentario de François Bott aparecido en *Le Monde*, París; "Claudia es un monstruo sagrado; actriz mexicana mimada, adorada. Una devoradora de diamantes, una flor carnívora, una castradora. . . El hijo mira la carne como un tabú, una carroña, la máscara de la muerte, y cuando galantea con una muchacha (Bela) lo hace bajo la mirada de su madre, como un descenso a los infiernos, para que su madre, al fin, se interese por él."

PRIMER PASO EN FALSO.
Los sesenta... Había dicho adiós al cine en 1966. María es aún
más bella que al comienzo de su carrera. (Foto: Jesús Magaña).

Fuentes maneja la realidad de María que todos conocemos, mezclándola con elementos inventados, pero las menciones a las películas que María interpretó, la relación de frases que sabemos son de la "Doña", la descripción de cuadros que María tiene, de lugares en donde vive, etc., hacen que puedan ser aceptados, como otras realidades, los hechos que se narran. Si esto fuera así, el hijo de María vendría a ser el "Mito" que mantiene hacia su madre un amor incestuoso y místico.

El peligro de que el lector del film y el espectador de la película lo entiendan de esta forma es, sin duda, estimulado por el propio novelista a través de la multitud de notas realistas que en la novela incluye.

Los adaptadores tenían que buscar, justamente, estos elementos para crear la historia; ya que la literatura enfebrecida con la que "Mito" narra su drama, no es trasladable al cine. Quiero decir que la película tendría que acercarse, aún más, a la vida de Enrique Álvarez y de María de los Ángeles Félix, apenas encubiertos por los nombres de Claudia y "Mito".

El film, aun cuando los adaptadores y el propio novelista siguieran manteniendo la teoría de que se estaba contando la historia de una pareja imaginaria, sería visto por todos como una confesión desgarrada interpretada por los propios protagonistas del drama.

El momento más difícil para los adaptadores es aquel en el que "Mito" se viste con la ropa de su madre y se pone en el rostro el famoso lunar que caracteriza a María Félix.

En 1971 Carlos Fuentes y Luis Alcoriza sin duda tuvieron en cuenta el riesgo que conllevaba esta escena que podía resultar tan brutal como para que los protagonistas se negaran a interpretarla. Resulta elocuente la forma en que llevaron a cabo este trabajo de traslación al guión de la delirante escena de la novela.

Mito está despidiendo a su madre en el aeropuerto y descubre que "su mejor amigo" va con ella. Desesperado corre hacia Claudia gritando. Algunos empleados intentan detenerlo; él los aleja a empujones. Llega junto a Claudia.

GUILLERMO (Casi llorando): ¡Se va contigo! ¡Él es mi único amigo! ¡No me lo quites! ¡No hagas que lo odie!

CLAUDIA: ¡No te he quitado nada; sólo te he dado, como siempre! Pero tú no sabes poseer las cosas.

GUILLERMO: ¡Él no puede ser tuyo sin mi consentimiento! ¡Ustedes son míos! ¡Míos!

CLAUDIA: ¡Tú sólo pides, pides! Como si todos tuvieran la obligación de renunciar a las cosas para que tú las tengas. Niño pendejo; tú no tuviste que luchar por las cosas. Yo sí.

Vemos cómo Claudia sube al avión y éste despega.

Después se nos presenta a Guillermo en su departamento, viendo una película de su madre. Ella ríe a carcajadas en la pantalla. "Mito" está sucio, descuidado. Sus criados están junto a él. Los criados beben cerveza y se acarician. Tiene "Mito" en las manos un zapato o una prenda de su madre.

Guillermo se levanta y sale corriendo de la habitación.

Copio la secuencia final tomada directamente del guión aún no publicado:

Se abren las puertas de un closet repleto de pieles y suntuosos trajes de mujer.

GUILLERMO aspira con los ojos cerrados el intenso perfume de la ropa; la acaricia, la huele y la besa.

Sufre un acceso de furia y se arranca el costoso reloj de la muñeca; lo tira al suelo; luego arroja también una sortija y pequeños objetos que saca de los bolsillos: cartera, un llavero de oro, dinero.

No conforme con eso, en su afán de desprenderse de cuanto le ha sido dado por su madre, empieza a desnudarse a tirones.

T.S. de GUILLERMO recostado, desnudo, en la cama, en posición fetal.

Una figura de espaldas, que hace el gesto femenino de abrocharse el brassiere.

La figura, envuelta en una capa de plumas, se acerca al tocador y toma asiento frente a los espejos. En uno de los espejos se ve reflejada, atrás, la figura acurrucada de GUILLERMO en la cama.

La figura, el espectro de CLAUDIA, quizá un fantasma de la imaginación de GUILLERMO, la encarnación de un mito de la unión sustancial de madre e hijo o el simple delirio onírico de GUILLERMO soñándose convertido en su madre, se mira en el espejo, toma una lentejuela negra y se la coloca, a guisa de lunar, en el pómulo.

Luego, esta figura misteriosa cruza las manos y baja la cabeza con tristeza, mientras detrás de ella duerme GUILLERMO. El espectro triste parece Luzbel, el ángel caído, el diabólico y melancólico doble de Dios.

La IMAGEN SE CONGELA unos instantes y luego se DESVANECE. Siguen, sobre FONDO NEGRO, los C R É D I T O S.

F I N

Tengo también en mis manos el guión que sobre la misma novela hicieron, en el año 1968, Leopoldo Torre Nilson, Beatriz Guido y Luis Pico Estrada.

En las escenas finales "Mito" corre hacia su madre en el aeropuerto. Abraza a su madre "con desesperación, con una tremenda ansiedad".

GUILLERMO: Mamá, Claudia, mamá, quédate aquí. Échalos a todos, termina con todos, ven, vuelve, no te vayas.

Ella lo acaricia "como a un animalito".

CLAUDIA: Tonto, nunca sabrás que no quiero tenerte lástima, que la piedad es lo que menos se parece al amor.

El avión sale.

Guillermo, en la habitación de Claudia, pasa su mano sobre un vestido de ella. Hay un montón de ropa desparramada. Entre ellas "Guillermo parece un niño o un animal, envuelto en esas ropas, deteniéndose a tocarlas con sensualidad, con desesperación."

Después vemos a Guillermo en su habitación, tiene un zapato de su madre en las manos. Está sin afeitar. "Más sufrido, más imbecilizado".

Los criados se acarician y beben cerveza a su lado.

La película de Claudia se está proyectando en la pantalla. Una lluvia de cerveza mancha la pantalla.

Guillermo, acurrucado, casi en posición fetal, con una sonrisa boba, mientras el parpadeo de la luz del proyector cae una y otra vez sobre su rostro y se fija la palabra.

FIN

El acto de trasvestismo ha desaparecido ya totalmente en esta versión.

Pero aún sigue siendo un documento explosivo que podría llevar a la madre y al hijo a una situación muy por encima de los riesgos sociales que María había enfrentado a lo largo de su vida de estrella.

La novela, aun cuando tuvo un gran éxito, hasta el punto de que se hicieron dieciocho ediciones de 1967 a 1981, está creada dentro de un sistema críptico que protege a las personas en las que se inspira; el cine no tenía esta salida, o narraba los hechos de forma brutal o los eliminaba.

Curiosamente Luis Alcoriza piensa que no fue tanto el miedo al escándalo, como una serie de circunstancias las que entorpecieron la filmación de "Zona Sagrada" hasta impedir que se llevara a cabo, a pesar de que los productores habían comprado los derechos sobre la novela y pagado el trabajo de adaptación de Alcoriza.

—¿Cómo fue el trabajo de adaptación?

—Yo hice dos adaptaciones. La primera era un trabajo mío, personal, y la segunda fue en colaboración con Carlos Fuentes. Yo pensaba que era necesaria la opinión del novelista. Trabajamos juntos.

—¿Había alguna diferencia esencial entre tu primer trabajo y el segundo?

—Sí. En el primero ponía yo más énfasis en la escena en la que el hijo se maquilla y se viste como su madre. María pensaba que denigraba la imagen de su propio hijo. Pidió que la suavizáramos. Yo había escrito unas secuencias que también desaparecieron; las muchachas bellísimas que rodean a la estrella no podían ir a los retretes, porque Claudia los tenía cerrados con llave. Entonces se veía un jardín, con muchos rosales, y entre ellos las cabezas de las chicas, que estaban acuclilladas, defecando o bien orinando. Era un homenaje personal a mi amado Marqués de Sade. . .

—¿Cómo fue la lectura?

—En la casa de María Félix. En un clima de entusiasmo. Pero casi al final comenzaron a producirse problemas. Curiosamente no se discutía el argumento en sí mismo, sino la participación de los dos actores principales. María pidió que la parte de su hijo se redujera. Afirmó que el papel de "Claudia" quedaba opacado por el papel de "Mito", y que a su juicio eso hacía que la película fuera un homenaje a Enrique Álvarez Félix y no a María Félix. Creo que dijo 'La estrella soy yo'. Y también: 'No haré una película para que tú te luzcas.' Enrique se puso furioso y salió de la habitación.

—¿Enrique nunca cuestionó el papel?

—Que yo recuerde, no.

—¿El segundo guión era mejor que el primero?

—Creo que sí. Además fui yo quien insistió mucho en que Carlos Fuentes in-

348

terviniera. Es un autor a quien yo respeto mucho.

—¿La discusión entre madre e hijo fue lo que impidió que el proyecto siguiera adelante?

—Acaso también cuestiones económicas. Ciertamente no lo sé. Clasa Films Mundiales, la productora, parecía muy entusiasmada con la idea de "Zona Sagrada". De pronto todo se derrumbó; eso pasa en el cine.

—¿Conocías la versión escrita por Torre Nilson?

—No. Mucho después supe que había otra adaptación. No la conocí.

—Cuando el proyecto se abandonó, ¿estaba muy adelantado?

—Mucho. Habíamos buscado locaciones y encontrado una casa extraordinaria; la de Amalia Hernández, la bailarina. Nos la había ofrecido y yo pensaba que era el lugar ideal para rodar los interiores. Es una casa inquietante, extraña.

—¿Piensas que María tenía razón en su discusión con su hijo?

—Bajo mi punto de vista, tenía razón. Estaba cuidando su imagen. Es cierto que su papel era secundario comparado con el papel de Enrique.

—¿Trabajaste con María durante la adaptación?

—Sí. Incluso ella me contó cosas de su vida. Una vez me dijo que me iba a narrar hechos que sólo ella conocía; pero que yo no debía repetirlos nunca.

—¿Los repetirías ahora?

—No.

—¿Qué otra secuencia importante recuerdas?

—A mí me gustaba mucho el momento en que María salía del baño, sin maquillar. Y tenía que hablar con unas gentes. Entonces se cubría el rostro con una bellísima máscara. Era inquietante.

—¿Qué opinaste entonces de Enrique Álvarez Félix?

—Que era un joven muy valiente. Con una valentía tremenda. Un estupendo profesional. Quería una gran película y aceptaba el riesgo.

—¿Es María una profesional?

—Sí, una gran profesional. Cuando trabajamos juntos tenía un único problema con ella; llegaba antes de la hora del llamado y esto en ocasiones me obligaba a modificar mis planes. Uno no está acostumbrado a que la estrella se adelante al horario previsto. En Guanajuato cayó por una escalera y se lastimó; pero no quiso que el médico la examinara hasta terminar la escena. Pocas veces he trabajado con alguien más profesional y más valiente.

SEGUNDO PASO EN FALSO

2. *Toña Machetes*

—¿Es cierto que ésta será su última película?
—¿Ya ven que sí? Pues no.
LA MARÍA DE CARLOS FUENTES.

En el año 1954, la escritora Margarita López Portillo ganó el Premio Lanz Duret con su novela *Toña Machetes*. Dos años después la novela fue publicada por Ediciones Botas (México, D.F.) y después olvidada largamente, hasta que la autora fue nombrada Directora General de Radio, Televisión y Cinematografía. Este hecho despertó un nuevo interés por la obra; interés que, sin duda, estaba motivado, en buena parte, por un descarado afán de adulación.

La propia Margarita López Portillo decidió producir la película a través de uno de los mecanismos oficiales y se llamó a María Félix para que hiciera el personaje principal. Lo que siguió fue un divertido enredo, del cual sacó la "Doña" un millón de pesos mexicanos, que le fueron adelantados y que ella no devolvió cuando, en plena crisis del cine nacional, el film fue pospuesto.

La novela está escrita con un estilo muy tradicional, que se deja ver ya en el primer párrafo:

"Llovía torrencialmente aquella noche. Era una tormenta cargada de truenos y vivos y continuos relámpagos que rasgaban la negrura del famoso cielo jalisciense, en el cual agua y sol parecen amarse, pero sólo para reñir a menudo y manar sobre las legendarias tierras que cobijan, ya su amor, ya su ira incontenible, en forma de impetuosos chubascos o de dorados rayos de sol, porque, a poco de llover con inusitada furia, la calma reina en el ambiente y la tempestad se vuelve aroma cálido que brota de la frescura húmeda de la tierra."

El personaje femenino, "Toña Machetes", está dentro de la tradición de aquellos que hizo populares María Félix. No resulta extraño que la "Doña" aceptara las condiciones del contrato, que, por otra parte, parecen haber sido muy favorables a la actriz.

Pero María procuraba cubrirse de la maledicencia:

"No por Margarita, sino porque la novela es realmente buena, haré Toña Machetes." (Marzo 1981.)

La noticia del retorno de la estrella produjo conmoción en México:

"Yo misma propuse la película a doña Margarita." (Julio de 1981.)

Por su parte, la autora, el 5 de septiembre de 1981, afirmó que "La historia la escribí para María Félix"; afirmación que podría ponerse en duda.

En noviembre del mismo año se afirmó que el film se haría en cooproducción con España.

Pero pronto se iniciaron las dudas sobre su verdadero retorno.

"Parece, por el título, que la historia, el personaje, le va bien a María Félix, es de los que ella acreditó. Se piensa que 'Toña Machetes' debe ser un tipo de 'pelo en pecho'; sí, de esos que la hermosa norteña ha hecho con frecuencia y con verdadero acierto. Pero nosotros queremos ver a María frente a la cámara para estar seguros de que su reaparición es un hecho. Lleva varios años sin trabajar y no es tan sencillo meterse después de tan larga pausa en el estudio, los ensayos, vestuario, etc. Pero quiero creer que sí; que María vuelve. Ésta es la tercera vez que se produce el supuesto, puesto que ha tiempo se habló de que haría 'Zona sagrada' con su hijo Enrique Álvarez Félix. Se la echa de menos, no hay duda, y se espera con lógico interés que sea cierto el anuncio." (Columna "Crisol", del diario *Novedades*. Marzo 1981.)

En el mes de septiembre, Margarita López Portillo entregó el Premio Quetzalcóatl a María en una ceremonia celebrada con motivo del cincuentenario del cine sonoro mexicano.

El argumento estaba siendo escrito por Ricardo Garibay y supervisado por Benito Alazraki.

En enero de 1982 se comenzó a afirmar que el rodaje de la película se había aplazado.

En abril de 1982, Alazraki, director de la Productora Oficial Conacine, viajó a Nueva York, para "darle explicaciones a María".

De pronto estalló una polémica entre la estrella y la novelista; María acusó a Margarita de haber puesto en manos de extranjeros indeseables el cine nacional. La novelista respondió señalando que a María no le había ido mal con los extranjeros. (Su último marido era francés.) María dijo que un "virrey" había sido el culpable de que el film no se hiciera.

"El problema —que lo es— de la demanda de María Félix a la empresa paraestatal productora de films, Conacine, vino a poner de moda, otra vez, el añejo problema de evasión de cotizaciones y de impuestos. La fórmula es fácil: el actor (siempre se trata de estrellas) cobra una ínfima cantidad por actuar en tal film y muchísimo más por ciertos 'derechos' por la explotación de la cinta en determinados territorios (*El Sol de México*, de julio de 1982).

María, efectivamente, había demandado a la productora por ruptura de contrato.

Poco después, Ricardo Perete, en la columna "Corte", del diario *Excélsior*, denuncia que "se descubrió que María Félix tiene muchos años sin cotizar ni un sólo peso a su Sindicato" (el de Actores).

María protesta: "Me han tratado como a una huarachuda" (diario *Esto*).

Lo cierto es que la cancelación se hizo a muy pocos días del inicio del rodaje, cuando ya estaban contratados artistas y parece que pagadas partes de los sueldos. María salió para París, a "olvidar el disgusto" (agosto, 1982).

Y un día los lectores de periódicos se enteran de que María cobró un millón como adelanto y que no lo piensa devolver.

Como ella misma diría: "Lo caído, caído."

Nunca ha sido fácil quitarle a María un peso, una alhaja o un crédito en pantalla. "El dinero no hace la felicidad, pero ayuda", suele decir.

En una entrevista con el comentarista Jacobo Zabludowsky (1971) María afirma:

—Bueno, mira, por partes, primero te voy a contestar lo de si soy muy rica. Si yo te dijera delante de todo el mundo que no soy rica, no me lo iba a creer nadie. Ahora yo te voy a decir una cosa que nunca he dicho: que yo empecé a pagar de contado desde que me casé con Alex Berger, porque antes pagaba en abonos, como dicen los mexicanos, o a "temperamento" como dicen los franceses. Ah, porque hacerse rico honradamente, es de la cachetada, Jacobo, tiene uno que remar para hacerse rico.

En otra ocasión le preguntaron si ella haría una película sin cobrar. Una gran película. Respondió:

—No, yo cobro siempre. ¿Se ha visto alguna vez a un indio con huarache que ande descalzo?

La película, por otra parte, vivió aún mas incidentes. El productor Pérez Padilla me contó que Emilio "Indio" Fernández recibió el encargo de escribir uno de los guiones que se hicieron de "Toña Machetes", pero eliminó uno de los personajes más queridos por la autora de la novela: un niño. Cuando entregó el trabajo, el entonces encargado de producir el film, Benito Alazraki, se negó a pagar lo estipulado. El "Indio" por lo que yo sé jamás cobró por su adaptación.

Emilio Fernández se justificaba:

—A mí el niño no me importaba para nada. Me sobró siempre.

"Toña Machetes" se rodó tiempo después, con otro guión, otro equipo de actores y otro director.

Fue mejor así, ya que el proyecto inicial había levantado todo un escándalo murmurado a lo largo y ancho del cine mexicano. Los patrocinadores de la idea sabían de todo esto y se esforzaron en quitar importancia al hecho de que novelista y jefe máximo de la cinematografía mexicana fueran una sola persona. Llegaron, incluso, a falsear hechos de fácil averiguación, como cuando en marzo de 1981, Benito Alazraki afirmó que "la idea de hacer una película de esta novela me nació desde el año 1954, cuando salió a la luz pública, aún muchos meses antes de que obtuviera el premio de literatura" (diario *Excélsior*), cuando lo cierto es que fue premiada en 1954 y no apareció impresa hasta 1956.

FINAL

La última vez que vi a María Félix fue en la Quinta Avenida, de Nueva York. Caminaba junto a un hombre joven. Ambos reían y ella le mostraba algo que llevaba dentro de un pequeño paquete, abriendo con desgarro el papel de la envoltura.

A mi lado un matrimonio dijo, en español: "Es María", y se quedaron mirando largamente a la "Doña".

Curiosamente yo pensé: María camina ahora con más gracia y garbo que cuando dio el primer paso en el cine.

Y después me dije:

—El cine hizo a María.

FILMOGRAFÍA

1. *EL PEÑÓN DE LAS ÁNIMAS*

Producción: Grovas, S.A.
Director: Miguel Zacarías.
Argumento y adaptación: Miguel Zacarías.
Fotografía: Enrique Wallace y Luis Medina.
Música: Manuel Esperón, con temas clásicos.
Escenografía: Manuel Fontanals y Carlos Toussaint.
Intérpretes: Jorge Negrete, María de los Ángeles Félix, Carlos López Moctezuma, Virginia Manzano, Roberto Cañedo, Trío Calaveras.

Se estrena el día 25 de febrero de 1943, en el cine Palacio de la ciudad de México.

2. *MARÍA EUGENIA*

Producción: Grovas, S.A.
Director: Felipe Gregorio Castillo.
Argumento y adaptación: Felipe Gregorio C.
Fotografía: Víctor Herrera.
Música y canciones: Manuel Esperón, con letra de E. Cortazar.
Intérpretes: María Félix, Rafael Baledón, Manolita Saval, Jorge Reyes, Mimí Derba, Toña la Negra.

Se estrenó el día 1º de abril de 1943.

3. *DOÑA BÁRBARA*

Producción: Grovas, S. A., originalmente, y aespués/CLASA Films.
Dirección: Fernando de Fuentes.
Argumento: Sobre la novela de Rómulo Gallegos; *adaptación y diálogos*: Rómulo Gallegos, con la colaboración de Fernando de Fuentes.
Fotografía: Alex Philips.
Música: Francisco Domínguez; canciones venezolanas compuestas para la película: Prudencio Esaa.
Escenografía: Jesús Bracho.
Intérpretes: María Félix (Doña Bárbara), Julián Soler (Santos Luzardo), María Elena Marqués (Marisela), Andrés Soler (Lorenzo Barquero), Charles Rooner (don Guillermo), Agustín Isunza (Juan Primito), Miguel Inclán (Melquía-

des), Eduardo Arozamena (Melesio Sandoval), Arturo Soto Rangel (coronel Bernalete), Pedro Galindo (Nieves).

Se estrenó el día 16 de septiembre de 1943, en el cine Palacio.

4. *LA CHINA POBLANA*

Producción: CLASA Films.
Dirección: Fernando A. Palacios.
Argumento y adaptación: Fernando A. Palacios.
Fotografía: (Cinecolor) Raúl Martínez Solares.
Música: Armando Rosales.
Escenografía: Jorge Hernández.
Intérpretes: María Félix, Miguel Ángel Ferriz, Tito Novaro, Miguel Inclán, Antonio R. Frausto, Estela Ametler, Tony Díaz.

La película se rodó durante el mes de agosto de 1943 y se estrenó el día 8 de abril de 1944 en el cine Lindavista.

5. *LA MUJER SIN ALMA*

Producción: Cinematográfica de Guadalajara. Luis Enrique Galindo.
Dirección: Fernando de Fuentes.
Argumento: Sobre la novela *La razón social*, de Alphonse Daudet; *adaptación*: Alfonso Lapena y Fernando de Fuentes.
Fotografía: Víctor Herrera.
Música: Francisco Domínguez; canciones: María Alma.
Escenografía: Jesús Bracho.
Intérpretes: Fernando Soler, María Félix, Andrés Soler, Antonio Badú, Chela Campos, Emma Roldán, Mimí Derba, Carlos Martínez Baena.

Filmada a partir del día 21 de octubre de 1943, en los estudios Clasa. Se estrenó el día 17 de febrero de 1944, en el cine Alameda.

6. *LA MONJA ALFÉREZ*

Producción: (1944) CLASA Films.
Dirección: Emilio Gómez Muriel; asistente: Moisés M. Delgado.
Argumento: Marco Aurelio Galindo; *adaptación*: Max Aub y Eduardo Ugarte.
Fotografía: Raúl Martínez Solares.
Música: Luis Hernández Bretón.
Sonido: Howard Randall, Jesús González Gancy y Manuel Esperón.
Escenografía: Jorge Fernández; *vestuario*: Armando Valdez Peza.
Edición: Jorge Bustos.
Intérpretes: María Félix (Catalina o Don Alfonso), José Cibrián ("Juan de

Aguirre"), Ángel Garasa, Consuelo Guerrero de Luna, Delia Magaña, José Pidal, Fanny Shiller, Paco Fuentes, Eugenia Galindo, Esther Luquín, Muruja Grifell, José Goula.

Estrenada el día 27 de julio de 1944 en el cine Palacio.

7. *AMOK*

Producción: (1944) CLASA Films.
Dirección: Antonio Momplet.
Argumento: Sobre un cuento de Stefan Zweig; *adaptación*: Antonio Momplet, con la colaboración de Erwin Sallfisch y, en los diálogos, de Max Aub.
Fotografía: Alex Philips.
Música: Agustín Lara.
Sonido: Howard Randall, José B. Carles y Manuel Esperón.
Escenografía: Jorge Fernández.
Intérpretes: María Félix (señora Trevis/señora Belmont), Julián Soler (doctor Jorge Martell), Stella Inda (Tara), Miguel Ángel Ferriz (gobernador), José Baviera (señor Belmont), Paco Fuentes (doctor Rozier), Miguel Arenas (tío de Jorge), Kali Karlo (sirviente), Carolina Barret (Rosa, criada), Arturo Soto Rangel (don Eduardo), Lupe del Castillo (curandera), Eduardo Noriega (sobrino del gobernador), José Goula (Luis Blumentahl), Gustavo Rojo, Enrique Cancino, Carlos Aguirre, Manuel Pozos, Salvador Lozano, Roberto Cañedo, Manuel Dondé.

Estrenada el 22 de diciembre de 1944 en el cine Chapultepec.

8. *EL MONJE BLANCO*

Producción: (1945) CLASA Films.
Dirección: Julio Bracho.
Argumento: Sobre la pieza teatral en verso de Eduardo Marquina; *adaptación*: Julio Bracho y Jesús Cárdenas; diálogos adicionales: Xavier Villaurrutia.
Fotografía: Alex Philips.
Música: Raúl Lavista.
Sonido: Howard Randall, Jesús González Gancy y Manuel Esperón.
Escenografía: Jorge Fernández; *vestuario*: Armando Valdez Peza y Beatriz Sánchez Tello;
Intérpretes: María Félix (Gálata Orsina), Tomás Perrín (conde Hugo del Saso/fray Paracleto), Marta Elba (Anabella), Ernesto Alonso (fray Can), Claudia Monterde, o sea, María Douglas (Mina Amanda), Julio Villarreal (padre provincial), Paco Fuentes (Capolupo), Consuelo Guerrero de Luna (condesa Próspera Huberta), José Pidal (fray Matías).

Estrenada el 6 de octubre de 1945 en el cine Chapultepec.

9. VÉRTIGO

Producción: (1945) CLASA Films.
Dirección: Antonio Momplet.
Argumento: Sobre la novela *Alberta* de Pierre Benoit; *adaptación*: Mauricio Magdaleno y Antonio Momplet.
Fotografía: Alex Philips.
Música: Jorge Pérez.
Sonido: Jesús González Gancy y Manuel Esperón.
Escenografía: Jorge Fernández; *vestuario*: Armando Valdez Peza.
Edición: Jorge Bustos.
Intérpretes: María Félix (Mercedes Mallea), Emilio Tuero (Arturo), Lilia Michel (Gabriela), Julio Villarreal (don Agustín), Emma Roldán (nana Joaquina), Manuel Noriega.

Se estrenó el 14 de febrero de 1946 en el cine Chapultepec.

10. LA DEVORADORA

Producción: (1946) Jesús Grovas.
Dirección: Fernando de Fuentes.
Argumento: Paulino Masip; *adaptación*: Paulino Masip y Fernando de Fuentes.
Fotografía: Ignacio Torres.
Música y canciones: Agustín Lara.
Sonido: Eduardo Fernández.
Escenografía: Vicente Petit.
Edición: Jorge Bustos.
Intérpretes: María Félix (Diana de Arellano), Luis Aldás (Miguel Iturbe), Julio Villarreal (don Adolfo), Felipe de Alba (Pablo Ortega).

Estrenada el 18 de abril de 1946 en el cine Alameda.

11. LA MUJER DE TODOS.

Producción: (1946) Filmex.
Dirección: Julio Bracho.
Argumento: Sobre la obra de Roberto Thoeren; *adaptación*: Mauricio Magdaleno, Julio Bracho y Antonio Momplet; *diálogos*: Xavier Villaurrutia.
Fotografía: Alex Philips.
Música: Raúl Lavista.
Escenografía: Jesús Bracho; *vestuario*: Armando Valdez Peza.
Edición: Mario González.
Intérpretes: María Félix (María Romano), Armando Calvo (capitán Jorge Serralde), Gloria Lynch (esposa de Juan Antonio), Alberto Galán (coronel

358

Juan Antonio Cañedo), Arturo Soto Rangel (general), Patricia Morán (Angélica), Ernesto Alonso (Carlos).

Estrenada el 19 de septiembre de 1946 en el cine Chapultepec.

12. *ENAMORADA*

Producción: (1946) Panamerican Films.
Dirección: Emilio Fernández.
Argumento y adaptación: Íñigo de Martino, Benito Alazraki y Emilo Fernández.
Fotografía: Gabriel Figueroa.
Música: Eduardo Hernández Moncada; canciones: Pedro Galindo.
Escenografía: Manuel Fontanals; *vestuario*: sobre diseños de Armando Valdez Peza y X. Peña.
Edición: Gloria Schoemann.
Intérpretes: María Félix (Beatriz Peñafiel), Pedro Armendáriz (general José Juan Reyes), Fernando Fernández (padre Rafael Sierra).

Estrenada el 25 de diciembre de 1946 en el cine Alameda.

13. *LA DIOSA ARRODILLADA*

Producción: (1947) Panamerican Films.
Dirección: Roberto Gavaldón.
Argumento: Sobre un cuento de Ladislao Fodor; *adaptación*: José Revueltas y Roberto Gavaldón, con la colaboración de Alfredo B. Crevenna y Edmundo Báez; *guión técnico*: Tito Davison.
Fotografía: Alex Philips.
Música: Rodolfo Halffter; canciones: Agustín Lara y doctor Neumann.
Escenografía: Manuel Fontanals; *vestuario*: Lilian Oppenheim y Aurora Máinez.
Edición: Charles L. Kimball.
Intérpretes: María Félix (Raquel Serrano), Arturo de Córdova (Antonio Ituarte), Rosario Granados (Elena), Fortunio Bonanova (Nacho Gutiérrez), Rafael Alcayde (Demetrio).

Estrenada el 13 de agosto de 1947 en los cines Chapultepec, Palacio y Savoy.

14. *RÍO ESCONDIDO*

Producción: (1947) Raúl de Anda.
Dirección: Emilio Fernández.
Argumento: Emilio Fernández; *adaptación*: Mauricio Magdaleno.
Fotografía: Gabriel Figueroa.

Música: Manuel Domínguez.
Escenografía: Manuel Fontanals.
Intérpretes: María Félix (Rosaura Salazar), Domingo Soler (cura), Carlos López Moctezuma (Regino Sandoval), Fernando Fernández (Felipe Navarro, pasante de medicina), Arturo Soto Rangel (médico don Felipe), Eduardo Arozamena (Marcelino, viejo campesino), Columba Domínguez (Merceditas).

Estrenada el 13 de enero de 1948 en el cine Orfeón.

15. QUE DIOS ME PERDONE

Producción: (1947) Filmex.
Dirección: Tito Davison.
Argumento: Xavier Villaurrutia; *adaptación*: José Revueltas y Tito Davison.
Fotografía: Alex Philips.
Música: Manuel Esperón.
Escenografía: José Rodríguez Granada; *vestuario*: Armando Valdez Peza.
Intérpretes: María Félix (Sofía o Lena Kovach), Fernando Soler (don Esteban Velasco), Julián Soler (doctor Mario Colina Vázquez), Tito Junco (licenciado Ernesto Serrano).

Se estrenó el día 25 de marzo de 1948 en los cines Alameda y México.

16. MACLOVIA

Producción: (1948) Filmex, Gregorio Wallerstein.
Dirección: Emilio Fernández.
Argumento: Mauricio Magdaleno; *adaptación*: Emilio Fernández.
Fotografía: Gabriel Figueroa.
Música: Antonio Díaz Conde.
Escenografía: Manuel Fontanals.
Intérpretes: María Félix (Maclovia), Pedro Armendáriz (José María), Carlos López Moctezuma (sargento Genovevo de la Garza), Columba Domínguez (Sara), Arturo Soto Rangel (don Justo, maestro), Miguel Inclán (tata Macario), Roberto Cañedo (teniente Ocampo).

Estrenada el 30 de septiembre de 1948 en los cines México y Alameda.

17. DOÑA DIABLA

Producción: (1948) Filmex.
Dirección: Tito Davison.
Argumento: Sobre la pieza de Luis Fernández Ardavín; *adaptación*: Tito Davison; *diálogos*: Ricardo López Méndez.

360

Fotografía: Alex Plilips.
Música: Manuel Esperón.
Escenografía: Jorge Fernández.
Edición: Rafael Ceballos.
Intérpretes: María Félix (Ángela), Víctor Junco (Adrián Villanueva), Crox Alvarado (Esteban), José María Linares Rivas (Sotelo Vargas), Perla Aguilar (Angélica), Dalia Íñiguez, José Baviera (Solar Fuentes), Luis Beristáin (cura), Beatriz Ramos (Carmela).

Estrenada el 28 de enero de 1950 en los cines Chapultepec y Orfeón. La película se presentó en el Festival de Cannes bajo el título de "La Diablesse".

18. *MARE NOSTRUM*

Producción: Suevia Films.
Dirección: Rafael Gil.
Argumento: Basada en la novela de Vicente Blasco Ibáñez; *adaptación*: Antonio Abad Ojuel.
Fotografía: Alfredo Fraile.
Música: Maestro Quintero.
Escenografía: Enrique Alarcón.
Intérpretes: María Félix (Freya), Porfiria Sanchiz (doctora), Fernando Rey (Ulises), Guillermo Marín (Von Kramer), José Nieto (Kart), Eduardo Fajardo.

Se estrenó en Madrid, en el cine Avenida, el 12 de diciembre de 1948.

19. *UNA MUJER CUALQUIERA*

Producción: Suevia Films.
Dirección: Rafael Gil.
Argumento y diálogos: Miguel Mihura; *guión*: Rafael Gil.
Fotografía: Ted Pahle.
Música: Manuel Parada.
Escenografía: Enrique Alarcón.
Intérpretes: María Félix (Nieves Blanco), Antonio Vilar (Luis), Mary Delgado José Nieto (Gálvez), Manuel Morán, Eduardo Fajardo, Carolina Giménez.

Se estrenó en Madrid, en el Palacio de la Música, el día 15 de agosto de 1949.

20. *LA NOCHE DEL SÁBADO*

Producción: Suevia Films.
Dirección: Rafael Gil.
Argumento: Basado en la obra de Jacinto Benavente; *adaptación y diálogos*: Antonio Abad Ojuel.

Fotografía: Michel Kelber.
Escenografía: Enrique Alarcón.
Intérpretes: María Félix (Imperia), Rafael Durán (príncipe Miguel), José María Soane (Leonardo), Manuel Fábregas (príncipe Florencio), María Rosa Salgado (Donina), Mariano Asquerino.

Se estrenó en Madrid el día 29 de diciembre de 1950.

21. *LA CORONA NEGRA*

Producción: Suevia Films.
Dirección: Luis Saslavsky.
Argumento: Jean Cocteau; *diálogos*: Miguel Mihura.
Fotografía: Antonio L. Ballesteros y Valentín Javier.
Música: Juan Quintero.
Escenografía: Enrique Alarcón.
Intérpretes: María Félix (Mara), Rossano Brazzi (Andrés), Vittorio Gassmann (Mauricio), José María Lado (señor Russel), Pieral (el enano Pablo), Julia Caba Alba, Concha López Silva.

Estrenada en Madrid en el mes de septiembre de 1951.

22. *MESALINA*

Producción: Produzione Gallone-Filmsonor-Cesáreo González (italo-franco-española).
Dirección: Carmine Gallone.
Argumento: Carmine Gallone; *guión*: Albert Valentín, C.V. Ludovice, Nino Novarese, Carmine Gallone; *diálogos*: Pierre Laroche.
Fotografía: Anchise Brizzi.
Música: Renzo Rossellini.
Escenografía: Gastone Medin.
Intérpretes: María Félix (Mesalina), Georges Marchal (Calus Silius), Delia Scala (Cinzia), Jean Tissier (Mnester), Giuseppe Varni.

Producida en Italia en 1951.

23. *INCANTÉSIMO TRÁGICO*

Producción: Epic Films.
Dirección: Mario Sequi.
Argumento y guión: Luigi Bonelli y Mario Sequi.
Fotografía: Piero Portalupi.
Música: Raman Vlad.
Escenografía: Saverino d'Eugenio.

Intérpretes: María Félix (Oliva), Rossano Brazzi (Pietro), Charles Vanel (Bastiano), Massimo Serato (Berto), Irma Gramática (abuela).

Producida en Italia en 1951.
Estrenada en México con el título de "Hechizo trágico".
Estrenada en Francia con el título de "Oliva".

24. *LA PASIÓN DESNUDA*

Producción: Interamericana.
Dirección: Luis César Amadori.
Argumento y guión: Gabriel Peña.
Fotografía: Antonio Merayo.
Escenografía: Álvaro Durañoña y Vedia.
Música: Julián Bautista.
Intérpretes: María Félix (Malva Rey), Carlos Thompson (Pablo Valdés), Eduardo Cuitiño, Héctor Calcagno, Diana Miriam Jones.

Estreno en el cine Ópera de Buenos Aires, el mes de abril de 1953.

25. *CAMELIA*

Producción mexicanoespañola: (1953) Filmex, Suevia Films.
Dirección: Roberto Gavaldón.
Argumento: Mauricio Wall (Gregorio Wallerstein) y José Arenas *Pepe Grillo*; *adaptación*: Roberto Gavaldón y Edmundo Báez.
Fotografía: Gabriel Figueroa.
Música: Antonio Díaz Conde.
Escenografía: Jorge Fernández.
Intérpretes: María Félix (Camelia), Jorge Mistral (Rafael Torres), Carlos Navarro (Enrique), Renée Dumas (Nancy), Miguel Ángel Ferriz (doctor Del Real).

Estrenada el 17 de febrero de 1954 en el cine Las Américas.

26. *REPORTAJE*

Producción: Tele Voz, Pecime y la Anda.
Dirección: Emilio Fernández.
Argumento y adaptación: Emilio Fernández y Mauricio Magdaleno. La historia que interpreta María fue escrita por Julio Alejandro.
Fotografía: Alex Philips.
Música: Antonio Díaz Conde.
Escenografía: Salvador Lozano Mena.
Intérpretes: María Félix y Jorge Negrete (de la historia final del film). En otras

historias Dolores del Río, Arturo de Córdova, Pedro Armendáriz, María Elena Marqués, Carmen Sevilla, Roberto Cañedo y muchos actores prestigiados más.

27. *EL RAPTO*

Producción: Filmadora Atlántida.
Dirección: Emilio Fernández.
Argumento y adaptación: Emilio Fernández, Íñigo de Martino y Mauricio Magdaleno.
Música: Manuel Esperón.
Escenografía: Salvador Lozano Mena.
Intérpretes: Jorge Negrete (Ricardo Alfaro), María Félix (Aurora Campos y Campos), Andrés Soler, José Elías Moreno, Rodolfo Landa, Emma Roldán.

28. *LA BELLA OTERO*

Producción: Les Films Modernes - I.C.S. - Astoria Films (Francia).
Dirección: Richard Pottier.
Argumento y guión: Marc Gilbert Sauvajon, inspirada en los "Souvenirs" de Carolina Otero.
Fotografía: (Eastmancolor) Michel Kelber.
Música: Georges van Parys.
Escenografía: Robert Gys.
Intérpretes: María Félix (Carolina, Otero), Jacques Berthier (Jean Chastaing), Louis Seigner, Maurice Teynac, Paolo Stopa.

29. *FRENCH-CANCAN*

Producción: Franco-Italiana. Franco London Film-Jolly Film.
Dirección: Jean Renoir.
Argumento: Idea de André - Paul Antonie; *guión y diálogos*: Jean Renoir.
Fotografía: Michel Kelber.
Escenografía: Max Douy.
Intérpretes: Jean Gabin (Danglard), Françoise Arnoul (Nini), María Félix (Margot, «La Belle Abbesse»), Jean Robert, Max Dalban, Gaston Modot, Michele Phillipe, Edith Piaf, Michel Piccoli.

Producida en París durante 1954, se estrenó en España, en el cine Callao, el 21 de abril de 1957.
En los Estados Unidos se estrenó con el título de "Only French Can".

30. *LES HÉROS SONT FATIGUÉS*

Producción: Tila-Terra.
Dirección: Yves Ciampi.

Argumento: Yves Ciampi, Jacques-Laurent Bost sobre un reportaje de Christine Garnier.
Fotografía: Henri Alekan.
Música: Louiguy.
Intérpretes: Yves Montand, María Félix, Jean Servais, Curt Jurgens, Gerard Oury.

En México se estrenó con el título "Los héroes están fatigados"; en inglés: "The Heroes Are Tired".
Se produjo en Francia en 1955.

31. *LA ESCONDIDA*

Producción: Alfa Films, Samuel Alazraki.
Dirección: Roberto Gavaldón.
Argumento: Miguel Lira; *adaptación*: José Revueltas, Gunther Gerszo y Roberto Gavaldón.
Fotografía: (Eastmancolor): Gabriel Figueroa.
Música: Raúl Lavista, con canciones de Cuco Sánchez.
Escenografía: Gunther Gerszo.
Intérpretes: María Félix (Gabriela), Pedro Armendáriz (Felipe Rojano), Andrés Soler (general Nemesio Garza), Arturo Martínez (don Cosme), Domingo Soler (tata Agustino), Jorge Martínez de Hoyos (Máximo Tepal), Carlos Agosti (Octavio Montero).

Se estrenó en el cine México el 18 de julio de 1956.

32. *CANASTA DE CUENTOS MEXICANOS*

Producción: José Kohn.
Dirección: Julio Bracho.
Argumento: Sobre el libro de B. Traven; *adaptación*: Juan de la Cabada.
Fotografía (Cinemascope, Pathécolor): Gabriel Figueroa.
Música: Lan Adomián.
Escenografía: Edward Fitzgerald.
Intérpretes: En *La Tigresa*, María Félix (Luisa Bravo), Pedro Armendariz (Carlos Cosío); en *Una Solución Inesperada*, Arturo de Córdova (Pierre Duval), Lorraine Chanel (Lorraine Arnaud); en *Canasta* Marie Blanchard (Gladys Winthrop), Jack Kelly.

Se estrena el día 20 de noviembre de 1956, en el cine México.
El libro de B. Traven fue registrado en México, como traducido por R.E. Luján, en 1956, después de que se había iniciado la filmación.

33. TIZOC

Producción: Producciones Matouk Films.
Dirección: Ismael Rodríguez.
Argumento: Ismael Rodríguez, Manuel R. Ojeda y Ricardo León; *adaptación*: Ismael Rodríguez y Carlos Orellana.
Fotografía: Alex Philips.
Música: Raúl Lavista.
Escenografía: Jorge Fernández.
Intérpretes: María Félix (María), Pedro Infante (Tizoc), Eduardo Fajardo, Julio Aldama, Alicia del Lago, Andrés Soler, Miguel Arenas.

Se estrenó en octubre de 1957 en los cines Alameda, Las Américas, Mariscala y Polanco.

34. FLOR DE MAYO

Producción: Cinematográfica Latino Americana, Moctezuma Films.
Dirección: Roberto Gavaldón.
Argumento: Sobre la novela de Vicente Blasco Ibáñez; *adaptación*: Libertad Blasco Ibáñez, Íñigo de Martino, Julián Silvera y Edwin Blum.
Fotografía: Gabriel Figueroa.
Música: Gustavo César Carrión.
Escenografía: Manuel Fontanals.
Intérpretes: María Félix (Magdalena), Jack Palance (Jim Gatsby), Pedro Armendáriz (Pepe Gamboa), niño Juanito Múzquiz (Pepito), Carlos Montalbán (Nacho), Domingo Soler (cura), Paul Stewart (Pendergast), Jorge Martínez de Hoyos (Rafael Ortega), Emma Roldán (Carmela, criada).

Se estrenó el día 9 de julio de 1959 en el cine Roble.

35. FAUSTINA

Producción: CHAPALO Films para Suevia Films (España).
Dirección: José Luis Sáenz de Heredia.
Argumento, guión: José Luis Sáenz de Heredia.
Fotografía (Eastmancolor): Alfredo Fraile.
Música: Juan Quintero.
Escenografía: Ramiro Gómez y Félix Michelena.
Intérpretes: María Félix (Faustina), Fernando Fernán Gómez (Mogón), Conrado San Martín (capitán Valentín), Fernando Rey, Elisa Montés, José Isbert, Tony Leblanc, Antonio Casas.

Se estrenó en el cine Gran Vía de Madrid, el día 13 de mayo de 1957.

36. MIÉRCOLES DE CENIZA

Producción: Filmex.
Dirección: Roberto Gavaldón.
Argumento: Luis G. Basurto; *adaptación*: Julio Alejandro y Roberto Gavaldón.
Fotografía: Agustín Martínez Solares.
Música: Antonio Díaz Conde.
Escenografía: Jorge Fernández.
Intérpretes: María Félix (Victoria Rivas), Arturo de Córdova (doctor Federico Lamadrid), Víctor Junco (José Antonio), Rodolfo Landa (el violador), Andrea Palma, María Rivas, David Reynoso, Arturo Soto Rangel, Cuco Sánchez.

37. CAFÉ COLÓN

Producción: Filmadora Chapultepec.
Dirección: Benito Alazraki.
Argumento: Rafael F. Muñoz y Eduardo Galindo; *adaptación*: Eduardo Galindo.
Fotografía: Gabriel Figueroa.
Música: Manuel Esperón.
Escenografía: Manuel Fontanals.
Intérpretes: María Félix, Pedro Armendáriz, Jorge Martínez de Hoyos, Francisco Jambrina, Luis Beristáin.

38. LA ESTRELLA VACÍA

Producción: Producciones Corsa.
Dirección: Emilio Gómez Muriel.
Argumento: Sobre la novela de Luis Spota; *adaptación*: Julio Alejandro y Emilio Gómez Muriel.
Fotografía: (Eastmancolor) Gabriel Figueroa.
Música: Gustavo César Carrión.
Escenografía: Jesús Bracho.
Intérpretes: María Félix (Olga Lang), Tito Junco (Edmundo), Carlos López Moctezuma (licenciado Federico Guillén), Enrique Rambal (Rodrigo Lemus), Ignacio López Tarso (Luis Arvide), Carlos Navarro (Rolando Vidal), Rita Macedo (Teresa), Wolf Ruvinskis (Tomás Téllez).

39. LA CUCARACHA

Producción: Películas Rodríguez.
Dirección: Ismael Rodríguez.

Argumento: José Bolaños e Ismael Rodríguez; *adaptación*; Ismael Rodríguez, José Luis Celis y Ricardo Garibay; *diálogos*: José Luis Celis y Ricardo Garibay.
Fotografía: Gabriel Figueroa.
Música: Raúl Lavista.
Escenografía: Edward Fitzgerald.
Intérpretes: María Félix, Dolores del Río, Pedro Armendáriz, Emilio Fernández, Antonio Aguilar, Ignacio López Tarso, David Reynoso, Emma Roldán.

40. *SONATAS*

Producción: Barbachano Ponce (México) y UNINCI (España).
Dirección: Juan Antonio Bardem.
Argumento: Sobre la novela de Ramón del Valle Inclán; *adaptación*: Juan Antonio Bardem. *Colaboradores en México*: Juan de la Cabada y José Revueltas.
Fotografía: Gabriel Figueroa (México) y Cecilio Paniagua (España).
Música: Luis Hernández Bretón (México) e Isidro Maiztegui (España).
Escenografía: Gunther Gerszo (México) y Francisco Canet (España).
Intérpretes: De los dos episodios: Francisco Rabal y Fernando Rey. Del episodio mexicano: María Félix (La Niña Chole), Carlos Rivas, Ignacio López Tarso, Enrique Lucero, David Reynoso. Del episodio español: Aurora Bautista, Carlos Casaravilla.

41. *LOS AMBICIOSOS*

Producción: Filmex (por México) y Films Borderie, Groupe des Cuatre (Francia).
Dirección: Luis Buñuel.
Argumento: Sobre la novela *La fievre monte á El Pao*, de Henry Castillou. *Guión* de Buñuel, Luis Alcoriza, Louis Sapin, Charles Dorat y Henry Castillou. *Diálogos en francés* de Luis Sapin. *Supervisión mexicana* de José Luis González de León.
Fotografía: Gabriel Figueroa.
Música: Paul Misraki.
Escenografía: Jorge Fernández.
Intérpretes: Gerard Phillipe, María Félix, Jean Servais, Víctor Junco, Roberto Cañedo, Andrés Soler, David Reynoso.

Con el título "La fievre monte á El Pao", se estrenó en París en el mes de diciembre de 1959.

42. *JUANA GALLO*

Producción: Producciones Zacarías.
Dirección: Miguel Zacarías.
Argumento y adaptación: Miguel Zacarías.

368

Fotografía: Gabriel Figueroa.
Música: Manuel Esperón.
Escenografía: Manuel Fontanals.
Intérpretes: María Félix (Ángela Ramos o "Juana Gallo"), Jorge Mistral, Luis
   Aguilar, Ignacio López Tarso, Christiane Martel, Rita Macedo, René Cardo-
   na, Noé Murayama.

Se estrenó en junio de 1961, en los cines Roble, México, Olimpia y Ariel.

43. *LA BANDIDA*

Producción: Películas Rodríguez.
Dirección: Roberto Rodríguez.
Argumento y adaptación: Rafael García Travesí y Roberto Rodríguez.
Música: Raúl Lavista.
Escenografía: Roberto Solva.
Intérpretes: María Félix (María Mendoza, La Bandida). Pedro Armendáriz,
   Ignacio López Tarso, Emilio Fernández, Katy Jurado, Lola Beltrán, Andrés
   Soler, Marco Antonio Muñiz, René Cardona.

Se estrenó el día 13 de enero de 1963, en la ciudad de México. Cines Alameda,
Las Américas, Mariscala y Polanco.

44. *SI YO FUERA MILLONARIO*

Producción: Filmex.
Dirección: Julián Soler.
Argumento: Fernando Josseau, Raúl Centeno, José María Fernández Unsaín,
   Carlos León; *adaptación*: Fernando Josseau y Raúl Centeno.
Fotografía: Agustín Martínez Solares.
Música: Manuel Esperón.
Escenografía: Jorge Fernández.
Intérpretes: María Félix, Amador Bendayán, Teresa Velázquez, Enrique Ram-
   bal, Miguel Aceves Mejía, Antonio Aguilar, César Costa, Lorena Velázquez,
   David Reynoso.

Se estrenó en octubre de 1962 en el cine Alameda.

45. *AMOR Y SEXO*

Producción: Filmex.
Dirección: Luis Alcoriza.
Argumento y adaptación: Fernando Galiana y Julio Porter, inspirados en la
   novela *Safo*, de Alphonse Daudet.
Fotografía: Rosalío Solano.

Música: Sergio Guerrero.
Escenografía: Jorge Fernández.
Intérpretes: María Félix, Julio Alemán, Julio Aldama, Augusto Benedico, José Gálvez, Laura Garcés, Fernando Luján.

Se estrenó en mayo de 1964, en los cines Roble, México y Las Américas.

46. *LA VALENTINA*

Producción: Cima Films.
Dirección: Rogelio A. González.
Argumento: José María Fernández Unsaín, Gregorio Wallerstein, Eulalio González (Piporro).
Fotografía: Rosalío Solano.
Música: Manuel Esperón.
Intérpretes: María Félix, Eulalio González (Piporro), José Elías Moreno.

47. *LA GENERALA*

Producción: Churubusco, S.A.
Dirección: Juan Ibáñez.
Argumento: Juan Ibáñez y Arturo Rosenblueth.
Fotografía: Gabriel Figueroa.
Música: Antonio Díaz Conde y Óscar Chávez.
Intérpretes: María Félix, Ignacio López Tarso, Carlos Bracho, Eric del Castillo, Evangelina Elizondo, Santanón.

Producida en 1970.

ÍNDICE